D0492867

LES PRÉTENDANTS

Du même auteur

Dans l'œil de l'aigle. Washington face au Québec, Boréal, 1990.
Carrefours Amérique, Boréal/La Découverte, 1990.

Jean-François Lisée

LES PRÉTENDANTS

Boréal

Les Éditions du Boréal sont inscrites au Programme de subvention globale du Conseil des Arts du Canada.

Conception graphique : Gianni Caccia

Dépôt légal : 4e trimestre 1993
Bibliothèque nationale du Québec

Diffusion au Canada : Dimedia
Distribution en Europe : Les Éditions du Seuil

Données de catalogage avant publication (Canada)
Lisée, Jean-François

Les Prétendants

Comprend des réf. bibliogr. et un index.

ISBN 2-89052-583-X

1. Parti libéral du Québec. 2. Bacon, Lise, 1934- . 3. Johnson, Daniel, 1944- . 4. Rémillard, Gil, 1944- . 5. Tremblay, Gérald, 1942- . 6. Québec (Province) - Politique et gouvernement - 1985- . I. Titre.

JL259.A54L57 1993 324.2714'06 C93-097119-1

À Jean Paré
pour la patience

AVIS AU LECTEUR SCEPTIQUE

Le lecteur assidu du magazine *L'actualité,* feuilletant ce livre en librairie, soupçonne l'arnaque. N'y a-t-il pas dans ces pages une forte dose de déjà lu? Qu'il se rassure. Ce livre est constitué, pour l'essentiel, d'éléments nouveaux, inédits, à jour. (Nous avons même fait le calcul, pour les pointilleux: 85 % de nouveau texte!) Le reste s'alimente à des portraits magazine publiés — et, dans deux cas, primés — au cours des deux dernières années. Si le lecteur juge que ces portraits lui suffisent, qu'il remette immédiatement ce livre sur l'étagère.

Mais s'il veut savoir de quel bois se chauffent nos prétendants au trône, découvrir d'où ils viennent, où ils sont, et où ils vont, il n'aura guère de meilleure occasion de satisfaire sa curiosité. S'il est, de surcroît, militant libéral, et qu'il veut avoir en main les éléments pour bien choisir son futur chef, alors l'affaire est entendue, sauf de savoir s'il en prend un second exemplaire pour son neveu péquiste.

INTRODUCTION

LA MUSIQUE DU POUVOIR

Les Québécois assisteront cet automne, la plupart comme spectateurs, un bon nombre comme participants, à l'une des joutes politiques les plus difficiles, les plus corsées et les plus palpitantes qui soient : la course au leadership au sein du parti au pouvoir.

Pour participer à une course au leadership, il faut être passé maître dans l'art de la boxe, de l'éloquence, du tir de poignard, de la chanson de charme, de la course de fond, de la mémorisation des prénoms et des contrats de voirie, du calcul mental et du théâtre, car il faut pouvoir, au dernier acte, feindre avec le plus grand naturel la miséricorde ou la loyauté, selon le cas. « C'est bien pire de faire campagne entre nous que contre l'adversaire, dit un habitué. Nous, on se connaît, en chair et en os. L'adversaire, on ne fait que le croiser de temps en temps. Il n'existe pas vraiment. »

Mais tout cela n'est encore qu'une version ordinaire de ce qu'on appelait savoureusement au Québec — jusqu'à ce que l'Office de la langue française y mette son grand nez — une « course à la chefferie ». Ce qu'on connaîtra au cours des prochains mois, c'est la version rare, pour collectionneurs, l'édition de luxe. Car lorsque le parti concerné est au pouvoir, l'enjeu est double. Habituellement, les candidats visent d'abord la direction du parti, puis, dans une seconde étape, l'accession au pouvoir. Cette fois-ci, le vainqueur fera beaucoup mieux : il se transformera *ipso facto* en premier citoyen de l'État. L'objectif des participants au jeu politique étant, toujours, de devenir « celui qui décide » — certains pour le plaisir de l'être, d'autres pour la possibilité d'agir —, le vainqueur de la course à la succession de Robert Bourassa aura immédiatement la main sur le volant.

Mais après ? Le nouveau chef libéral pourra gérer le Québec jusqu'en octobre 1994. Le temps de se colleter à la réalité et de découvrir qui, du chef ou de la réalité, modèlera l'autre.

Alors anticipons. Qu'est-ce qui changera, au sommet de l'État, si l'un ou l'autre des quatre ministres les mieux placés pour succéder à Robert Bourassa l'emporte ? La question est d'importance, car diriger l'État n'est pas une fonction comme les autres. Le premier ministre agit, mais il fait plus : il imprime une attitude, instille un erre d'aller. Un chef léthargique incite à la mollesse. Un chef d'État énergique appelle le mouvement. Voyez l'effet Bush, l'effet Clinton.

Grâce aux données rassemblées sur la personnalité, les champs d'intérêt, les réflexes politiques des Lise Bacon, Daniel Johnson, Gil Rémillard et Gérald Tremblay, on peut extrapoler avec un assez haut degré de probabilité. Stars de la fanfare gouvernementale, nos ministres sont forcés de jouer la partition du chef. Mais on perçoit déjà leur style, et on entend parfois des fragments de leurs propres compositions dans leurs improvisations en solo ou, avant le concert, pendant la période de réchauffement des musiciens. S'ils tenaient la baguette du maestro, ils développeraient ces thèmes en une symphonie complète.

Et si le chef donne le ton, les prétendants forment toute une gamme. Qu'on en juge*.

---

* Toute énumération de politiciens suppose le respect d'un ordre protocolaire. Nos quatre ministres sont présentés dans ce livre dans un ordre précis qui, par une heureuse coïncidence, respecte à la fois l'ordre hiérarchique (à commencer par la vice-première ministre), l'ordre d'entrée

Dans un gouvernement Bacon, on ouvrirait les dossiers au son de *Guillaume Tell*. De l'élan, de la charge. Éclats de cymbales et roulement de timbales. Le volontarisme au pouvoir ! Difficile de percevoir, dans ce vacarme, le murmure de la flûte traversière, le timbre du triangle. Son slogan : « Pas de tataouinage. » Finis les louvoiements, les négociations interminables, les rapports de commission qui s'empilent. « Quel est le problème ? » demanderait la première ministre. « Quelles sont les options ? » insisterait-elle ensuite. « Voici mon choix », annoncerait-elle finalement, de préférence avant la tombée du jour.

Lorsque Lise Bacon a occupé le siège du premier ministre, durant les périodes d'hospitalisation et de convalescence de celui-ci, on a vu combien elle était expéditive. « Je suppose que Robert aurait dit : "on va regarder ça" et aurait temporisé, a-t-elle affirmé après avoir fermé un dossier délicat. Mon style est différent. Je me suis dit : "c'est ça, c'est final". » En refusant de satisfaire aux revendications, alors en cause, elle se mettait pourtant à dos le lobby le plus puissant du Québec : le caucus des députés libéraux. Deux ans pour déterminer la couleur de la margarine ? Pas avec Bacon. Esprit de décision ? Il est là !

Ce qu'il y a de bien avec une femme aussi déterminée, c'est qu'on a l'impression que les choses bougent, et vite ! Si tout ce qui traîne se salit, on peut croire qu'un gouvernement Bacon serait plutôt propre. L'ennui, c'est qu'habituellement plus il y a de poigne, moins il y a de doigté. Et il n'y a pas loin de l'autorité à l'autoritarisme. Lise Bacon, parlons net, seraitelle une Duplessis en jupon ? Sur la forme, elle pourrait avoir cette tendance. Sur le fond, on la verrait, comme lui, populiste et probablement populaire, mais beaucoup moins conservatrice. Le secret de Bacon, c'est qu'elle est de centre gauche.

---

au conseil des ministres, l'ordre alphabétique et les impératifs de la galanterie. Seul le droit d'aînesse n'a pu être complètement respecté: Bacon est née en août 1934, Tremblay en septembre 1942, Rémillard en novembre 1944, Johnson en décembre 1944.

Bacon chef serait probablement dure avec les autochtones, pas avec les assistés sociaux.

La qualité de sa politique serait directement proportionnelle à la compétence de son entourage : elle gérerait d'autant mieux les affaires de l'État qu'elle aurait su choisir et retenir des conseillers de haut calibre. Jusqu'ici, elle a plutôt pris l'habitude de les épuiser. La propension de Lise Bacon à soupçonner que se trament contre elle des complots, que se brassent des intrigues, pourrait aussi prendre à cet échelon de plus graves proportions, et la pousser à adopter des décisions improductives. Ou à se priver des avis, peut-être judicieux, de la faction jugée ennemie.

Enfin, son accession au pouvoir accélérerait probablement la promotion des femmes dans l'appareil gouvernemental. Bacon a toujours aimé s'entourer de femmes ; ce n'est pas à l'apogée de sa carrière qu'elle changerait ses habitudes.

Bref, le « ton Bacon » serait celui d'un Québec déterminé, besogneux, à l'occasion cassant, soupçonneux et vindicatif, modérément féministe, sans être féminin.

LE TON DE DANIEL JOHNSON SERAIT BEAUCOUP PLUS GRAVE — dans les deux sens du terme. L'homme mettrait d'abord le Québec au régime. Coupures, tickets modérateurs, tarification. Lancerait des appels à la rigueur. Johnson, c'est l'austérité au pouvoir : « Votez pour moi, semble-t-il dire, et je vous ferai mal ! »

Néo-conservateur, l'actuel président du Conseil du trésor l'était avant que cette mode apparaisse sur le continent ; il l'a été tout le temps qu'elle a balayé l'Amérique ; il le sera encore quand elle aura disparu. Pas de populisme chez lui. Il a l'intelligence du technocrate, et sans doute aussi autant de cœur.

Son slogan : « Vous pouvez vous en passer. » Sa couleur : le beige. Sa référence : le ratio dette/produit intérieur brut.

L'intelligence est un atout. Elle permet d'éviter les pires écueils, et de réparer assez correctement les dégâts. Mais elle est parfois aussi un boulet. Car la possession trop tranquille de la vérité suscite rarement le consensus, essentiel en politique, clé de toute réussite. Plusieurs disent avoir décelé cette faille dans la personnalité du gardien du Trésor québécois.

Le discours de Johnson, du moins celui qu'on lui connaît depuis plus d'une décennie, remettrait probablement à flot notre compte en banque collectif. Mais il n'est pas certain que le tissu social résisterait aux coups de boutoir de ce « Ross Perot québécois » — selon l'expression d'un ami du ministre. Aurait-il oublié que, sans jeux, le peuple se lasse bien vite du pain ?

Issu de l'élite, n'ayant comme expérience professionnelle que ses huit années à Power Corporation, Johnson a le physique, la démarche, le vocabulaire du grand bourgeois qui appelle le prolétariat à plus de retenue dans sa consommation de bière. La promesse de Perot le *self-made man* d'augmenter les impôts des Américains était assortie d'une offensive contre les comptes en banque des biens nantis ; ce n'est pas pour rien que la majorité des dirigeants d'entreprise lui étaient opposés. Il ne se trouve cependant personne au Conseil du patronat pour craindre, de ce côté-ci de la frontière, la potion du docteur Johnson.

Bref, la musique qui sortirait du « *bunker* » du premier ministre Johnson serait monocorde et économe. On ne pourrait pas lui reprocher, comme l'empereur d'Autriche à Mozart, d'y avoir mis « trop de notes ». Un timbre génial tout en clarté et en rigueur pour les uns, lassant et crève-tympan pour les autres.

Du Mozart, par contre, sous Gil Rémillard, on en entendrait tout plein. Du clavecin, pendant le menuet. Et la *Messe du couronnement*, devant le tapis rouge. Car Québec — ou plutôt, comme le dit lui-même Gil 1er, « la Genève de l'Amérique du Nord » — deviendrait le bal des académiciens et des ambassadeurs, le haut lieu des congrès savants et des sommets internationaux.

De la classe, que diable ! Du panache ! Homme de droit et de chartes, Rémillard donnerait au Québec des airs de noblesse, et, côté peuple, doublerait le budget de l'Aide juridique dans les cent jours ! La société distincte, qu'il a eu tant de mal à faire avaler pendant les tournées dans l'Ouest canadien auxquels on l'astreignait ? Il la proclamerait. Une constitution québécoise en établirait le principe, un code des nationalités en encadrerait probablement l'application, un effort renouvelé dans les arts et la culture en illustrerait le renouveau, un corps diplomatique québécois en porterait la nouvelle aux quatre coins du globe, le premier ministre gardant par-devers lui la fonction de ministre des « Relations » internationales.

Revenu, deux fois, de flirts poussés avec l'idée de souveraineté, ce premier ministre libéral aurait comme slogan constitutionnel : « Retenez-moi, ou je fais un pays ! » Avis aux fédéralistes : il ne faudrait pas qu'on le provoque trop, sinon il pourrait faire un pas vers la sortie. Que dire d'éventuelles rencontres bilatérales au sommet Gil Rémillard - Jean Chrétien, sinon que le danger, pour l'unité canadienne, croîtrait avec l'usage ?

L'avantage de ce penchant nationaliste, c'est qu'il peut assouvir la soif d'une partie de l'électorat francophone, neutraliser les ardeurs péquistes. Mais il risque du même coup d'attiser la flamme. Bourassa a su circonscrire dans son parti le feu de brousse souverainiste, pour mieux le maîtriser et l'éteindre. Rémillard n'a pas, comme Bourassa, une longue expérience de sapeur-pompier. À la première incursion fédérale — c'est-à-dire très souvent — on risquerait le sinistre.

Fort en thème, Rémillard n'est toutefois pas un matheux. L'économie québécoise, sous sa gouverne, ne serait en sécurité que s'il s'adjoignait un argentier de confiance. Heureusement, les individus de cette race, le Parti libéral les collectionne.

Que dire, donc, de la mélodie du pouvoir sous Gil ? Beaucoup de clairons, quelques strophes d'un nouvel hymne national, dont on ne sait s'il vient ou s'il va. Du faste, sûrement. Une composition un peu formaliste, qui donne envie de bomber le torse, mais pas de danser ni de s'éreinter au travail.

GUITARE EN MAIN, HARMONICA EN BOUCHE, cymbales aux genoux, pédale de tambour au pied, Gérald Tremblay se ferait homme-orchestre. Une musique syncopée, riche, une octave plus haut que la moyenne, pour accompagner sa voix de René Simard prépubère. Bien concentré, l'auditeur arriverait à suivre les lignes mélodiques enchevêtrées. Mais, aussitôt son attention relâchée, il n'entendrait plus qu'un tintamarre.

On ne pourrait reprocher au premier ministre Gérald Tremblay de manquer d'énergie, de projets, d'ambition pour son peuple. Ce serait plutôt l'inverse. Le gouvernement Tremblay serait hyperactif, lancé tous azimuts, pressé de partir et pressé d'arriver.

Heureusement, il serait extraordinairement pratico-pratique : « Qu'est-ce qui marche ? » « Qu'est-ce qui ne marche pas ? » Et personne n'irait se coucher (personne n'irait même bouffer, car le ministre saute des repas) sans avoir présenté une idée de solution. Comme quoi la faim induit les moyens.

Son obsession : l'emploi. Sa technique : le partenariat. Son credo : la qualité totale. Son slogan : « Un pour tous, tous pour un ! »

Dans le secteur public, sa volonté d'introduire le salaire au mérite (une idée forte) promet de belles bagarres. Il réussirait néanmoins à faire avancer le Québec de quelques enjambées sur la voie de la méritocratie.

On peut prévoir la courbe de popularité d'un gouvernement Tremblay. Au début, les Québécois seraient sous le charme : tant de verve, tant d'ardeur, tant de bonne volonté, de fraîcheur et de nouveauté ! Car l'homme a l'enthousiasme communicatif. Si, ultérieurement, le taux de chômage était têtu, le discours commencerait à sonner d'autant plus creux qu'il serait ambitieux. Impossible de dire à partir de quel moment l'électeur trouverait la rengaine Tremblay insupportable.

ON PEUT ÊTRE SÛR DE DEUX CHOSES. Premièrement, sous la direction de l'un ou l'autre de nos prétendants, le Québec ne risquera pas l'autodestruction. Autrement dit, aucun d'eux n'est suffisamment incompétent pour entraîner l'État dans un péril grave. Avec eux à Québec, on pourra dormir relativement tranquille. Deuxièmement, chacun possède un bagage de connaissances et une expérience bien supérieurs à ceux dont jouissait Robert Bourassa lorsqu'il fut élu premier ministre en avril 1970.

Le plus vert d'entre eux (Gérald Tremblay) a été entrepreneur, consultant, et il est ministre depuis la fin de 1989. L'aînée (Lise Bacon) a été présidente du parti avant de se taper quatre ministères en dix ans — dont certains simultanément — et a assuré l'intérim du patron. Avant d'emménager au pouvoir, Bourassa n'avait jamais géré que sa propre ambition.

Deux épreuves attendent nos candidats. D'abord, les écueils débilitants de la course. Puis la tâche considérable de reformer une coalition gagnante en vue des prochaines élections. Car le nouveau chef, quelle que soit la mélodie qu'il jouera, aura un objectif en tête, un seul : rester au pouvoir au-delà de l'année suivante, assurer la réélection de son parti. Plus qu'un défi, c'est un tour de force. Car les deux tiers des francophones ont refusé, au référendum d'octobre 1992, la cuisine constitutionnelle préparée par le Parti libéral et son chef sortant. La majorité d'entre eux est insatisfaite. Si, au gré des sondages, le PLQ et le PQ se frottent souvent les pourcentages à l'intérieur de la même marge d'erreur, l'électorat francophone, décisif à l'extérieur de Montréal, donne régulièrement une longueur d'avance aux troupes de Jacques Parizeau. « Ils ont été défaits en octobre 1992, mais c'est comme s'ils refusaient de se rendre à l'évidence qu'ils ont besoin de changer », explique un lobbyiste libéral attristé par l'attitude d'un parti qui semble vouloir se refermer sur lui-même et sceller son échec.

L'élection qui vient ne sera pas tout à fait comme les autres. Si on suit le raisonnement de Vincent Lemieux, politologue de l'Université Laval spécialiste des partis du Québec et compagnon intellectuel du Parti libéral, la prochaine joute sera le combat des gladiateurs politiques : le perdant devra mourir.

« Il y a trois scénarios possibles, explique-t-il. Imaginons, d'abord, que les Libéraux gagnent, donc que le Parti québécois s'en sorte assez mal — ce qui est possible, mais pas très probable. Comme l'Union nationale, le PQ est un parti de génération, et ces partis, après trente ou trente-cinq ans, s'épuisent et disparaissent. Le PQ arrive bientôt à la fin d'un tel cycle. Avec un nouvel échec électoral, il entrerait en crise, et la situation serait mûre pour l'apparition d'un nouveau parti.

« Dans un deuxième scénario, le PQ gagne les élections et perd le référendum promis sur l'indépendance, ce qui provoquerait aussi une crise en son sein.

« Le troisième scénario veut que le PQ gagne et les élections et le référendum. Le Parti libéral serait très amoché par cette double défaite, et on assisterait à sa mort ou à sa transformation en un autre parti, dans le nouveau contexte d'un Québec souverain. »

LE NOUVEAU CHEF LIBÉRAL SERA DONC INVESTI d'une lourde mission : sauver le pouvoir, le parti, le pays. Il aurait avantage à tirer quelques leçons d'un passé récent.

« Une défaite oblige à un retour sur soi-même. Alors, il faut examiner sa conscience, se regarder dans le miroir et se dire : “ Qui suis-je ? ” Puis se comporter en conséquence. » Ces paroles, cette attitude, ont été celles de l'avant-dernier chef libéral, Claude Ryan, peu après sa déconfiture électorale d'avril 1981. Avec 46 % du vote national — à peine 3 % de moins que n'en avait obtenu le PQ — le parti avait dû se contenter de 42 sièges, contre les 80 qu'avait récoltés René Lévesque.

Sonné par ce résultat inattendu, Ryan dressait pour ses troupes, en septembre 1981, un diagnostic que le futur chef libéral pourrait reprendre mot pour mot, s'il faut se fier aux données d'un sondage publié à la fin de février 1993* (lequel

---

* Sondage SOM/Le Soleil/CJRP réalisé entre le 11 et le 17 février 1993. Échantillon de 1013 Québécois, marge d'erreur de 3,8 %. Des sondages Som, Crop et un sondage du Parti québécois réalisés à l'été 1993 livrent, quant à la popularité relative des partis, des résultats contradictoires. Notons qu'ils ont été réalisés avant que les répondants aient eu à vivre, en juillet 1993, un moment douloureux: la perception d'une surtaxe sur leur

semble refléter les tendances lourdes de l'électorat québécois depuis 1991, malgré quelques embellies libérales, comme celles qu'on a pu observer au printemps et à l'été 1993).

« Premièrement, notre clientèle est plus âgée que celle du PQ, disait-il. *[Le sondage de 1993 révèle, lui aussi, à dix ans d'intervalle, que les deux tiers des Québécois de plus de 65 ans appuient le Parti libéral du Québec (PLQ).]*

« Deuxièmement, elle est plus concentrée. Environ 60 % des électeurs qui nous ont appuyés [à l'élection d'avril 1981] sont situés dans la partie du territoire québécois qui va de la région de Montréal à la frontière de l'Ontario. *[Le vote référendaire d'octobre 1992 est réparti de façon semblable.]*

« Troisièmement, notre clientèle est fortement majoritaire chez les électeurs de la communauté anglophone et des communautés ethniques, mais elle est minoritaire chez les électeurs francophones. *[Au début de 1993, la situation était sensiblement la même : 75 % des allophones disaient avoir l'intention de voter pour le PLQ ; une proportion de 33 % des francophones entendaient quant à eux voter PLQ, contre 51 % pour le PQ.]*

« Quatrièmement, notre clientèle est nettement minoritaire chez les jeunes. *[Au début de 1993, le PLQ accuse, par rapport au PQ, 16 % de retard chez les 18-24 ans et 20 % de retard chez les 35-44 ans ; chez les 24-34 ans, par contre, les deux partis arrivent* ex æquo.*]* »

Ryan décrivait ainsi la recette de la défaite. Elle s'est reconstituée en 1993. Au moment de choisir un nouveau chef, les militants et délégués libéraux seraient bien inspirés de garder ces paramètres en tête, et de se demander lequel de leurs prétendants détient l'ingrédient qui peut tout changer.

---

chèque de paie, conséquence du dernier budget libéral. Un sondage CROP/La Presse/TVA du 27 août traduisait ce mouvement d'humeur : chute de douze points du PLQ en deux mois, à 27 % ; PQ stable à 35 % ; et 30 % d'indécis. Le taux d'insatisfaction envers le gouvernement atteignait un astronomique 68 %.

Première partie

LES POIDS LOURDS

N'est pas un bon soldat,
celui qui ne songe pas à devenir général.
Alexandre Pogosski,
auteur russe du XIXe siècle

Toute accession à une haute fonction
emprunte un escalier tortueux.
Francis Bacon

LISE BACON

Lise Bacon lors du Congrès libéral de 1970. (© Canapress.)

I

LE PRIX DE LA LOYAUTÉ

« Il ne faudrait pas que le chef de l'opposition prenne ses fantasmes pour des réalités. » La voix est dure, le ton ferme, l'argument sans appel. Jacques Parizeau a posé une question. Le premier ministre absent, sa doublure donne la réplique. Ou plutôt, son cascadeur. Car, dans l'enceinte du Salon de la race, avec ceux qu'elle appelle dédaigneusement « les gens d'en face », Lise Bacon ne connaît qu'un mode de communication : l'offensive. Parizeau, reprend-elle en le fustigeant du regard, « n'est pas encore au pouvoir ». *Elle* est au pouvoir. Pendant les absences de Robert Bourassa, en 1990, 1991 et 1993, la ministre de l'Énergie a pris du galon, présidé le caucus, le Conseil des ministres, géré l'État.

« Les arbitrages finaux, c'est Lise qui les a rendus », explique Jean-Claude Rivest, conseiller de Bourassa. « Elle est à l'apogée de sa carrière, en pleine possession de ses moyens, elle a eu le plein contrôle. » Et toute la latitude pour soutenir le moral des troupes, en traumatisant l'adversaire à chaque période de questions. « Je suis sans pitié, avoue-t-elle, car ils n'auraient pas de pitié pour moi. »

Ce n'est pas nouveau. À l'ouverture de la session parlementaire qui faisait suite à l'élection de 1985, son premier geste fut de riposter vertement à une question de l'ex-premier ministre péquiste Pierre Marc Johnson, fraîchement défait. Au moment de se lever, la vice-première ministre — car le chef du parti n'était pas encore élu député — a chuchoté à son voisin de banquette, assez fort pour que les micros captent l'aveu : « Tchèque ben, j'vas le planter. »

« Lise Bacon fait partie de cette génération de femmes politiques qui sont des hommes politiques », dit Lise Payette. C'est un constat — pas un reproche—, ajoute l'auteure des *Dames de Cœur*. Bacon déteste moins Jacques Parizeau que Pierre Marc Johnson à qui elle reproche d'avoir été retors et déloyal envers son chef René Lévesque ; un péché mortel dans la religion politique de la ministre, une inconditionnelle de la fidélité, d'abord envers Jean Lesage puis envers Robert Bourassa. (« Tu ne mérites aucun respect », avait-elle lancé à Johnson, qui lui avait demandé de quel droit elle le tutoyait, durant une nuit de débats à l'Assemblée.)

Mais plus que toute autre victime, Jacques Parizeau aura eu à subir ses foudres. Bourassa parti à la conférence finale de Meech en juin 1990, Lise Bacon tient le fragile navire gouvernemental pendant une semaine de forte houle constitutionnelle. Devant un Parizeau sûr de son avantage, elle lance ses torpilles. Elle lui dit de « revenir les deux pieds sur terre » ; elle lui dit de « mieux préparer ses dossiers » ; elle lui dit que « son vieux rêve présidentiel et républicain pour le 24 juin ne se réalisera pas » ; elle lui dit que « les masques tombent » montrant combien le PQ ne veut l'unité des Québécois « que pour des fins partisanes »...

Mal remise d'une remarque de Jean Garon qui, la veille, la trouvant agitée, lui avait dit « prendre des pilules si elle était " malade " », Lise Bacon fait d'une pierre deux coups : « Après l'attitude misogyne du député de Lévis [Garon], je n'ai pas besoin de l'attitude paternaliste du chef de l'opposition. » Garon, toujours narquois, sonne alors le repli péquiste : « Pour apporter ma contribution à ce que la vice-première ministre passe une bonne journée et garde sa bonne humeur proverbiale et sa jovialité qui est de commune renommée, je vais poser ma question au ministre des Transports. »

Bourassa n'en demandait pas tant. « Si je traitais Parizeau comme ça, lui dit-il, il ne me durerait pas quatre ans. » De retour d'Ottawa à la fin de juin 1990, Bourassa la remercie devant le caucus, où elle compte peu de vrais fans. Pourtant, spontanément, les députés libéraux se lèvent pour ovationner la ministre qui les a conduits à travers la tempête. Cet accueil, en plus de la satisfaction d'avoir dirigé sans heurts le gouvernement et de s'être gagné le respect de plusieurs de ses pairs au cours des quelques mois que Robert Bourassa a passés sur son lit d'hôpital, ont constitué pour Lise Bacon les premières gratifications d'une longue carrière politique faite d'espoirs déçus, de travail méconnu, de loyauté jamais récompensée. « Elle est fière d'avoir réalisé l'ambition de ses 16 ans, fière d'avoir établi sa crédibilité », raconte une vieille amie, Louise Sicard, vice-présidente de Bell Canada.

SA TRAJECTOIRE POLITIQUE COMMENCE UN ÉTÉ des années 40, dans un terrain de jeu baigné de soleil trifluvien. Des pièces de 10 cents pleuvent entre les balançoires. Des enfants courent vers ces fragments de fortune, qui brillent comme autant de promesses de gros sacs de friandises. Une fillette ne participe pas à la bousculade. La jeune Lise reste plantée là, toisant l'homme qui vide ainsi ses poches, Maurice Duplessis. « Ça m'avait humiliée au plus profond de moi-même, confie-t-elle, c'était dégradant pour les enfants et dégradant pour le premier ministre. »

Chez Joseph et Yvonne Bacon l'enfer est bleu. Joseph est organisateur libéral à Trois-Rivières, capitale de l'Union nationale et de son chef. À 16 ans, Lise assiste aux assemblées du parti, participe aux campagnes, prononce ses premiers discours, assimile la culture libérale, se taille un caractère de batailleuse. Son idole : Eleonor Roosevelt, la très activiste épouse du président des États-Unis Franklin Roosevelt ; une *first lady* qui dépassait nettement son mari sur la gauche (bref, la Hillary Clinton des années 30 et 40).

À l'école, se souvient Jeannine Laberge, une camarade de classe, la grande et jolie Lise ne participait jamais aux intrigues des fillettes, n'embarquait pas dans leurs clans et leurs mesquineries. Elle préférait la politique et le sport, tels le hockey et le baseball. Ce qui « faisait peur aux garçons à cette époque-là », dit Laberge. « Je pense qu'elle les impressionnait trop. » Lise Bacon n'a cependant rien alors du garçon manqué. « J'ai suivi des cours de chant et de piano, raconte-t-elle. J'écrivais aussi avec mes camarades des pièces de théâtre que nous montions le dimanche soir, à l'intention des parents. J'adorais jouer Chopin, qui est demeuré mon compositeur préféré. » Et elle aurait aimé étudier le ballet, ce que la bourse familiale n'autorisait pas.

À chaque élection, un des lieutenants de Duplessis, Maurice Bellemare, vient faire son tour pour avertir Joseph Bacon : « Il faut pas que tu fasses de politique. » En échange de quoi on offrira des bourses d'études aux enfants. (Lise rêve de faire son droit, pour changer le monde ; ou médecine, pour le guérir. « C'est mon âme missionnaire. Une envie de me dévouer. Je ne suis pas très individualiste. ») Mais les Bacon ne mangent pas de ce pain-là, et mettent chaque fois Bellemare à la porte. Le salaire de la Shawinigan Water and Power ne permet pas d'envoyer plus d'un enfant à l'université. C'est Guy, le frère aîné de Lise, qui aura ce privilège. De toute façon, à cet âge, Lise Bacon est trop dispersée pour être première de classe. « Ce n'était jamais mon objectif », dit-elle. Elle gardera toujours de cette formation tronquée un sentiment d'infériorité intellectuelle par rapport à ses confrères et à ses rivaux.

À 16 ans, elle entre à la compagnie d'assurances La Prudentielle, tout en poursuivant son militantisme politique. À 18 ans, elle siège au bureau exécutif des femmes libérales de sa circonscription. À 20 ans, elle est directrice provinciale de la fédération des jeunes libéraux. C'est la Mario Dumont de 1954 — sans la controverse. À 21 ans, âge de la majorité, elle prend une grande décision : elle fera carrière en politique. Bien que La Prudentielle lui offre de voyager partout au Canada, elle préfère rester au Québec ; elle ouvrira un bureau d'assurances à Chicoutimi. « J'ai vécu là cinq ans, raconte-t-elle. Je n'étais pas extravertie, en fait j'étais très renfermée. Je préférais rester à la maison le samedi, écouter de l'opéra et lire des livres. Mais il y avait là des gens très ouverts qui m'ont permis, justement, de m'ouvrir. » C'est au Saguenay que Bacon s'est découvert des ailes.

Elle décide aussi qu'elle restera célibataire. Les mâles ne lui ont jamais rendu la vie facile. « Chaque fois que j'ai eu quelqu'un dans ma vie avec qui j'aurais pu faire un bout de chemin, il posait une condition : " Tu laisses la politique. " Je me disais : Quelqu'un qui me dit ça ne m'aime pas vraiment. » À deux reprises, elle songera plus tard à adopter un enfant ; un petit Vietnamien d'abord, un enfant plus âgé ensuite — pour « combler ce vide ». Mais son père, vieux confident qu'elle appelle tous les matins, lui fera comprendre que son horaire de ministre ne lui permet pas de prendre en charge un enfant déjà traumatisé par une séparation.

Au début des années 60, elle est déjà bien connue au Parti libéral. Dans le schisme qui commence à apparaître, vers 1965, entre les « réformistes », groupés autour de René Lévesque et Eric Kierans, et les « conservateurs » — fidèles à Jean Lesage —, Lise Bacon choisit le camp de la loyauté au chef. Entre ces deux groupes, un nouveau venu pratique le slalom géant : Robert Bourassa.

Après la défaite électorale des libéraux en 1966 (un an avant le départ de Lévesque), la crise, latente, éclate au congrès libéral de l'automne à l'occasion d'une déclaration publique d'un pro-Lesage, le président du parti, Irénée Lapierre. « [René] Lévesque n'est plus rentable pour nous, ni pour le parti, et j'irai plus loin : il n'est plus rentable pour aucun parti politique », a dit Lapierre à Radio-Canada. Les réformistes, dont Lévesque, réclament des excuses. Lesage tente de défendre son homme. La houle soulève la salle.

Bacon ne peut encaisser une telle fronde contre l'establishment du parti. Elle sait qu'en coulisse on complote contre son chef. Elle quitte la salle des débats. Bourassa qui l'a déjà identifiée comme une future alliée, la suit, tente de la faire revenir. De loin, il lui fait « non » du doigt. Lise répond par le même signe. « Il faut laisser faire », dit le jeune député plein de promesses. « Jamais je n'accepterai qu'on humilie le président de cette façon », rétorque Bacon, qui ne pardonnera jamais aux faux frères libéraux, futurs péquistes, leur inconduite et leur déloyauté. C'est sans regrets qu'elle verra Lévesque quitter le congrès suivant, à l'automne 1967.

Une année plus tard, les Claude Wagner, Pierre Laporte et Paul Gérin-Lajoie complotent pour évincer Jean Lesage de la direction du parti ; avec lui, pensent-ils, les libéraux se condamnent à occuper les sièges de l'opposition. À quelques semaines du congrès où doit être tenté le putsch, la mort du premier ministre Daniel Johnson change la dynamique, donnant ainsi à Lesage un répit inespéré.

« Je vous le demande, j'ai besoin de savoir, lance le chef aux 2000 délégués réunis au Reine-Élizabeth : Est-ce que Jean Lesage a encore la confiance des libéraux du Québec ? » Les délégués répondent dans un tonnerre d'applaudissements, éteignant du coup les espoirs des Wagner et Gérin-Lajoie, immobiles. Pierre Laporte saisit la balle au bond et, au micro, propose un vote de confiance. Lise Bacon devenue présidente des femmes libérales et membre du comité de stratégie du parti, appuie la proposition. Contrairement à Laporte, elle y met de la bonne foi.

En 1969, l'organisateur libéral Paul Desrochers, un des grands manipulateurs politiques de l'histoire du Québec, décide d'évincer définitivement Lesage (il réussira) et de le remplacer par un jeune ambitieux qui répond point pour point au portrait-robot du leader québécois idéal tracé par l'institut de sondage Social Research Inc. L'appui de Bacon devenue fort influente dans le parti, servirait son dessein. Desrochers tente de lui forcer la main. Bacon résiste. « J'avais promis à M. Lesage de demeurer neutre et objective jusqu'à la fin. » Desrochers s'en souviendra. Elle ne se résigne à abandonner Lesage que lorsque le chef lui-même donne le signal et désigne le dauphin : Bourassa.

Bacon-Bourassa : la paire politique s'est forgée à bord d'un avion qui faisait des sauts de puce en Abitibi, au cours d'une tournée en 1967. « Un jour, je serai premier ministre et tu seras ma ministre », a dit le gringalet à lunettes à sa compagne, apeurée comme lui par la fragilité de l'appareil, la force des turbulences. Lui, à 34 ans, était député. Il était féru d'économie, un savoir qu'elle lui enviait ; elle, d'un an sa cadette, venait d'accéder, à force de dynamisme et d'entêtement, à la présidence des femmes libérales. Ils n'allaient plus se quitter.

Élu chef du Parti libéral en 1970, il est certain de devenir premier ministre ; ayant accédé, quant à elle, au poste de présidente du Parti libéral du Québec, elle devient la première Canadienne à diriger une formation politique.

L'élection d'avril 1970 est au coin de la rue. Lise Bacon est prête à faire le saut, à suivre Robert à Québec. Elle connaît tout le monde à Trois-Rivières, où elle est revenue travailler. Elle se voit députée, et, qui sait ? ministre. Autour de la table, Bourassa et la haute gomme libérale étudient les candidatures. Paul Desrochers, dont le pouvoir ne cesse de croître, mène le bal. Vient le tour de Trois-Rivières. Desrochers énumère une série d'aspirants possibles. Lise Bacon ne figure pas dans la liste.

« Il faut se remettre dans la culture politique de 1970, raconte Jean-Claude Rivest. Desrochers ne croyait pas qu'une femme puisse se faire élire à Trois-Rivières. » Ayant constaté, après quelques appels dans les milieux trifluviens, qu'il se heurtait à la misogynie politique ambiante, Desrochers avait résolu de ne pas risquer un bon comté au nom de l'égalité des sexes. Pendant la discussion, Lise Bacon rage en silence. « Robert s'attendait à ce que je fasse une colère à Desrochers et que je lui dise : " Trois-Rivières c'est pour moi. " Mais ça m'a tellement fait mal de voir Desrochers, qui savait très bien que je voulais y aller, et qui nommait tous les noms possibles et impossibles... Je suis resté figée là, en me disant que jamais une femme ne pourrait passer au travers. Jamais ! Quand je suis sortie, Raymond Garneau m'a dit : " Tu l'auras pas, Trois-

Rivières. Robert ne fera pas la bataille pour toi. Tu viens de manquer ton coup. " »

Avant cette rencontre, Desrochers avait contacté Guy Bacon, frère de Lise, pour lui suggérer de se porter candidat. Guy habitait Longueuil et, selon Rivest, « n'avait pas le tiers du quart de la moitié du *following* de Lise dans Trois-Rivières ». Il arracha tout de même le siège. « J'aurais gagné, soupire Bacon. En 1970, il y avait un vent libéral. »

En 1971, Pierre Trudeau lui propose la circonscription fédérale de Trois-Rivières, où doit se tenir une élection partielle. Elle remplit alors son bulletin de candidature. Mais, raconte-t-elle, Desrochers, appuyé d'abord par Guy Bacon qui n'aime pas l'idée d'une cohabitation politique avec sa sœur, puis par Jean Chrétien, député voisin qui veut éviter que n'émerge une nouvelle vedette régionale, font en sorte qu'aucun organisateur électoral ne vienne lui prêter main-forte. Elle abandonne, à regret, le rêve de représenter un jour Trois-Rivières au sein d'un parlement.

Elle sort aigrie de l'expérience. « Les parents sont à peu près les seules personnes qui ne nous trichent pas dans ce monde politique », affirme-t-elle à l'époque. Sa mère, Yvonne, qui l'a toujours poussée à aller plus loin en politique meurt en 1972. Son père, Joseph, devient un de ses principaux confidents.

« En politique, une femme doit constamment prouver sa valeur, explique-t-elle à l'époque. Même si les gens ont déjà vu les résultats et en sont conscients. C'est la réaction d'une société d'hommes qui se sentent un peu envahis et attaqués. » Elle affirme aussi avoir dû « s'adapter à la mentalité masculine ».

À la présidence du parti, Lise Bacon ne chôme pas. Elle consacre d'abord la fusion des trois sections du parti, jusque-là plus ou moins indépendantes : femmes, jeunes et hommes. La réforme sonne le glas de la Fédération libérale, instance parallèle qui a longtemps servi de point de rencontre aux intellectuels et aux réformistes instigateurs de la modernisation du parti et de l'opposition à Lesage. C'est le premier pas dans la dérive du parti vers ce que Claude Castonguay nommera, en privé, une « attitude d'anti-intellectualisme et de conservatisme borné ».

Bacon implante de nouvelles structures et organise des assemblées régionales qui sont plus proches, écrit alors Gilles Lesage dans *Le Devoir,* du « congrès de courtiers d'assurances qui ont réussi » que du meeting politique. C'est sous sa présidence que voit aussi le jour la Commission jeunesse du parti, dont on connaît aujourd'hui le poids (33 % des votes aux congrès). Deux décennies plus tard, Bacon appréciera un peu moins, toutefois, en de nouvelles circonstances, cette influence des jeunes.

Lorsque le Québec est secoué par la grève illégale du Front commun, en 1972, et que Bourassa emprisonne les chefs des trois grandes centrales syndicales*, Bacon est occupée à inviter ses associations locales à former des groupes de citoyens qui devront rapporter tout geste de violence des grévistes ou de leurs sympathisants. (Interrogée aujourd'hui sur la pertinence de cette initiative, qui effaçait la frontière entre le parti et l'État, elle n'arrive pas à décider si elle avait eu tort ou raison.)

Bourassa a besoin de Lise à la tête du parti : il utilise d'ailleurs bien plus et bien mieux son organisation que ne le faisait Jean Lesage. Dans les années 60, militant, puis député, Bourassa a été à même de constater que les ministres libéraux allaient toujours plus vite — en matière de réformes — que la base. Si vite, en fait, que l'électorat leur avait préféré les conservateurs de l'Union nationale en 1966. Une fois au pouvoir, en 1970, le jeune premier ministre était bien décidé à ne pas prendre l'électorat de vitesse. Son parti allait lui servir de frein, et de centre de sondage permanent.

---

* Vingt ans plus tard, ministre de l'Environnement, Bacon nommera l'un d'eux, Yvon Charbonneau, président de la Commission d'enquête sur les déchets dangereux. «Dire qu'on avait mis cet homme-là en prison, commente-t-elle alors. C'est épouvantable, quand on y pense!»

Dans *Les Mandarins du pouvoir*, Pierre O'Neill et Jacques Benjamin décrivent ainsi la technique : « M. Bourassa consultait constamment le parti, consacrait plusieurs heures par jour à passer des coups de fil. Les congrès régionaux servaient à prendre le pouls des militants [...] Dans les pires moments de crise (l'emprisonnement, par exemple, des chefs syndicaux), il se conforma aux vœux des militants. Il ne s'opposait pas à un projet pour des raisons idéologiques, c'est-à-dire fondées sur sa conception de la société ; il s'y opposait parce que les militants s'y opposaient. À un point tel qu'on a pu dire que le parti avait remplacé le cabinet et les technocrates comme concepteurs des grandes politiques du régime. »

Ce qui ne signifie pas que Bacon ait elle-même beaucoup d'influence à l'époque. Elle sert toutefois de relais efficace et utile. Elle personnifie le gros bon sens de la base libérale francophone — ce qui est d'ailleurs toujours le cas. Pour le reste, résume Jean Cournoyer (alors ministre), « elle est la messagère de Bourassa ». Claude Castonguay, ministre de 1970 à 1973, et poids lourd au Cabinet, se plaint du manque d'initiative de la direction du parti inféodée depuis 1970 au bureau du premier ministre. Ces dirigeants, déclarera-t-il après avoir quitté le Cabinet, « ont un intérêt direct à être en bons termes avec le gouvernement. On peut se rendre compte de cela lors des congrès libéraux. »

Bacon — on le saura — ne se serait jamais permis d'émettre en public une critique de Bourassa. Mais en privé, elle enguirlande les conseillers du premier ministre, à commencer par Desrochers et Charles Denis, spécialiste des communications, pour avoir eu recours à des messages enregistrés — les fameuses cassettes distribuées aux médias —, et ainsi fait écran entre le premier ministre et le peuple québécois. « Bourassa passait pour un homme insensible aux problèmes », dit-elle.

À l'élection de 1973, l'organisation lui refuse les circonscriptions où le parti est sûr de l'emporter. « Le comté de Mont-Royal était libre. On m'a dit : “ Mont-Royal, on le garde pour John Ciaccia. ” Il y avait Saint-Laurent qui était intéressant. On m'a dit : " Faut le donner à Claude Forget. " » Elle héritera de la circonscription électorale de Bourassa (!), dans le nord de Montréal, où elle n'a jamais mis les pieds — et où le PQ présente un candidat vedette, Yves Michaud. Partant de zéro, elle doit frapper à chaque porte. Elle en garde une solide rancune contre Desrochers. « Chaque marche d'escalier que je monte, je vous vois là, lui dit-elle. J'ai l'impression que je passe sur vous, pour me motiver. »

SEULE FEMME ÉLUE À QUÉBEC DEVANT 109 DÉPUTÉS MASCULINS, Bacon devient ministre déléguée aux Affaires sociales, un poste de deuxième ordre. Ivre de cette première responsabilité, de cette première occasion de « changer le monde », elle se plonge dans les dossiers. Le soir même où elle doit être assermentée, elle campe au bureau jusqu'à minuit. « Je suis restée trois jours avec la même robe sur le dos. Je ne voulais pas sortir. Je voulais voir ce que c'était. »

Rapidement, elle se rend compte que ses collègues masculins, notamment Guy Saint-Pierre et Raymond Garneau, n'ont aucun enthousiasme pour son projet de financement des garderies — le premier du genre au Québec. Elle ne reçoit pas de cadeau non plus des femmes libérales, qui l'accusent de vouloir « sortir les enfants des familles ». Elle décide de s'emparer purement et simplement du budget de cinq millions de dollars qu'elle a réclamé en vain. Son truc : elle suggère au péquiste Marc-André Bédard de lui demander, pendant la période de questions, si elle a finalement obtenu les crédits demandés. La ministre Bacon se dit alors fière d'annoncer qu'elle les a bel et bien obtenus — ce qui est un gros mensonge.

Au Cabinet, Bourassa, pour la première et la dernière fois de sa carrière gronde sévèrement un ministre. « Ce n'est pas une façon de procéder, c'est un manque de respect », dit-il. Bourassa se sert néanmoins de l'astuce de son amie Bacon, Lise, astuce qu'il trouve, du reste, assez sympathique, pour donner un avertissement à tout le Cabinet. Mais il omet d'informer Bacon du but réel de cette semonce. Lorsque le premier ministre demande à lui parler en fin de réunion, elle lui claque la porte au nez. « Toi, je veux pas te voir », lance-t-elle, avant d'aller sécher ses larmes à son hôtel.

Promue ensuite au ministère des Consommateurs, des Coopératives et des Institutions financières, Bacon ouvre trois fronts : une première loi de protection des consommateurs, une loi instituant la protection des automobilistes « sans égard à la responsabilité » (le *no-fault*), une loi sur la société de développement coopératif. Dans les trois cas, elle se heurte à une forte résistance des membres du Cabinet.

L'ex-premier ministre Jean Lesage, qui agit alors comme conseiller du comité de législation, trouve que le projet de loi de protection du consommateur va trop loin. « Enlevez ça, ça et ça », ordonne-t-il. Bacon n'en fait rien. Elle porte le projet au Conseil des ministres, où elle entend Gérard D. Levesque chuchoter au premier ministre : « Elle a rien enlevé, la petite madame. »

Gérard D., propriétaire de garage, est particulièrement sensible aux arguments s'opposant à la garantie sur les réparations de voitures. Le caucus, constitué en grande partie d'avocats, rechigne, quant à lui, à tuer la poule aux œufs d'or des poursuites pour dommages corporels, qui disparaîtraient avec la nouvelle loi (sans égard à la faute) en assurance automobile. « Il y avait une expression que j'entendais beaucoup, se souvient Jean Cournoyer ; on disait " va-t-on arrêter de faire mal à tous nos amis ? " », les avocats comptant pour beaucoup parmi les pourvoyeurs des caisses électorales.

Alors même que le Cabinet a approuvé le principe, sinon l'application, de cette loi, le ministre Denis Hardy lance, en plein congrès libéral, une attaque surprise contre le projet. Aucun collègue ne vient à la rescousse de Bacon, qui doit improviser une défense. Elle se sent isolée, peu écoutée. Elle demande à d'autres ministres de soulever, au Cabinet, certains arguments à sa place. « Si c'est moi qui le faisais, ça ne passait pas, parce que j'étais une femme, explique-t-elle. Je n'aime pas dire ça, mais il n'y a pas un homme qui connaît ça. Il faut avoir le vécu d'une femme. »

Paranoïa ? Ce n'est pas la première fois qu'une femme se sent à l'étroit dans un Conseil des ministres libéral. Claire Kirkland-Casgrain, ministre pionnière dans le cabinet Lesage, ne disait pas autre chose : « Quand j'ai été élue, ma priorité, c'était la reconnaissance de la capacité juridique de la femme mariée [...] Il m'a fallu trois ans pour convaincre mes collègues de la nécessité de ce projet. Au Conseil des ministres, il fallait que je me surveille de près. Car là, une femme qui parlerait à la légère serait cent fois plus mal jugée qu'un homme, on dirait qu'elle est " trop émotive ". Il faut être ultra-diplomate et cacher ses sentiments. » Kirkland-Casgrain, qui se racontait treize ans plus tard dans une entrevue à Lysiane Gagnon, en avait encore les larmes aux yeux.

Le climat avait-il vraiment changé lorsque Bacon a remplacé Kirkland-Casgrain comme seule femme ministre du gouvernement libéral ? Jean-Claude Rivest le pense. Il juge que les projets de Bacon étaient toutefois trop audacieux pour un gouvernement déstabilisé par le climat social et la montée du PQ entre 1973 et 1976. Jean Cournoyer a une autre explication : « Un Conseil des ministres, c'est un paquet de gars qui parlent, et il y en a un qui est *boss*. Si t'as pas le clin d'œil de Robert, t'as beau te démener, il se passera rien. » Sur les trois projets de Lise Bacon, le regard de Robert reste imperturbablement fixe.

En 1976, trois ans seulement après le début du mandat, Bacon s'oppose, comme beaucoup d'autres, au déclenchement précipité de la campagne électorale. Elle sent le vent de la défaite. La loi 22, qui a fait du français la langue officielle du Québec, mécontente non seulement les francophones, pour qui c'est trop peu, mais aussi et surtout les allophones et les anglophones, pour qui c'est beaucoup, beaucoup trop. Dès l'adoption de la loi, en 1974, Bacon a exprimé son désaccord quant à l'imposition aux enfants des « tests d'aptitudes linguistiques » visant à déterminer s'ils sont « suffisamment anglophones » pour passer à l'école anglaise. Bacon songe même à démissionner.

La loi 22 « était une grave erreur, dira-t-elle plus tard.

C'était la panique de la campagne. On voyait dégringoler nos appuis. Je le sentais dans mon comté. » Bacon, comme quelques autres députés, décide de prendre ses distances et dénonce publiquement le caractère coercitif de la loi. « Robert ne m'a jamais fait de reproche, raconte-t-elle. Je lui avais dit que j'allais le faire, et il m'a dit " vas-y ". »

Quand vient l'élection de 1976 — et la défaite du parti, de Robert, de Lise et de son frère Guy —, les dossiers de la ministre Bacon sont fin prêts, dans des tiroirs où la péquiste Lise Payette les trouvera. Albert Jessop, sous-ministre sous les deux Lise, affirme, en ce qui concerne le dossier des consommateurs : « Ce que le PQ a adopté, tout le travail a été fait sous madame Bacon... et pour l'assurance automobile, je lui donnerais une grande part. »

De son premier passage au gouvernement, Lise Bacon garde un goût amer. Elle se sent exclue du *old boys network* même si, de son propre aveu, elle n'a jamais tenté de s'y intégrer. Comme dans la cour de récréation de son école trifluvienne, elle fuit les clans et les mesquineries. Travailler, oui. Traficoter, non. Hormis les garderies, aucun de ses gros dossiers n'a passé la rampe. Elle n'a pas fait ses preuves. Au parti, commente un collègue, « personne ne pleure parce qu'elle perd ses élections ; personne n'applaudit non plus. »

LISE BACON ENCAISSE MAL LA DÉFAITE. Bourassa a beau lui dire, comme en 1967, qu'un jour il sera encore premier ministre et elle ministre, cette fois-ci elle ne le croit plus. (Lui-même n'en est pas si convaincu. En 1977, à Bruxelles, il avouera au journaliste Raymond Saint-Pierre : « Ma seule chance de revenir, c'est que [le nouveau chef libéral] Claude Ryan se fasse écraser par un autobus. »)

Alors que le député libéral George Springate affirme que Bourassa est « un des hommes les plus méprisés au Québec », Bacon lui garde son estime et dit admirer chez lui « la sérénité et le sang-froid par rapport à la hargne de René Lévesque ». Elle est « d'une fidélité totale et absolue » à son ancien chef, raconte Larry Wilson, alors président du parti : « Dans les conversations, elle le défendait toujours. » Mais elle ne comprend pas la réserve de son chef face à Pierre Trudeau qui l'a assez cavalièrement traité en 1976. « Je lui en avais voulu [à Bourassa] de ne pas avoir répliqué quand Trudeau l'avait traité de " mangeur de hot-dogs ". »

Pendant quatre mois, le téléphone de Bacon reste muet. Aucune offre d'emploi à l'horizon. Elle broie du noir, se sent coupable (« j'aurais dû faire plus, j'aurais dû faire mieux »), déprime.

Alfred Rouleau, du Mouvement Desjardins, lui offre finalement un job alléchant. « Je vais vérifier auprès de quelques ministres [péquistes] pour voir s'ils ont une objection », lui dit Rouleau. Bacon se braque. Pas question de demander la permission du PQ pour accepter un emploi. Pas question de se jeter sur les 10 cents. C'est non !

À Ottawa, Trudeau a averti qu'il n'y aurait pas de repêchage des perdants provinciaux. Mais de vieux amis, Jeanne Sauvé et André Ouellet, mènent la charge. Bacon est nommée juge de la citoyenneté. Elle y reste jusqu'en 1979, puis devient vice-présidente de l'Association canadienne des compagnies d'assurances. Elle pense sa carrière politique terminée, ne participe pas à la course au leadership de 1978, ni à la campagne référendaire et refuse en 1980 une circonscription alors que des rumeurs d'élection sont dans l'air.

Mais, en 1981, le conservatisme du milieu des assurances commence à lui peser. « Je m'y sentais mal à l'aise avec mes idées libérales », explique-t-elle. Dans les clubs privés de Toronto, où se tenaient les réunions nationales d'assureurs, il y avait deux portes. Une, grande, pour les hommes. Et une autre. « Déjeuner dans un endroit où les femmes doivent passer par l'autre porte... évidemment, ça m'humiliait à chaque fois, ce qu'ils n'ont jamais compris », dit-elle, encore un brin d'indignation dans le ton.

À quelques semaines des élections d'avril 1981, on lui propose d'abord de retourner dans la circonscription de Bourassa où elle a été défaite en 1976. « Non ! tranche-t-elle. Ils m'ont battue une fois, ils ne me méritent pas ! » Elle accepte Chomedey, à Laval, une circonscription sûre. (Paul Desrochers, devenu un boulet politique pour Bourassa, a tiré sa révérence en 1974. Il est décédé au début des années 80). Elle pense revenir au pouvoir. Elle se retrouve finalement dans l'opposition, sous la férule du nouveau chef, Claude Ryan, qui la nomme critique de l'Immigration. Mais quelque chose cloche. Elle semble avoir perdu son agressivité. C'est que le ministre à qui elle doit riposter s'appelle Gérald Godin, un ancien voisin de Trois-Rivières. Et entre Trifluviens, on est gentil. « Lise n'est pas restée plus d'une semaine ma critique officielle parce qu'on a jugé qu'elle n'avait pas assez de mordant », raconte Godin, qui avoue par ailleurs sa juvénile admiration pour la députée : « Pour nous [les Trifluviens], Lise incarnait l'audace féminine. »

De l'agressivité, Bacon va en faire usage au sein de son propre parti. Ses relations avec Claude Ryan se gâtent tout de suite. Lors d'une des premières réunions du caucus, à l'occasion d'un tour de table, Bacon contredit avec sa franchise habituelle la position de l'ancien pape du *Devoir*. Les nombreux traits du visage de Claude Ryan se durcissent. « Il n'avait pas l'air content », dit-elle au député Michel Gratton à la sortie. — Non, répond Gratton. Là, tu viens de te finir ; tu vas en avoir pour longtemps à remonter la côte. » Quand Ryan lui retire le dossier de l'Immigration, il ne lui en donne aucun autre. « Lise Bacon devrait se recycler ! » lance-t-il méchamment.

Elle n'a rien à faire. Son insécurité reprend le dessus. « Ce sont les années les plus pénibles de ma vie, à douter de mon intelligence. » Écrasée par l'intellectualisme de Ryan, Bacon s'inscrit en droit, un temps, à l'Université Laval, « pour essayer de me remonter dans ma propre estime ». Le nouveau chef agit comme si l'ancien Parti libéral, celui que Bacon a contribué à construire, devait être balayé. « Puisque M. Ryan parlait de nettoyer le Parti libéral, c'est donc qu'il était sale, résume un membre du caucus. Et comme Lise y était depuis sa fondation, ce n'était pas de nature à lui faire plaisir. » Les structures régionales, entre autres, sont abolies. Une décision qui, dit Bacon, « a tué le bénévolat et l'initiative régionale ».

Mais vaincu à l'élection d'avril 1981, Ryan n'est plus qu'un chef en sursis. En octobre de la même année, soucieux de plaire aux francophones qui l'ont boudé lors du scrutin, il invite son parti à appuyer une motion du gouvernement péquiste dénonçant le rapatriement unilatéral de la Constitution. « La motion, moi, ça m'a finie, explique Bacon. Pour moi, c'était important de la rapatrier [la Constitution], ça peut pas rester à Londres. » Alors que le lobby constitué autour du député Daniel Johnson appuie la motion, Bacon recrute de son côté des opposants au mot d'ordre du chef. « Je me disais : On va y arriver. J'avais beaucoup d'espoir. À un moment, nous étions 22 députés contre, et 20 pour [au sein du caucus]. Mais si on avait voté contre, tous les 22, le parti aurait cessé d'exister. Alors c'était un mauvais calcul. Puis, il y avait les menaces. M. Ryan disait : " Si vous ne votez pas pour la motion, vous allez sortir du parti. " »

À l'Assemblée, dans un discours où elle fait l'éloge de Pierre Trudeau, Bacon se dit opposée à la motion. Mais, au moment du vote, la femme de parti l'emportant sur l'ennemie du chef, elle ne joint pas les rangs des dissidents : Caron, Ciaccia, French, Gratton, Lincoln, Maciocia, Marx, Cusano, O'Gallagher. « Je ne savais pas qu'*on* serait nombreux ! » commente-t-elle aujourd'hui.

Bacon réclame ouvertement une course au leadership, affirmant que le parti ne doit pas être le fait d'un seul homme. Loyale à Lesage et à Bourassa, Bacon n'a pas le même souci envers Ryan. Sa loyauté est à géométrie variable. Elle n'en est pas moins féroce. Après une de ses sorties anti-Ryan au caucus, raconte-t-elle, le député Reed Scowen vient à son bureau pour la féliciter de son courage. Elle lui demande pourquoi il n'a pas fait de même. Scowen répond qu'il craint que Ryan se venge et lui retire ses responsabilités. Incapable d'accepter cette duplicité, Bacon, en anglais et de son ton le plus cassant, lui assène : « Avant que tu entres ici, je ne pouvais pas te sentir. Maintenant, je te méprise *(Now, I despise you)*. »

« Mme Bacon a un sale caractère, ça c'est reconnu de tout le monde », affirme l'ancien député péquiste Michel Leduc, représentant de la circonscription voisine de celle de Bacon à Laval. Un jour que le député, dont le parti est alors au pouvoir, déjeune avec un leader de la communauté grecque traditionnellement libérale, Bacon passe par hasard devant leur table. Après avoir salué Leduc, elle se retourne vers le leader grec pour lui dire, en anglais et avec toute l'autorité dont elle est capable : « Toi, je veux te voir à mon bureau demain matin. » « J'étais un peu inquiet pour lui, raconte Leduc. Il m'a raconté qu'elle lui avait passé un savon, lui disant qu'il n'avait pas à se tenir avec des péquistes » — pourtant occupés à négocier le financement de cours de grec dans les écoles publiques.

Lise Bacon ne se réveille pas exprès la nuit pour haïr les péquistes, comme le faisait naguère Gilles Rocheleau. Mais si elle se réveille par hasard, elle a aussitôt une mauvaise pensée à leur endroit. « En toute amitié, je dirais qu'elle était une fédéraliste enragée, commente Bernard Landry, alors au gouvernement. Elle ne comprenait rien à notre position et était vraiment très dure. Au bord du mépris. »

Ayant réussi, avec plusieurs complices, à montrer à Ryan la porte de sortie, Bacon se met tout naturellement au service de Robert Bourassa, qui prépare sa rentrée. (Bourassa avait-il prévu que l'autobus renversant Ryan serait Bacon ?) Et ne faisant jamais les choses à moitié, elle déclare que la démission de Ryan en tant que chef est une première étape ; il y en a une seconde, sa démission du caucus. Dans le futur cabinet Bourassa, ajoute-t-elle en pensant à l'ex-chef, « il n'y aura pas de belle-mère ». L'avenir lui donnera tort.

Ravie par l'élection de Bourassa à la tête du parti — elle l'a épaulé dans sa campagne contre Daniel Johnson et Pierre Paradis — Bacon creuse, pour l'opposition, le dossier de l'environnement. C'est sa phase verte. Elle propose en 1984 une pièce de résistance : la refonte totale, l'expansion de l'ancien ministère, et même, dans un élan impérialiste, la création d'un nouveau superministère « de l'Environnement et de la Qualité de vie », qui gérerait « la stabilité des ressources telles que l'air, l'eau, le sol, la flore et la faune ».

En plus d'avoir avalé l'essentiel de ce qui constitue le ministère du Loisir, de la Chasse et de la Pêche, d'avoir le doigt dans l'hydro-électricité et la main sur les mines, le superministère contrôlerait dans tous les autres ministères la « direction de l'Environnement » responsable de « l'application et de la maîtrise des politiques environnementales conceptualisées par le ministère de l'Environnement ». Le nouveau superministre prononcerait chaque année à l'Assemblée un discours sur « l'état de l'environnement ».

Au sujet de la mort suspecte de 10 000 caribous dans la Caniapiscau, à l'automne 1984, à 400 km en aval du nouveau déversoir de crue LG4, elle accuse le gouvernement Lévesque de faire « de la propagande gouvernementale » pour « noyer un peu plus l'affaire » et de faire preuve d'une « conscience écologique nulle » devant cette « catastrophe écologique majeure et unique ». On croirait entendre du Greenpeace. Dans son élan, elle accuse le PQ de considérer les autochtones « comme des gens sous-développés et ignares ». Puis elle a cette phrase, que le Grand Conseil des Cris devrait faire encadrer : « Plus près d'une vie naturelle et d'un héritage culturel millénaire, ces gens devraient être considérés pour ce qu'ils savent et pour ce que nous ignorons. » Il est vrai qu'elle parle alors des Inuit.

À un congrès de la Commission jeunesse, elle tient un discours écologiste qui en étonne plus d'un. « Elle a fait preuve de vision, ça nous avait surpris », raconte Pierre Anctil, alors président de la commission.

Bacon milite aussi pour une ambitieuse charte de la qualité de la vie : « Nous sommes de plus en plus persuadés que si les deux dernières décennies ont surtout généré des lois à caractère “ social ”, celles des années 1985 à 2000 tiendront surtout compte du caractère environnemental. Sans cette fusion qui renforcerait les acquis sociaux des vingt ou trente dernières années, nous nous éloignerions du défi de renforcer les cadres de vie. »

Très bien. Mais Bacon et l'écologie, c'est un flirt ou un mariage ? Au-delà de quelques principes, c'est probablement une aventure. Sérieuse, mais temporaire. Car, deux ans plus tard, elle a trouvé, comme beaucoup de ses collègues, un nouvel amant idéologique : la nouvelle droite. « L'État ne peut plus continuer d'être ce grand pensionnat d'antan où les autorités nous prenaient en charge : logés, nourris », dit-elle. Autant elle avait à cœur de mettre de l'avant, dans sa « charte » de 1984, un projet de société (écolo-social), autant elle prend à son compte, sans la moindre nuance, en juin 1986, dans un discours à l'ENAP, les propos suivants de l'écrivain de droite Jacques de Bourbon Busset : « Donner un sens à la société n'a de sens que pour une société totalitaire. »

Reaganienne, Bacon. Thatchérienne ? Elle refuse de s'identifier à la « dame de fer ». L'amalgame lui répugne un peu, heurte sa fibre populiste. « Elle [Thatcher] était trop conservatrice », dit-elle. En entrevue, en décembre 1990, Bacon se (re ?) situe plus à gauche : « Je me définis comme social-démocrate. Plus à gauche que certains de mes collègues, en tout cas. » Si le PQ n'était pas indépendantiste, pourriez-vous y être ? Elle y pense un instant. Puis fait oui de la tête. Mais il l'est.

Lorsque Robert tient sa promesse et redevient premier ministre, il offre à Lise Bacon le ministère de l'Environnement. Elle est aux anges. Pour deux jours. Car Robert rappelle. Il lui faut caser Clifford Lincoln quelque part. Il ne lui reste que les Affaires culturelles, mauvais terrain d'atterrissage pour un anglophone. « Ah Lise ! il faut que tu me rendes service ! » : c'est la phrase rituelle de Bourassa, dit à la blague son conseiller Rivest. L'autodidacte Lise Bacon débarque donc aux Affaires culturelles. « C'est la première fois qu'on a un ministre qui ne se prend pas pour un artiste », affirme Serge Turgeon de l'Union des artistes. Comme toujours, elle met les bouchées doubles. « Je l'ai vue avoir des réunions jusqu'à 10 heures ou 11 heures du soir, signer des cahiers pendant une partie de la nuit, puis recommencer à 7 heures du matin », raconte une attachée politique.

Elle rame contre le courant. Les libéraux ne jouissent pas

d'un préjugé particulièrement favorable dans les milieux culturels. « C'étaient pas des *chums* », dit-elle. Et l'opposition péquiste s'amuse à ajouter un peu de sel sur la plaie, en attirant l'attention sur la « culture » de la ministre. Exemple : cette déclaration savamment perfide de Pierre Marc Johnson, en été 1986 : « Mme Bacon a la manie de commencer ses interventions à l'Assemblée nationale en disant qu'elle n'a pas de leçon à recevoir de l'opposition. Mais nous ne désirons pas lui enseigner quoi que ce soit, simplement nous exprimons nos opinions. J'avoue cependant que nous avons parfois un peu de peine à comprendre qu'elle s'occupe du portefeuille des Affaires culturelles. Nous aurions trouvé plus logique d'y retrouver des gens comme Claude Ryan. »

Qu'importe. Ramant à contre-courant, son propre gouvernement n'étant que vaguement intéressé par le projet, elle attaque le dossier du statut de l'artiste. C'est en menaçant Robert de démissionner qu'elle obtiendra satisfaction, trois ans d'ailleurs avant que le gouvernement fédéral ne lui emboîte le pas. C'est une réalisation majeure, applaudie par les milieux culturels québécois. La dramaturge et comédienne Marie Laberge, dont on connaît les sympathies souverainistes, ne tarit pas d'éloges. Bacon « a un discours clair, intelligent et remarquablement sain », dit Laberge. Elle a « le courage de ses opinions », sait écouter et, côté culture, « s'est très bien " autodidactée " ». « J'en ai vu des ministres de la culture, ajoute la dramaturge. Jamais ils n'ont voulu autre chose que d'être photographiés avec moi. » Avec Bacon, « c'est la première fois qu'une personnalité politique qui me demande une collaboration, non seulement s'intéresse à ce que je fais comme artiste, mais va voir mes pièces et lit mes œuvres ».

Bacon prend goût à son nouveau rôle. Forme le projet de transformer le quadrilatère de la Place des Arts en Lincoln Center, qui comprendrait une école d'art et une salle pour l'Orchestre symphonique. « Elle aimait, raconte son amie Louise Sicard, le *feeling* des sorties de première, partageait l'engouement des artistes. »

Ah Lise ! il faut que tu me rendes service ! Bourassa lui largue aussi, en plus du rôle de vice-première ministre, alors essentiellement protocolaire, le dossier explosif de la langue. De quelle façon ? Admirez la méthode Bourassa.

« Au moment de l'assermentation des ministres, on était tous en rang, au Salon rouge, raconte Bacon. Un journaliste demande : " Qui va faire le dossier linguistique ? " Bourassa m'a regardée. J'ai dit : " Ah, non ! ça sera pas moi. " » Se rappelant la loi 22, elle réitère son refus le lendemain : « J'ai mes principes. Ma vision des choses n'est pas la tienne. » Bourassa insiste. Bacon s'incline. « J'ai essayé, comme dit Rivest, de *goaler* », commente-t-elle. En attendant le jugement de la Cour suprême sur la loi 101, Bacon dirige un comité interministériel sur les scénarios de rechange où, selon un participant, « on tournait en rond ». Car Bourassa est seul maître à bord en matière linguistique. « Le premier ministre envoyait des ballons, et là je ramassais, dit Bacon ; il aurait dû au moins m'informer avant d'envoyer un ballon. »

Pendant qu'à l'Éducation Claude Ryan amnistie les enfants illégaux de la loi 101, qu'à la Justice Herbert Marx refuse de poursuivre les contrevenants, qu'à la Santé Thérèse Lavoie-Roux étend les services médicaux anglophones, Lise Bacon propose de restructurer les organismes du dossier linguistique. « Cinq organismes, c'est un peu beaucoup pour faire respecter la charte du français », explique-t-elle. Son projet de loi est d'ailleurs en tout point conforme au rapport Gobeil sur la simplification des organes gouvernementaux.

Mais en fin de session, le PQ menace de bloquer tous les projets de loi si le dernier projet de la ministre est maintenu, le parti craignant que la réduction proposée affaiblisse le rôle de l'État dans la promotion et la protection du français. À la dernière minute, Bourassa demande à Bacon de retirer son projet. La ministre reçoit « cette rebuffade énorme comme une très grande humiliation », affirme une ancienne attachée politique. Elle écrit sa lettre de démission, part dans le Sud. Puis se ravise. « Je me suis dit : C'est pas vrai que je vais me laisser abattre par un dossier. » Mais elle demande à être déchargée du dossier linguistique. « Elle a mis ça sur le compte des nombreuses déceptions que lui a values sa loyauté à Robert Bourassa », résume un de ses collègues, ministre.

Ah Lise ! il faut que tu me rendes service ! Pendant une période de questions, peu après la démission de Clifford Lincoln (en total désaccord avec la loi 178), Bourassa dit à Bacon de se garder du temps pour le lendemain.

« Du temps pour quoi ?

— Pour l'assermentation.

— Quelle assermentation ?

— L'environnement.

— Jamais de la vie !

— Jean-Claude [Rivest] m'a dit que ça te ferait plaisir.

— Ça fait pas plaisir, avoir deux ministères. Je viens juste de commencer à avoir un répit.

— C'est pour trois mois. »

Pendant huit mois, Lise Bacon cumule les Affaires culturelles et l'Environnement. Pour tenir le coup, elle traîne à la piscine, à 6 h 30 du matin, son chef de cabinet Antoine Godbout et son garde du corps. La radio crache les nouvelles dans un coin. Entre deux longueurs de piscine, Bacon et Godbout commentent l'actualité. L'accueil à l'Environnement est plutôt froid. Un membre du cabinet de Lincoln refuse même de serrer la main de la ministre. Tout le cabinet démissionne en bloc un mois après son arrivée. Elle est furieuse contre Lincoln — « un type flamboyant, apôtre des grands discours, mais rien de concret sur le plan administratif ». Sa frustration est telle, raconte une attachée politique, « qu'on ne pouvait prononcer le nom de Lincoln devant elle ». « Qu'elle ait des gestes d'impatience, c'est bien normal, explique Rivest, elle s'est promenée avec des barils de BPC, la petite madame. » Le dossier de l'environnement est pire que celui de la langue : rejets du grand incendie de Saint-Basile, des barils de BPC qu'on essaie d'entreposer ou de détruire se baladent sur l'Atlantique et provoquent des manifestations à chaque escale.

Bacon, comme le dira aussi Paradis, trouve que le budget du ministère est en deçà des besoins. Elle réclame plus de marge. Présente sa démission. Mais Bourassa réagit plus en copain compréhensif qu'en patron poussé au mur. « Moi, j'ai beau faire des menaces au premier ministre, il ne prend jamais ça au sérieux », raconte-t-elle, sur un ton mi-badin, mi-résigné. « Il fait appeler mon chef de cabinet et il demande : " Est-ce qu'elle est *down* ou elle est *up* ?" »

Assis côté à côte à l'Assemblée nationale, ils forment un vieux couple. Lorsque les questions sont adressées ailleurs, elle lui parle sans arrêt, l'inonde d'avis, de commentaires, de récriminations, affirme un ancien voisin de banquette. « Lise Bacon est une des rares personnes à se permettre de dire le fond de sa pensée à Bourassa », précise-t-il. Elle est très protectrice envers Bourassa, qu'elle considère tantôt comme un grand frère, tantôt comme un petit frère. (« On me dit qu'il m'a fait beaucoup de bêtises pour un grand frère, commente Bacon, mais mon grand frère aussi m'en a fait. ») Elle se soucie, c'est naturel, de la santé de son vieux copain. « [Quand s'est déclarée la maladie du premier ministre] je lui disais : " Parle à ton corps, parle à tes cellules ", raconte-t-elle. Il me regardait en voulant dire : " Es-tu folle ? " » Selon un de ses amis libéraux, « elle voit des complots contre M. Bourassa alors qu'il n'y en a pas ». Elle est de nature soupçonneuse. « Elle voit un ennemi ou un rival potentiel en toute personne qui aspire à avoir plus de pouvoir », dit une ancienne attachée.

Arrive un moment où Lise Bacon est à bout. Elle trouve qu'on abuse d'elle. « Je suis la femme de ménage de Robert », dit-elle à son entourage. Un jour de 1989, entre deux questions à l'Assemblée, elle se tourne vers Bourassa et se vide le cœur. « Je suis écœurée, je suis tannée », lui dit-elle.

Bourassa compatit. En fait, ça l'arrange. À l'approche de l'élection, il pense devoir remanier son Cabinet de façon à libérer le poste de ministre des Finances, que deux poulains, Paul Gobeil et Daniel Johnson, ont en vue. (Gobeil affirme même qu'il ne se représentera que si Bourassa lui assure les Finances. Il ne s'est pas représenté.) Ce n'est pas que Bourassa se laisse impressionner par ces pressions, mais il n'est pas certain de vouloir continuer à diriger les Finances par procuration, par l'entremise du solide mais insipide Gérard D. Levesque. Mais il ne peut déplacer que vers le haut Gérard D., recordman de longévité à l'Assemblée, que vers le poste de vice-premier ministre, donc — que Bacon occupe.

Robert offre à Lise soit la délégation générale à Paris, soit un siège au Sénat, où Mulroney recrute des libéraux provinciaux, notamment Thérèse Lavoie-Roux. Moins fatigant et plus payant. Bacon le prend mal, pense qu'on veut se débarrasser d'elle. Elle refuse. (Elle avait songé, un temps, au poste parisien. Mais de retour d'une visite à Paris et à Cannes, elle pose ce jugement : « Il y a bien trop de Français ! ») Le bureau du premier ministre insiste. Envoie un émissaire. « Elle n'a pas accepté le style paternaliste de la proposition, raconte un membre de son cabinet. Il y a des gens qui prétendaient savoir mieux qu'elle ce dont elle avait besoin. »

L'épisode, et la réaction de Bacon illustrent bien le caractère du personnage, mélange de force et de doute. « Ce que j'ai trouvé de plus triste chez elle, raconte une ancienne attachée qui l'admire, c'est de la voir souvent douter d'elle, tard le soir. » C'est ce qui expliquerait son agressivité à l'Assemblée nationale. « Elle est très nerveuse. Chaque fois, c'est comme si c'était la première fois. » Alors elle en rajoute, pour faire écran. Ou serait-ce parce que son père, qui lui parlait au téléphone chaque matin jusqu'à son décès, à la fin de 1991, lui a souvent reproché d'être trop molle avec l'adversaire ? Bacon proteste qu'on critique chez elle ce qu'on admire chez les hommes. Mais on a peine à trouver dans les propos des Lesage, Ryan ou Bourassa à l'Assemblée le quart de l'agressivité qu'y déploie Bacon, sans parler de ses envolées en privé.

Cela ne signifie pas que Bacon ne voie, chez « les gens d'en face », que des ennemis. Elle a du respect pour Jacques Brassard, par exemple. « C'est un chic bonhomme quand on le rencontre. En Chambre, je l'aime moins. Il fait les œuvres basses du PQ dans ses questions. C'est un rude joueur. Mais quand on est en Chambre, c'est pas pour s'amuser. » Quant au leader parlementaire Guy Chevrette, c'est un *chum*. Ce qui n'est pas le cas de Jeanne Blackburn qui l'a, dit-elle, attaquée personnellement. « Je ne la ménage jamais. Il faut être une bien malheureuse madame pour être aussi méchante. » Pour ce qui est de Jacques Parizeau, elle n'a rien de gentil à en dire.

Pendant les absences de Bourassa, il en prend plein la moustache. La craint-il ? Venu l'introduire auprès des membres de l'Assemblée, Parizeau présente son nouveau député de Montmorency à Bourassa, à Michel Pagé et à Gérard D. Levesque, passant devant la vice-première ministre sans s'arrêter. Quelques minutes plus tard, en réponse à une question, Bacon se venge : « Je voulais vous rappeler qu'il y a aussi des femmes à l'Assemblée nationale ! »

Elle tire plaisir de ces reparties, sauf quand Robert est absent. Là, elle est un mur. « Je me prépare mentalement à dire " il ne faut rien laisser passer ", explique Bacon. Il ne faut pas qu'il y ait un vide quand le premier ministre n'est pas là. »

L'ÉLECTION DE 1989 APPROCHE, et Bacon ne veut pas s'éloigner du pouvoir. Elle réclame, comme récompense pour ses nombreux services, le ministère des Affaires internationales. Mais Bourassa l'a promis à John Ciaccia. Dans une allocution qu'il prononce à Laval pendant la campagne électorale, il commet deux fois le même lapsus, et l'appelle la ministre de l'Énergie plutôt que de « l'Environnement ».

« Je me suis dit : " Ça y est, c'est là que je vais ", raconte Bacon.

— Vous n'avez donc jamais eu votre premier choix ? demande l'auteur.

— C'est fou, un peu, non ? »

Lise Bacon repart pour un tour. Elle apprend rapidement que son nouveau ministère voit l'environnement par l'autre bout de la lorgnette. « On s'occupe des forêts, ici. Alors moi, je parlais de la beauté de la forêt québécoise. On m'a expliqué que les arbres, on en faisait des planches. C'est ça, l'économie. »

Son opposition à Pierre Paradis, qui lui succède à l'Environnement, est bien connue. « Il discute toujours dans l'abstrait ; moi, j'aime les faits », dit-elle. Et elle se plaint que Paradis se laisse mener par son chef de cabinet et son sous-ministre, que ses fonctionnaires se traînent les pieds, qu'il ne prépare pas assez bien ses dossiers*. On raconte aussi, dans l'entourage de Bacon, que les ambitions politiques personnelles de Paradis ajoutent des bâtons dans des roues déjà passablement embourbées : « Un jour qu'un chef de cabinet demandait à celui de Paradis de faire preuve d'un peu de solidarité ministérielle, il a répondu : " La solidarité ministérielle, on s'en contre-crisse ! Nous autres, on travaille pour notre ministre, puis le reste, ça compte pas. " » Bonne ambiance.

Reste que, sur le fond du dossier de l'évaluation de Grande-Baleine, les choses se déroulent aujourd'hui à peu près comme Paradis le voulait, et contrairement à ce que Bacon désirait. À l'Environnement, on plaidait pour une évaluation globale : infrastructures et barrages. À l'Énergie, pressé par Hydro-Québec et l'échéance d'un contrat d'exportation, on préférait évaluer les composantes séparément. Un jugement favorable aux Cris, puis l'annulation du contrat avec New York ont mis toutes les pendules à l'heure de Paradis. Ce n'est pas exactement une défaite pour Bacon, mais ce n'est certainement pas une victoire. En concevant sa nouvelle loi sur les mines de façon à écarter au maximum le ministère de l'Environnement de ce secteur, elle a néanmoins marqué un point dans cette guerre de pouvoir. (On est loin de la phase verte !)

Bacon a de plus intraitables adversaires que Paradis : les Cris du Nord québécois, qui ont juré de bloquer les grands barrages dont Bourassa a rêvé chaque nuit au cours de son exil politique. La ministre, responsable d'Hydro-Québec, n'est pas le véritable chef d'orchestre dans cette opération complexe. Mais elle ramasse « la flaque » plus souvent qu'à son tour. Les campagnes de propagande, souvent mensongères, des Cris et de groupes écologistes à l'étranger l'entraînent parfois à de douteux excès de langage : « Malheur à ceux dont les intérêts

* M. Paradis a préféré ne pas accorder d'entrevue au moment de la réalisation de cette enquête.

ne sont pas liés à ceux de la nation », dit-elle en avril 1991, paraphrasant Napoléon.

Quand les contretemps s'accumulent dans le dossier Grande-Baleine, et que tout va mal, elle a quelques moments de découragement. « Je ne sais plus à quel saint me vouer. C'est rendu à un point critique et je suis à court d'arguments, dit-elle. J'en suis presque à invoquer Saint-Jude [patron des causes désespérées]. »

Saint-Jude faisant la sourde oreille, elle tente sa chance avec le chef du Grand Conseil des Cris, Matthew Coon-Come. Dans une réunion tenue en juin 1991 — dont on a peu parlé —, Bacon et Christos Sirros (ministre délégué aux Affaires autochtones) d'une part, et Coon-Come accompagné d'un certain nombre de leaders cris d'autre part, se rencontrent pour tenter de déterminer l'ordre des négociations à venir.

Les Cris revendiquent surtout une révision de la Convention de la Baie James, car ils estiment que Québec n'a pas respecté tous ses engagements. Bacon, qui s'intéresse avant tout à Grande-Baleine, aimerait lier les deux thèmes. « Les Cris répondaient que ce n'était pas à l'agenda et que ce n'était pas négociable », rapporte un représentant cri. Après quelques tours de table, Coon-Come annonce qu'il part à l'étranger donner quelques conférences contre le projet. Autrement dit, il s'apprête à planter là les deux ministres pour s'en aller dénigrer le gouvernement outre frontières. En guise de salutation, Bacon le retient un instant pour lui dire, en anglais : « Matthew, je ne peux pas te suivre partout dans le monde. J'ai du travail à faire ici. Alors, s'il te plaît, calme-toi *(calm down)*. »

Il serait trop compliqué et fastidieux d'exposer le détail de tous les faux départs et des quelques arrivées dans les négociations entre les Cris et le gouvernement québécois de 1989 à 1993. Il suffira de noter que les contacts effectivement noués ont souvent lieu au bureau du premier ministre, notamment chez le chef de cabinet John Parisella, tandis qu'à l'étage inférieur, entre les bureaux de Bacon, de Sirros et de Paradis, on joue du coude pour déterminer qui fait quoi et comment.

À l'exception de l'accord de janvier 1993 sur le versement aux Cris d'une compensation supplémentaire pour le parachèvement des travaux de la phase I de la Baie James, les discussions progressent peu, quels qu'en soient les instigateurs. (Dernier volontaire en lice : l'ex-ambassadeur à l'ONU Yves Fortier, chargé à la fin de 1992 par Robert Bourassa de négocier une mise à jour de la Convention de la Baie James.)

Bacon ne croit pas que les Cris veuillent vraiment protéger « leur vie culturelle millénaire ». « Ne cachons pas les faits, c'est une position de négociation », tranche-t-elle. Les Cris veulent des sous, pas de la toundra. La phase I a coûté 385 millions de dollars en compensations, une rallonge de 114 millions pour les nouveaux travaux de la centrale LG2 en 1986, et coûtera un autre 50 millions, pour LG1, en 1993. « J'ai peur que ça nous coûte un milliard cette fois-ci, pour la même chose », soupire-t-elle, parlant de Grande-Baleine. Et elle prie pour ne pas avoir à gérer un Oka du Nord.

Consolation ? À la fin de 1992, les Cris ont vu fondre une bonne partie de leur pouvoir de négociation. Ils ont perdu, en appel, une part importante du terrain juridique qu'ils avaient gagné en première instance. L'échec de l'Entente de Charlottetown les a écartés de la voie royale vers leur pleine autonomie gouvernementale. Au lieu de la définir avec Ottawa — leur interlocuteur favori — les voilà contraints de traiter de nouveau avec Québec qui, seul, peut leur accorder des pouvoirs supplémentaires. En ce qui concerne la phase II de la Baie James, ils n'ont en un sens obtenu qu'une victoire à la Pyrrhus avec le report quasi indéfini de Grande-Baleine. En vertu du principe qu'on ne peut freiner quelque chose qui n'avance pas, les Cris ont perdu pour l'instant leur pouvoir de négociation. Ce pouvoir étant directement proportionnel à l'urgence de la construction de Grande-Baleine, il est aujourd'hui très bas.

Lise Bacon s'est donné beaucoup de mal pour faire bouger un autre cétacé, genre grande baleine échouée : Hydro-Québec. « Les réponses que vous donnez en commission parlementaire sur votre productivité sont inacceptables », a-t-elle dit en privé aux dirigeants d'Hydro, sommés de refaire leurs devoirs. Bacon s'était battue au printemps 1990 pour faire voter une loi spéciale visant essentiellement à briser les forces syndicales à Hydro et à raffermir le droit de gérance de l'administration, affaibli au fil des conventions collectives. « Vous l'avez, le droit de gérance, vous allez gérer à c't'heure ! » a-t-elle dit.

Les versions divergent, quant aux détails, selon que l'on parle aujourd'hui à des proches de Bacon ou à des responsables d'Hydro. Mais elles concordent quant au principe : depuis 1991, l'hydroquébécoise en chef a voulu mettre Hydro sur la voie de la santé économique, en privilégiant toutefois le régime plutôt que la purge. « Elle avait demandé des hausses de productivité en douze mois, raconte un cadre supérieur de la maison. Il était possible de faire une politique de terre brûlée pour performer à court terme et repousser les problèmes à plus tard. » Court terme, c'est-à-dire avant l'élection provinciale prévue pour l'automne 1994 au plus tard. « Mais Bacon a accepté un plan de cinq ans avec l'introduction de la qualité totale. C'est meilleur pour l'entreprise, moins pour le politique. Elle a réagi en chef d'État. »

Quand Hydro demande, par exemple, en 1992, l'autorisation de hausser de nouveau ses tarifs de 5,9 %, Bacon n'accorde qu'une augmentation de 3,5 %, ce qui est tout de même nettement supérieur à l'inflation (0,6 % de plus). « C'était facile. En mettant 1000 personnes à pied d'un coup sec, on pouvait réduire la hausse de 3 % » supplémentaires, et se targuer de geler les tarifs d'électricité. « Un autre ministre aurait dit : “ *Fuck* ! Claire 1000 personnes, et c'est fini ! ” » Bacon a choisi de laisser un an de plus au président d'Hydro-Québec, Richard Drouin, pour qu'il s'engage, à compter de 1993 et jusqu'à la fin du siècle, à ce que les tarifs n'augmentent pas plus que l'inflation (ce qui est encore beaucoup).

Inversement, c'est parfois Hydro-Québec qui complique la vie de la ministre. Quand le journaliste Pierre Tourangeau, au *Téléjournal* de Radio-Canada, annonce en février 1993 qu'Hydro-Québec va fermer plusieurs bureaux régionaux pour réduire ses effectifs de 1500 postes et comprimer ses coûts, plusieurs députés jettent les hauts cris, et exigent d'être consultés sur les mesures qui affectent l'emploi dans leur circonscription. À la réunion du caucus libéral qu'elle préside les 12 et 13 février en l'absence de Robert Bourassa, Bacon doit tenir le fort. « Juste avant le caucus, 1500 postes de moins. Moi, je ramasse ça, a-t-elle dit. Il y en a qui font des colères ! »

Mais plutôt que de reporter ces fermetures au-delà de l'élection, elle avise ses députés de bien se tenir : ce n'est qu'une première vague. Il y en aura une seconde, de même ampleur, en 1994.

Les groupes écologistes n'attribueront certes pas de prix d'excellence à Bacon. Elle a pourtant joué un rôle déterminant dans l'introduction du principe de la consultation publique pour l'élaboration du plan de développement d'Hydro. « Elle nous a dit que ça n'avait pas d'allure de proposer un plan de développement chaque année, et d'aller faire le cirque en commission parlementaire », note un cadre d'Hydro. La cadence était si rapide que le Conseil des ministres devait se prononcer sur la demande de hausse de tarifs avant d'approuver le plan de développement qui la sous-tendait.

Bacon « a exigé que le plan soit présenté tous les trois ans, qu'on fasse une consultation publique sur un premier projet, puis qu'on lui fasse une proposition sur laquelle elle tiendrait ses propres audiences. » Le premier plan triennal a été soumis aux audiences parlementaires en février-mars 1993.

La ministre a fait savoir qu'elle voulait, sinon des résultats tangibles de ces réformes avant l'élection, du moins des engagements chiffrés, un calendrier d'objectifs fermes, sur l'amélioration de la qualité du service, la baisse du nombre et de la durée des pannes et, surtout, la courtoisie : « Je veux que quand les clients appellent, il y ait quelqu'un au bout du fil. Quelqu'un de poli. Et s'ils appellent en anglais, je veux qu'ils aient quelqu'un qui réponde en anglais. » Les sondages internes d'Hydro-Québec signalent que ces préoccupations sont pour les Québécois plus importantes que la tarification.

En général, Bacon et la direction d'Hydro-Québec marchent dans la même direction, même s'ils n'y vont pas du même pas. « Je pense qu'Hydro était frustrée de ne pas l'avoir proposé avant », note une ex-attachée de Bacon à propos du plan de consultation. Il arrive toutefois que la ministre se dissocie publiquement de la première des sociétés d'État. Dans l'affaire des réductions consenties aux « bons clients » mohawks en décembre 1991 (ceux qui payaient leurs comptes avaient droit à des rabais, offre qui ne s'appliquait pas aux Blancs), elle tonne : « Je n'ai pas été consultée, et si je l'avais été la réponse aurait été négative. » En février 1993, elle joint sa voix au concert de récriminations contre Hydro qui vient de couper l'électricité à un mauvais payeur, retrouvé mort dans son logis en Mauricie. (Détail inédit : ses factures d'électricité impayées s'élevaient à 3700 $, mais le défunt était en possession d'un billet d'avion pour la Floride !)

Bacon aimerait cependant pouvoir s'associer à certains des bons coups d'Hydro, tels son virage vers les économies d'énergie, pour lequel elle militait, ou son amorce de consultation publique, qu'elle a exigée. Mais puisque Hydro est officiellement une entreprise et non une extension du ministère, la ministre en tire peu de crédit. « Elle se fait souvent avoir là-dessus », note un ancien attaché. « En 1992, elle était amère, confirme un cadre d'Hydro. “ Moi, je vous soutiens, disait-elle, mais quand vient le temps des retours d'ascenseur, les circonstances ne me favorisent jamais. ” »

En 1989-1990, Bacon s'occupe aussi brièvement de l'Office de planification et de développement régional (OPDQ), jusque-là responsabilité du ministre Marc-Yvan Côté, organisateur politique libéral pour l'est du Québec. En entrevue, Bacon émet à ce sujet un commentaire éclairant :

« Marc-Yvan l'avait utilisé pour du pouvoir politique. À l'est du Québec tout le monde en avait beaucoup beaucoup bénéficié. [...] J'ai essayé de rétablir l'équilibre avec l'Ouest, où des députés ne savaient même pas qu'ils avaient droit à l'OPDQ. Marc-Yvan appelait le président [de l'Office] et disait : “ Tu donnes tant à un tel. ” [...] On avait des normes pour dire non, mais pas pour dire oui. Ça m'inquiétait un peu. »

Décembre 1990. La vice-première ministre est au travail. Depuis la mi-novembre, elle gouverne. Au téléphone, avec Benoît Morin, secrétaire général du gouvernement, elle prépare le Conseil des ministres du lendemain. Des vagues de grésil échouent sur les deux murs vitrés de son bureau de Charlesbourg. Dans la lumière blafarde, l'ameublement est d'une sobriété à faire pleurer un décorateur. Mais d'un passé à faire rêver un candidat au leadership : c'est celui qu'occupait jadis un jeune ministre des Richesses naturelles, René Lévesque.

Les plans d'urgence en cas de guerre dans le golfe Persique sont prêts. Les budgets de 12 ministères s'en trouveraient modifiés. Doit-on les présenter aux ministres, demande Morin ? « Je ne veux pas leur donner, j'ai peur que ça sorte », décide Bacon. Daniel Johnson, au Trésor, est au courant ; c'est suffisant. Bacon ajoute un dossier à l'ordre du jour, déjà chargé, de la réunion. « Fais venir un bon lunch, dit-elle, pas des petites crudités. Je ne veux pas les perdre, parce que ça va être long. »

Dans le bureau aux portes toujours ouvertes, les conseillers (huit femmes et un homme, car il n'y en a qu'un dans le cabinet de Bacon — un hasard, explique-t-on) entrent et sortent sans arrêt. Gil Rémillard fait demander s'il peut annoncer personnellement une nomination du gouvernement, tâche réservée traditionnellement au premier ministre. « Il est à la télé toute la journée », dit Bacon. Pourquoi veut-il encore tirer la couverte ? Avec le leader parlementaire Michel Pagé, elle doit donner une conférence de presse marquant la fin de la session. « Je vais le laisser parler, il aime tellement ça ! »

Le matin, ses adjoints font avec elle une revue de presse, indispensable pour préparer Bacon à la période de questions. On commente les propos tenus la veille par Jean Chrétien devant la commission Bélanger-Campeau, selon lesquels la souveraineté du Québec ne profiterait qu'à 2000 bourgeois. « C'étaient nos vieux discours, commente une Bacon alors dans une phase post-Meech et pré-Charlottetown. On ne sert plus ça, on a passé des étapes. » Un attaché lui rapporte la réaction outrée de Lucien Bouchard à un propos de Chrétien. « C'est un émotif », lâche-t-elle pour résumer la personnalité de Bouchard, un des ses souffre-douleur favoris, avec Clifford Lincoln, Pierre Paradis et Jean Garon. (« Moi, je l'aime bien, s'étonne Bouchard. C'est elle qui ne m'aime pas. »)

Un mini-conflit s'est développé entre les députés. Le bureau du premier ministre veut faire voter par l'Assemblée la nomination d'un avocat et ex-député péquiste, Claude Filion, à la Commission d'accès à l'information. « On peut pas dire ça au caucus », plaide Bacon, sourcils froncés, debout derrière son bureau. « Ce serait la cerise sur le *sundae*. Ils partent déjà de mauvaise humeur. » Car il y a les nouvelles taxes municipales, cadeau de Noël du ministre Ryan qui soulève tous les maires contre leurs députés.

Il y a aussi le refus de Bacon, à une récente réunion du caucus, d'envisager l'adoption du généreux plan de couverture médicale que quelques députés d'arrière-bans avaient concocté. « Je refuse des choses à 20 000 personnes à Hydro, je peux pas vous donner ça, leur a-t-elle expliqué. Rendez-vous compte : on vit dans une cage de verre. » Comment pourrait-on justifier pareil privilège ? Mais ils ont regimbé. « De vrais bébés, commente-t-elle, ils sont comme des enfants excités à l'approche de Noël. » A-t-elle été trop prompte ? « Je suppose que Robert aurait dit : " On va regarder ça ", et aurait temporisé. Mon style est différent. Je me suis dit : " C'est ça, c'est final. " » Après toutes ces contrariétés, la nomination du péquiste Filion tombe mal. Bacon oblige le bureau du premier ministre à prendre une journée de plus pour préparer le terrain auprès des députés, pour amortir le choc.

À la présidence du Conseil des ministres, Lise Bacon se prend à animer des débats, et soulève volontiers l'aspect « politique » — c'est-à-dire partisan — des dossiers, commente un ministre. Contrairement à Bourassa, elle n'a pas droit de vie ou de mort sur ses collègues ; le rapport de forces est donc moins net. Elle utilise le truc vieux comme le monde de doser le droit de parole de manière à faire pencher le débat dans le sens désiré. Elle a su aussi se gagner le respect des ministres importants. Délicieux retournement des choses, Claude Ryan est venu humblement présenter à la vice-première ministre sa stratégie pour reprendre le dialogue avec les Mohawks. (Pendant cette première absence de Bourassa, Ryan dit à un banquier de ses amis qu'il « tient le fort » du gouvernement. Innocente vanité ?)

À la table du conseil, Marc-Yvan Côté propose de rogner sur la gratuité d'un service public. « Je voyais la grosse main du Conseil du trésor qui l'avait obligé à quelque chose », raconte Bacon qui refuse de préciser de quelle mesure il s'agissait (mais c'était probablement une première tentative d'imposer un ticket modérateur de deux dollars sur les médicaments). « J'ai dit, devant tout le monde : " Je n'accepte pas ça, ce dossier-là. " Il n'est pas passé. Quand on touche au côté social, moi, je réagis fortement », explique-t-elle. « Où est-ce que je vais trouver l'argent ? » a demandé Daniel Johnson, président du Conseil du trésor. « Tu chercheras ailleurs », a répondu Bacon. « Là où ça a été le plus drôle, enchaîne Jean-Claude Rivest, c'est sur la question de l'environnement, où Lise est juge et partie. »

« Elle est décisive, elle grouille, elle ne laisse pas traîner les choses », commente un ancien ministre, qui la trouve autrement plus efficace que Bourassa. (« On disait de la duchesse de Berry qu'elle était le seul homme de la famille, dira Gérard Pelletier au début de 1993. Eh ! bien je dirais que Mme Bacon a des couilles ! »)

« On a nettoyé beaucoup de dossiers qui avaient traîné parce que la crise était longue, raconte Bacon, parlant de la première absence de Bourassa. J'ai dit au premier ministre : " Quand tu vas revenir, tu n'auras pas grand-chose à faire, parce que tout sera nettoyé ! " »

Les leçons de l'expérience de 1990-1991 seront encore toutes fraîches dans les mémoires quand Bacon reprendra le gouvernail, en février 1993. « Les ministres préfèrent s'entendre entre eux plutôt que d'envoyer leurs litiges en arbitrage au bureau de la vice-première ministre, dira alors un proche de Bourassa. Ils savent que si ça monte en haut, il va y avoir une décision rapide, finale et imprévisible. Ils préfèrent éviter ça. »

On observera cependant que la nouvelle absence de Bourassa provoque dans la machine un flottement tel que la poigne de Lise Bacon ne parvient pas à le rectifier. Au caucus des députés comme au conseil général du parti, on voit souvent les participants arriver tard et repartir tôt, ce qui se produisait peu quand Bourassa menait la barque. De même, les débats du Conseil des ministres en février et mars 1993 deviennent anormalement longs, surtout lorsqu'il est question de répartir les compressions budgétaires nécessaires pour maintenir le déficit en deçà de cinq milliards.

Faut-il en tirer la conclusion qu'en l'absence de Bourassa le Conseil des ministres est le lieu de véritable débats, car on sait que Bacon aime susciter des interventions, animer l'assemblée ? Faut-il penser plutôt qu'avec les va-et-vient du premier ministre — qui discute tous les jours avec ses collaborateurs — il n'y a pas véritablement de transfert de pouvoir vers Bacon, ce qui lui enlève beaucoup de son autorité ? Difficile à dire.

« Le ministre qui va s'aventurer dans un affrontement avec Mme Bacon sur un dossier particulier, commente Gérald Tremblay, ministre de l'Industrie, a besoin de se lever de bonne heure et de se préparer. Les ministres qui ne le savent pas ont un gros problème. »

D'autres, comme le ministre des Communications, Lawrence Cannon, reconnaissent que Bacon a bien su faire la transition de ministre sectoriel défendant son bout de pouvoir à vice-première ministre à la tête d'une équipe. « Lise a la capacité d'avoir une vision d'ensemble, dit-il, peut-être parce qu'elle est “ la gardienne de la culture libérale, qu'elle possède jusqu'au bout des orteils ”. »

Pendant son nouveau combat contre le cancer, en 1993, les Québécois seront beaucoup mieux informés — du moins en apparence — de l'évolution de la maladie de Robert Bourassa. La vice-première ministre pourra alors, comme tout un chacun, se faire une meilleure idée du déroulement des opérations — ce qui n'était pas le cas à l'automne 1990.

Pendant plusieurs jours, il lui a été impossible de parler au premier ministre, pris notamment d'un violent hoquet. Dans le noir, comme le reste des Québécois, elle n'avait qu'un indice de l'évolution de l'état de santé du chef : l'attitude de l'entourage de Bourassa, mieux informé, et forcé de travailler avec elle. « À un moment donné, ils étaient très près de moi. À un moment donné, ils se reculaient. Alors je me disais " il va bien " ou " il va plus mal ". Je le sentais comme ça, par vagues. »

Dans la voiture qui la ramène d'un comité interministériel, ce jour de décembre 1990, le téléphone cellulaire sonne. C'est Robert. « J'ai encore été obligée de démentir des rumeurs. Ils disaient que tu démissionnerais demain. » Un instant de silence, puis elle fait mine de s'offusquer : « Ah ! tu trouves ça drôle ! » Elle lui suggère de ne pas donner d'entrevue télévisée pendant quelques semaines. Le traitement l'a trop amaigri. « Si moi je perds 40 livres, personne ne le remarque. Toi, c'est pas pareil. » On passe aux choses sérieuses. Liza Frulla-Hébert, des Affaires culturelles, ne parle plus à Gérard D., des Finances. Une affaire d'argent, comme d'habitude. Bacon s'en occupe.

ELLE S'OCCUPE AUSSI, UN PEU, DE JEAN ALLAIRE. À la fin de l'automne 1990, le comité constitutionnel du Parti libéral, dirigé par Allaire, formule un nouveau programme pour le parti. Formé de fédéralistes traditionnels (comme Thérèse Lavoie-Roux), de proches du premier ministre (comme Fernand Lalonde), de vieux routiers présumés inoffensifs (comme Jean Allaire), de la chef de cabinet du ministre concerné (Suzanne Levesque, qui travaille chez Gil Rémillard), et chapeauté par le responsable de l'appareil (Pierre Anctil, directeur général du parti), sans oublier quelques figurants plus radicaux (tel Michel Bissonnette, de la Commission jeunesse), le groupe est censé mitonner une bouillabaisse nationaliste adaptant le discours libéral à la mode post-Meech.

C'est-à-dire une sauce piquante, car les Québécois sont furieux du rejet canadien, mais qui ne sera pas trop aigre pour les estomacs canadiens.

Imaginez la surprise de la première ministre en exercice quand un membre du comité l'appelle, très nerveux, pour lui annoncer qu'un vote vient de sanctionner l'orientation des travaux, lequel vote entérine la tenue d'un référendum sur la souveraineté comme préalable à une « reconfédération » Canada-Québec. Le Parti libéral, donc, s'apprête à devenir officiellement souverainiste.

« Là, raconte Bacon, j'ai appelé John Parisella [le chef de cabinet de Bourassa] pour lui dire : “ Il faut arrêter ça absolument. ” » Parisella met à son tour son patron dans le coup. Une opération de « rectification » du rapport est alors lancée. Le texte du « rapport Allaire » final ne prévoit un référendum sur la souveraineté qu'en cas d'échec de la tentative de décentralisation massive qu'il propose par ailleurs.

Cette première incursion de Bacon dans le dossier constitutionnel, comme la façon dont elle rabrouera les dissidents nationalistes au moment du référendum de 1992, donnent de Bacon l'image d'une fédéraliste de choc, intraitable et imperméable à toute dérive nationaliste.

Il n'en est rien. Dans l'aller-retour du Parti libéral vers l'ultra-nationalisme entre Meech et Charlottetown, Lise Bacon suivra le mouvement avec une grande ouverture d'esprit. Contrairement à Daniel Johnson*, elle croira vraiment à la menace du « couteau sous la gorge », à l'ultimatum de la souveraineté.

Lors d'un entretien accordé à l'auteur en août 1991, elle fait état de son cheminement politique avec sa sincérité habituelle. Sur les derniers jours de Meech et la décision de Clyde Wells de ne pas ratifier l'entente, elle dit :

« On écoutait les débats de Terre-Neuve et moi, ça me dérangeait. [...] Moi qui crois encore au Canada — que vou-

---

* Voir chapitre suivant.

lez-vous, on ne peut pas m'en empêcher, j'y crois encore ! — ça me faisait mal qu'on soit si incompris...

« On n'est pas des bibites rares [nous, les politiciens]. On est quand même des gens comme les autres. Et le Canada est un pays qui ne se connaît pas, [peuplé] de gens qui ne se connaissent pas... Peut-être que le pays est trop vaste.

« J'ai un copain américain. Quand il entend son hymne national, il se met la main sur le cœur. [...] J'étais avec lui à Boston, et dans une vitrine on a vu un drapeau canadien. Je lui ai dit : " J'ai la nostalgie de mon drapeau. " Je voudrais donc avoir cette fierté... Mais il y a toujours quelque chose qui me retient, et ça me choque. On dit, on l'aime [le drapeau] pour ce qu'il représente, mais chez nous ce n'est pas vrai qu'il représente l'unité... Le *Ô Canada,* c'est le même problème. Ça me fait mal, ça, comme citoyenne. »

À propos de la version finale du rapport Allaire, qui réclame 22 pouvoirs pour le Québec, et du congrès libéral qui l'a adopté, en mars 1991, elle dit :

« On voulait tous présenter un document qui ferait réagir le reste du Canada. Je pense qu'on a réussi. [...] Il faut avoir de nouvelles responsabilités : moi, je crois à des provinces fortes. Alors, je suis à l'aise avec le rapport Allaire. Je ne dis pas qu'au début j'aimais ça, mais je cheminais... Ce qui me fâche, c'est quand Ottawa pose des gestes qui vont à l'encontre de ça. Ça m'exaspère : [les incursions fédérales] en éducation, en développement régional, même sur les richesses naturelles ! »

Au congrès de mars 1991 à Montréal, Bacon et l'équipe de sa circonscription de Chomedey ne s'associent pas aux amendements fédéralistes coordonnés par la circonscription de Claude Ryan. En fait, une majorité de l'exécutif libéral de Chomedey préconise alors la stratégie « souveraineté d'abord, association ensuite ». Même Joseph Bacon, à 88 ans, a dit à sa fille, après Meech : « Il y a des limites, faut être fiers, faut qu'on se sépare ! »

Mais, dans Chomedey, la présence allophone et anglophone est importante. Bacon appuie donc l'amendement précisant que la réforme constitutionnelle vise à assurer « le respect des droits et libertés des personnes et la recherche de l'harmonie sociale ». Bref, pour la vertu et contre la lèpre. Mais le rouleau compresseur anti-amendements lancé sur le congrès par l'aile jeunesse du parti aplatit cette proposition anodine, en même temps que celles, plus ambitieuses, des pro-Ryan. À la sortie du congrès, elle glisse à un libéral nationaliste : « Vous avez remarqué que je ne me suis pas levée pour partir, moi ! » Parlant de la souveraineté, elle demande : « Si les jeunes ne tiennent pas ce débat, qui va le faire ? »

Même le péquiste Bernard Landry note alors le changement de cap de Bacon. « Je suis surpris de la voir être d'accord avec le document libéral, dit-il. Il y a chez elle une évolution très, très profonde. »

À la fin de l'été 1991, l'avenir se perd dans le brouillard. Une commission fédérale, dirigée par Keith Spicer, a remis un rapport qui éclaire crûment les lignes de fracture qui divisent le pays, mais ne propose aucune méthode pour les cimenter. La commission Bélanger-Campeau s'est terminée en queue de poisson, et le gouvernement québécois a adopté la loi 150, qui prévoit la tenue d'un référendum sur la souveraineté au plus tard le 26 octobre 1992. Bourassa et Rémillard indiquent cependant que le référendum portera sur les offres fédérales, si elles sont bonnes.

« Est-ce que tu sais où tu t'en vas ? demande Lise à Robert au début d'août 1991.

— Oui.

— Si tu sais où tu t'en vas, tu me rassures. Parce que moi, je ne le sais pas. »

Bacon, comme elle le dit, « chemine ». Son premier choix est un fédéralisme décentralisé, cinq régions presque souveraines dans une nouvelle confédération. À la fin de 1990, avant le congrès libéral, elle expliquait : « Je serais malheureuse avec le *statu quo,* mais je serais plus malheureuse encore avec l'indépendance. »

Huit mois plus tard, elle ne tient plus le même discours, et parle d'un « Parti libéral évolué » qui ne recule plus devant la menace de quitter le Canada. « On est rendus là », dit-elle.

Quand arrive la première mouture des offres fédérales, le mois suivant, Bourassa, qui craint de faire dérailler le difficile processus de réforme, ménage la chèvre et le chou. Mais Ottawa concédant une minime décentralisation des pouvoirs, tout en proposant par contre la constitution d'un organisme économique autorisé à imposer au Québec des orientations définies par une majorité de provinces, Bacon, elle, ne ménage ni la faune ni la flore fédérales : « Le gouvernement fédéral a laissé au Québec les aspects émotifs, comme la société distincte, mais a conservé ce qui est rationnel, comme l'économie, dit-elle. Je pense que ce n'est pas acceptable. Le Québec a prospéré avec le modèle économique qu'on s'est donné et on va en avoir besoin pour continuer. »

Le document de septembre 1991, comme l'entente de Charlottetown un an plus tard, consent à asseoir le pouvoir provincial sur « six sœurs » : six compétences largement provinciales dans lesquelles le fédéral s'est immiscé au fil des décennies. Parmi les six, on trouve les mines, « secteur, commente Bacon, qui demande le plus d'argent. Mais on ne parle pas du reste ! » s'indigne-t-elle. Le reste ? Bacon peste contre l'absence de transfert de pouvoir en matière d'énergie*. Le rapport Allaire réclamait pour le Québec la responsabilité exclusive de l'Énergie, une demande « maximale » qui souriait

* La compétence dans ce secteur n'est pas abordée explicitement dans la loi constitutionnelle de 1867, mais les provinces étant propriétaires des ressources naturelles, elles sont directement concernées par tout ce qui a trait à l'énergie. Le fédéral est cependant intervenu massivement sur la question depuis les années 70, notamment à propos des hydrocarbures et du nucléaire. En fait, la principale source d'énergie des Québécois, l'hydro-électricité, est le seul domaine énergétique qui ne bénéficie pas de l'aide fédérale. Le ministère québécois de l'Énergie considère que l'intervention fédérale « a vidé de leur sens une partie au moins des juridictions provinciales en la matière», sauf pour l'hydro-électricité, et qu'elles «ont été le plus souvent fort éloignées des objectifs poursuivis par le Québec ».

à Bacon ulcérée d'avoir eu à se battre, en 1989 et 1990, contre une décision de l'Office national de l'énergie, organisme fédéral qui mettait en péril, par son contrôle des exportations d'électricité, la réalisation de Grande-Baleine.

La deuxième mouture des « offres » canadiennes arrive le 7 juillet 1992, par le biais d'une entente entre les provinces anglophones, le ministre fédéral Joe Clark et les représentants autochtones. L'Énergie y a disparu de la liste des pouvoirs provinciaux. Mais c'est le cadet des soucis de Bacon : cette fois, c'est la création de gouvernements autochtones aux pouvoirs vastes et mal définis qui la préoccupe. « Cette disposition introduit une incertitude majeure quant au contrôle du Québec sur l'exploitation et le développement futurs de ses ressources hydro-électriques », dit une note préparée par son ministère. Bacon voulait des « provinces fortes », la voilà avec des « réserves fortes ». Ses protestations se mêlent à celles de ses collègues du Cabinet.

Robert Bourassa, on le sait, réussit à circonscrire les effets du volet autochtone dans l'Entente de Charlottetown à la fin d'août 1992. Mais pas à établir une fois pour toutes la compétence provinciale en matière d'énerge, ni à créer des « provinces fortes ».

Comment Bacon, naguère « à l'aise » avec Allaire, réagit-elle à l'Accord de Charlottetown ? Sur le fond, une source indique qu'elle était loin, très loin, de l'enthousiasme.

Mais à cette étape du grand théâtre constitutionnel alors qu'approche la chute du rideau référendaire, il n'est pas question de modifier le déroulement de l'intrigue, de bousculer le dramaturge. Pour la grande scène du dernier acte, donc de l'été 1992, on redistribue les rôles. Lise Bacon reprend le sien : femme de loyauté, femme de l'unité du parti, femme de ménage de Robert. Avant que Bourassa parte pour la négociation finale, Bacon contribue à élargir sa marge de manœuvre face au parti et à l'opinion publique en évoquant, à la sortie d'une réunion du Conseil des ministres, un possible ajournement de l'échéance référendaire. « Ça fait quarante ans qu'on essaie de construire l'Europe, on peut bien se donner encore quelques semaines et quelques réunions pour continuer à rebâtir ce que des gens essaient de détruire. »

Bacon semble déjà convaincue qu'on se retrouvera, dans ce dossier, à mille lieues du rapport Allaire. Les jeunes libéraux, qui eux n'en doutent pas un instant, s'apprêtent à assigner au premier ministre une feuille de route assez contraignante : qu'il rejette toute entente non conforme aux objectifs d'Allaire et mette plutôt en branle le processus référendaire conduisant à la souveraineté.

La veille du congrès des jeunes libéraux où sera présentée cette résolution, Lise Bacon se transforme en garde-chiourme. Elle donne au journaliste Denis Lessard, de *La Presse*, une entrevue-choc destinée à transformer le congrès des jeunes en école de redressement politique.

« Attention, jeunes libéraux, vous allez trop loin ! » gronde-t-elle, dans une déclaration qu'elle dit avoir lancée après en avoir discuté avec Bourassa. Parlant du leader des jeunes, Mario Dumont, elle tonne : « Ce n'est pas le président de la Commission jeunesse qui est le chef du Parti libéral, mais plutôt le premier ministre Robert Bourassa. Que les jeunes fassent confiance à leur premier ministre qui a été élu par le peuple et en qui le peuple a confiance. » Et encore : « Ceux qui ne veulent ou ne peuvent adhérer aux principes qui ont fait la force du Parti libéral devraient savoir où se loger. »

Vaine tentative d'intimidation. Car, contrairement à Bacon, les jeunes ont fait le voyage aller vers la menace de la souveraineté sans prendre leur ticket de retour.

Pendant la campagne référendaire, Bacon incarne la nouvelle ligne de parti. Les Jean Allaire et Mario Dumont qui, sous la bannière du « Réseau des libéraux pour le Non » font campagne contre l'entente de Charlottetown commettent un péché capital contre la loyauté. Ceux qu'elle accuse d'être « dans l'antichambre du PQ » doivent démissionner de leurs postes de responsabilité (Dumont s'y refuse), et même remettre leur carte du parti.

À la fin de février 1993, à l'occasion du conseil général de son parti qui consacre l'enterrement définitif du rapport Allaire, elle annonce une nouvelle position constitutionnelle, formulée en des termes non équivoques. « On a toujours proposé le Canada, pas le Québec et le repli sur soi », précise la vice-première ministre.

Dans cette affaire, Lise Bacon a montré de quel bois elle se chauffe. De celui de l'obéissance au chef, de l'esprit de corps. Tous les autres ministres ont suivi la marche, certains traînant les pieds, beaucoup « se la fermant ». À l'exception de Marc-Yvan Côté qui assumait des tâches d'organisation de la campagne, aucun ne s'est autant détaché du peloton que Lise Bacon pour devancer, appuyer, faciliter le virage de Robert Bourassa. C'est spontanément, explique-t-on chez Bourassa, qu'elle s'est proposée comme *bouncer* politique du premier ministre envers les jeunes. Spontanément aussi, qu'elle a évoqué un ajournement du référendum.

« LISE RÉAGIT MAGNIFIQUEMENT À LA PRESSION », note son amie Louise Sicard à propos de la vice-première ministre. « Le stress la stimule. Alors, pensez-vous si elle est stimulée ces temps-ci ! » Suffisamment pour penser devenir un jour première ministre, sans préfixe ?

Quinze heures après le début de sa journée de travail, en décembre 1990, dans le restaurant parlementaire déserté par les dîneurs et les serveurs, Lise Bacon évoquait cette possibilité à reculons. Elle ne doutait pas de sa capacité à faire le boulot du premier ministre. « Je suis insécure sur ma volonté de le faire. » Elle ne s'est jamais vue première de classe. « Je ne me comprends pas moi-même. On verra. »

Six mois plus tard, en juillet 1991, lors d'une seconde entrevue, elle rectifiait le tir. « Je vous ai dit que j'étais incertaine de ma volonté de le faire. Je ne dirais plus ça aujourd'hui. Je pense que j'ai le goût de le faire. » Mais elle ne pense pas en avoir l'occasion, car elle croit alors que Robert Bourassa, en rémission, enterrera tous les prétendants à sa succession. Ceux qui commencent à préparer leur campagne le font, opine-t-elle, « beaucoup trop tôt ». « Je le connais, il va rester jusqu'à la fin. On partira tous ensemble. C'est pour ça que je ne commence pas. »

Au début de 1993, un ami de la ministre affirme qu'elle a fait plusieurs aller-retour entre son envie de briguer la succession et son désir de quitter la politique. « Après avoir fait l'intérim [en 1990 et 1991], elle y avait pris goût et avait décidé qu'elle y allait. [L'ex-ministre] Paul Gobeil avait même signalé qu'il reviendrait en politique avec elle pour lui donner un coup de main. Depuis, il a changé d'avis, elle aussi, plusieurs fois. » Pour brouiller les pistes, elle affirme penser à « des postes intéressants dans des organismes internationaux » pour compléter son action politique de quarante ans. « Ça terminerait le tout pour moi. »

Mais la possibilité du leadership n'est jamais loin de la surface. On l'a senti en décembre 1991, à l'occasion d'une fastueuse cérémonie pour le bicentenaire du Parlement québécois. Retenu par des « rencontres privées », Robert Bourassa ne s'était pas déplacé pour souligner, aux côté d'ex-parlementaires, de membres du corps diplomatiques et d'autres invités, les deux cents ans de la démocratie québécoise.

Bacon pensait, tout naturellement, que la vice-première ministre prononcerait le discours prévu, auquel Jacques Parizeau devait répliquer. Mais Bourassa avait délégué la tâche au leader parlementaire, Michel Pagé. Quand elle l'a appris, « elle était outrée, c'était pas beau à voir, rapporte un témoin. Il n'y avait pas d'équivoque », quant à son état d'esprit.

Elle a d'ailleurs parlé de son dépit à quelques invités, en des termes (fidèles à son propos, confirme aujourd'hui un des témoins) qui allaient être reproduits noir sur blanc le lendemain dans *Le Devoir* : « La ministre supporte de plus en plus mal d'hériter dans les situations difficiles de tâches d'intendance ou de sales besognes au Conseil des ministres lorsque cela fait l'affaire de M. Bourassa, et de rester dans l'ombre lors d'événements publics comme celui d'hier. Elle aurait dit à M. Pagé de prendre son poste si c'est ce qu'il souhaitait. Déçue de faire l'objet de si peu de reconnaissance pour ses vingt années de loyaux services, Mme Bacon se l'explique par le fait que ses collègues redoutent le moment où elle pourrait devenir leur chef. Pour eux, aurait-elle ajouté, les femmes ne sont bonnes que pour faire la cuisine ! »

En janvier 1993, elle pose ses jalons les plus voyants. Alors que Bourassa doit affronter à nouveau son ennemi intérieur, la ministre, loyale entre toutes, commet une bévue qui a toutes les apparences d'un début de campagne.

Deux jours de suite, les 20 et 21 janvier, Bacon prononce des discours de portée générale, embrassant de vastes sujets, diagnostiquant de graves maux de société. Bacon expliquera que, ces deux discours étant prévus depuis des mois, et des centaines de billets ayant déjà été vendus, il aurait été inconvenant d'annuler l'événement — même à la suite de l'annonce, deux semaines auparavant, de la triste nouvelle de la rechute du premier ministre.

Sans doute. Mais pourquoi, dans ce nouveau contexte, forcer la dose ? Les textes des discours sont distribués à tous les journalistes de la tribune parlementaire dans des enveloppes personnalisées. Les scribes sont inondés de communiqués de presse soulignant l'importance de ces propos. Quand, au même moment, un acte de vandalisme antisémite est perpétré dans Chomedey, le bureau de Bacon appelle la *Gazette* six fois dans la même journée pour s'assurer que le journal va rapporter que la ministre en est fort marrie !

Que Bacon soit en campagne ou fasse un tour de piste de réchauffement pour une campagne qu'elle n'est pas encore certaine de mener, c'est bien légitime. Mais il faut savoir quand appuyer sur l'accélérateur et quand ralentir.

Elle confirmera que Bourassa s'est inquiété du titre un peu alarmiste d'un de ces discours : « Il est minuit moins cinq. » Mais la ministre et Bourassa lui-même affirmeront qu'il n'y a pas de malaise, contrairement à ce que plusieurs sources ont déclaré à *La Presse*. Le journal rapportait que le comportement de Bacon avait attristé Bourassa dont le bras droit, John Parisella, avait désapprouvé le discours, que la ministre avait cependant refusé de retoucher. « Son agacement [à Bourassa] ne venait pas tellement du discours lui-même que du retentissement que la presse lui a donné, commente un proche du premier ministre. Mais Bourassa est très loin de penser que Bacon manœuvre contre lui. »

Bourassa, peut-être. Mais pas ceux qui sont dans l'entourage du premier ministre. Selon Bacon, c'est eux qui ont lancé cette offensive, qui ont lié ces discours à une tentative d'affirmer son leadership. « Ce n'est pas acceptable, dit-elle à Françoise Stanton au cours de l'émission *Le Point,* qu'au moment où M. Bourassa est peut-être plus vulnérable, que l'entourage réagisse de cette façon-là [en disant] " elle n'ira pas au leadership si elle veut avoir l'intérim ". » Cet accrochage entre Bacon et le personnel du premier ministre a lancé sur un fort mauvais pied le retour de la ministre à la direction du gouvernement, durant l'hospitalisation de Bourassa. « Si l'entourage [de Bourassa] veut le protéger, dit-elle encore, il faut penser que, moi aussi, je suis un être humain. C'est ce que j'ai dit. »

Au-delà de ces péripéties, les deux discours de Lise Bacon posent un problème beaucoup plus grave. Après avoir examiné de près, pour les besoins de cette recherche, plusieurs des textes importants qu'a commis Bacon au cours de sa carrière, l'auteur constate qu'aucun n'a jamais été aussi ambitieux. Aucun n'a jamais été non plus aussi amateur.

Le discours prononcé à la Chambre de commerce de Laval, qui s'intitule « Ce que pourrait être le Québec du XXIe siècle », commence ainsi :

« Il me fait plaisir aujourd'hui de lever le voile, d'imaginer ce que pourrait être notre société à l'aube du XXIe siècle et surtout d'envisager *avec vous* les gestes à poser pour maximiser notre réussite, *votre réussite* ! *L'échéance est proche* et ce n'est que par des efforts soutenus que nous pourrons dire : Mission accomplie ! [...] Il est nécessaire pour grandir de traverser des périodes d'ajustement, de remise en question et aussi d'autocritique ! Cette vérité est concluante dans bien des cas et aussi pour nous, Québécoises et Québécois*. »

---

* Les termes en italiques sont soulignés dans l'original.

Concluant ? Que dire de : « Dans une société moderne où les barrières sont de plus en plus inexistantes, je crois qu'il est de l'intérêt de chacun de contribuer à l'avancement de l'autre pour ensuite mettre en commun nos forces respectives » ?

Le discours de Laval est essentiellement un appel à se retrousser les manches, à faire un « remue-méninges d'idées », dit-elle, pour devenir plus concurrentiels. Le thème n'est pas nouveau, mais il est enrobé d'un verbiage où la pauvreté des concepts le dispute à la pauvreté de la langue.

Dans son second discours « Il est minuit moins cinq », prononcé le lendemain devant les membres de *Cité libre,* Bacon monte une attaque frontale contre les bébéboumeurs (le néologisme est de Jacques Godbout). Le texte, longuement travaillé nous dit-on, est un festival de clichés. Qu'on en juge :

« Alors que tous les espoirs étaient permis aux jeunes Québécois des années 60, nous devons constater aujourd'hui un certain désarroi. Les téléromans, miroirs d'une société, soulèvent parfois un coin du voile de leur quotidien. On s'en émeut et les cotes d'écoute grimpent. Trois millions de Québécois s'y intéressent.

« On aime bien l'émotion. Mais moins les responsabilités. Ou la réalité. Car c'est bien de cela dont il s'agit. De l'épreuve de la réalité que n'a jamais eu à subir une génération qui s'est appropriée de tout [sic]. Une génération au parcours exceptionnel, pour qui la fête, le bonheur immédiat, la réussite facile a [sic] supplanté l'effort, le sens du devoir et de la générosité.

« Où allons-nous avec une jeunesse à l'avenir bloqué, dans notre société qui traverse une période difficile quant à l'identification des valeurs ? Où sont les guides, où est l'héritage, où est le plaisir, où est le sourire, où est l'espoir quand on a 16 ans, quand on a 20-25 ans ici comme ailleurs ? » [...]

« Que vaut donc une société qui n'a pas d'égards pour sa jeunesse », ajoute celle qui a beaucoup fait pour que, quelques semaines plus tôt, la plupart des membres de la direction de la Commission jeunesse — les 20-25 ans, certains qu'il n'y avait plus « d'espoir » pour eux dans le parti de Mme Bacon — démissionnent en bloc.

Voilà ce qui passe pour un diagnostic. L'ayant ainsi posé, que prescrit l'oratrice ?

« Plus que jamais, le dépassement nous est suggéré si nous voulons rayonner. Pour l'heure même, je vous dirais que le dépassement nous est conseillé si nous voulons émerger. » Plus précisément : « les élites, à tous égards, doivent soulever les vraies questions. »

Et le gouvernement ? Il multiplie les initiatives, dit-elle, énumérant ses politiques. « Mais cela ne suffira pas. » Encore faut-il faire participer la jeunesse, susciter le partenariat et faire preuve « d'humanisme ».

La conclusion est à l'avenant : « C'est en vertu de ces grandes exigences que nous occuperons la première classe dans le TGV de l'avenir qui doit quitter la gare à minuit. Et il est minuit moins cinq. »

On sent que Lise Bacon a voulu aller au fond des choses. Elle n'en est revenue qu'avec des lieux communs. On sent qu'elle a voulu donner un souffle à son propos. Elle n'y a mis que du vent.

Et ce qu'elle arrive à exprimer assez clairement est fort contestable. Sa charge est dirigée contre les bébéboumeurs, responsables du « grand dérapage de toute une génération », qui auraient « régné dès le jeune âge sur l'ensemble de la société ». Curieux, car aucun bébéboumeur (dont les plus vieux ont eu 50 ans en 1992) n'a encore été élu premier ministre et l'on compte sur les doigts d'une main les membres de cette génération qui ont assumé des portefeuilles clés.

Lise Bacon et son parti, eux, ont occupé ces fonctions, ont « régné sur la société », pendant treize des vingt-trois dernières années, dix-neuf des trente-trois dernières. Aujourd'hui, dit Bacon, « trente années d'État-providence » ont « saccagé l'âme d'une société » ; « la compréhension et le respect ont cédé le pas à l'ironie lorsqu'il est question de la chose publique » ; les « opérations de séduction de masse » ont remplacé « l'intelligence et le courage ». Peut-être. Mais peut-elle en tirer la conclusion qu'une frange de Québécois nés entre 1942 et 1957, selon la définition qu'elle emprunte à François Ricard auteur de *La Génération lyrique*, en sont les grands responsables ? Ils étaient à peine nés au début des « trente glorieuses » (il s'agit des trente ans de croissance forte, 1945-1975)*.

Derrière tout ce charabia, on sent cependant chez Bacon une détresse, une envie de faire bouger les choses. « Il est du devoir de tous de s'impliquer », répète-t-elle, car « les dégâts sont lourds ». *Dixit* la vice-première ministre à la fin du second mandat de son gouvernement.

Reste un autre problème, plus inquiétant. Comment un premier ministre virtuel peut-il avoir claironné si haut de tels textes ? Deux hypothèses : ou bien Mme Bacon les a écrits (on la reconnaît beaucoup dans ces lignes), ce qui trahirait la faiblesse de sa pensée ; ou bien elle les a fait écrire et les a approuvés, ce qui trahirait la faiblesse de son jugement.

C'est bon à savoir, au moment de choisir un chef.

---

* Bacon cite des extraits du livre de Ricard dans son discours. Dans cet ouvrage où l'affirmation l'emporte largement sur la démonstration, Ricard sent bien qu'il est ridicule de «charger» ainsi la génération née entre 1942 et 1957 des mauvaises décisions de l'État prises à partir de 1960. À cette date, le plus vieux de ses bébéboumeurs avait 18 ans, et donc pas le droit de vote, la majorité étant fixée à 21 ans, et le "lyrique médian" avait 11 ans. Il faudra attendre l'élection de 1976 pour que la totalité de la génération incriminée puisse se présenter au bureau de scrutin. Ricard contourne comme suit cette faille majeure dans le raisonnement: «La jeunesse des années soixante, en d'autres mots, n'a pas eu à agir. D'autres l'ont fait à sa place et en son nom. Il lui a suffi d'être là, tout simplement, et de déferler. La Révolution tranquille, c'est avant tout l'accueil de cette présence et de ce déferlement par des aînés qui ont su en faire usage pour mener à bien leurs entreprises jusque-là empêchées» (p. 103). Bref Lesage, Johnson, Bourassa et Lévesque, à Québec, Trudeau, à Ottawa, élus et réélus par les parents de la génération lyrique, ne sont pas les principaux responsables des politiques, de la législation, des déficits qu'ils ont proposés, défendus, adoptés ! Le discours Ricard-Bacon insiste aussi beaucoup sur les bénéfices qu'ont retirés les bébéboumeurs de la prospérité des années 1960-1975. Ils ne disent rien de ceux qui avaient, non pas 3 ou 11 ou 18 ans, mais plutôt 25, 30 ou 40 ans en 1960. Ceux-là ont énormément profité de la multiplication

BACON PREMIÈRE MINISTRE : les sondages montrent que c'est jouable. On sait les Québécois très majoritairement prêts pour une femme première ministre. À la tête du Parti libéral, Bacon déjouerait les plans de campagne du PQ, déstabiliserait Jacques Parizeau qui n'a jamais trop su comment s'y prendre avec les politiciennes en général et celle-là en particulier.

Larry Wilson, ancien président du Parti libéral, note qu'elle a gardé « de très solides appuis dans les régions ». Mais combien de membres du caucus et du Cabinet se rangeraient derrière elle ? Car Bacon ne joue pas le jeu des coalitions politiques, des échanges de bons procédés entre ministres ou députés, comme c'est l'usage chez les ambitieux.

Lorsqu'elle occupe le siège du premier ministre, on la respecte autant qu'on la craint. Mais son intransigeance envers des collègues libéraux qui, juge-t-elle, s'écartent des commandements de loyauté et de solidarité, ne contribue pas à la rendre populaire. « Lise est une personne qui ne pardonne pas facilement », commente un ancien ministre, proche de Bacon. « Si ce n'est pas de l'intolérance, c'est proche en maudit ! » « Elle n'a pas flatté les gens, et elle s'est fait des ennemis, note Jean Garon, qui applaudit son intégrité et sa clarté. C'est peut-être pourquoi elle ne partirait pas gagnante. »

Elle ne manque pas d'atouts, cependant. L'ex-ministre Paul Gobeil est toujours dans son camp. Il était à *Cité libre* pour le fameux discours. À Laval, Jean-Noël Lavoie, ex-maire et ex-président de l'Assemblée nationale, est son plus grand

---

des emplois, des services et des retraites. On en trouve d'ailleurs un bon nombre, l'hiver, sur les plages de la Floride. Ils quitteront notre triste monde sans avoir à payer la note. Ce ne sera pas le cas de la génération dite «lyrique» qui, aujourd'hui à la veille de prendre le pouvoir, devra essentiellement gérer l'austérité, éviter la faillite des régimes de retraite. Dernier commentaire, relevé chez une apparatchik libérale qui a l'âge en question: «Pour les femmes de ma génération, il n'y a rien eu de facile. Il a fallu créer des précédents à chaque pas, ouvrir le chemin dans tous les domaines, à tous les niveaux. Rien ne nous a été donné. Je ne comprends pas que Bacon ne le sache pas.» *(Nota bene : L'auteur est trop jeune pour faire partie de la génération en question.)*

fan. Et elle jouit du soutien organisationnel et financier du sénateur Pietro Rizzuto, grand manitou du Parti libéral fédéral. C'est en vacances dans un des condos du sénateur à Nuevo Vallarta, au Mexique, que Bacon a appris en décembre 1992 la rechute de Bourassa.

L'élection de Lise Bacon à la tête du parti au pouvoir causerait quelque émoi dans les chaumières de Sillery et de Sainte-Foy. « Elle a la réputation de terroriser les sous-ministres dès qu'ils apprennent que c'est elle qui devient leur ministre », dit un ancien membre de son entourage. Lise Bacon a viré ou épuisé trois sous-ministres aux Affaires culturelles, elle a eu trois chefs de cabinet et quatre attachés de presse pendant la seule année 1990. Un record de roulement battu seulement par John Ciaccia.

« Elle a un tempérament assez bouillant. Lorsque survient un problème, elle a besoin de trouver un bouc émissaire sur qui focaliser son agressivité, et il faut qu'il y ait des têtes qui sautent », explique une tête qui a sauté. Bacon et sa dernière chef de cabinet ont des explications plausibles pour chacun de ces départs. Ainsi, à la suite d'un voyage en Afrique, où ils avaient contracté de fortes fièvres, un chef de cabinet et un haut fonctionnaire accompagnant la ministre ont été mis hors jeu. « Moi, je n'ai pas été malade, c'est quand même pas de ma faute », proteste Bacon.

Reste que la charge de travail et le niveau des exigences de la ministre en découragent plus d'un. Certains, comme Marie Gendron, passée ensuite au bureau du premier ministre, affirment que c'est une rude et bonne école, où l'on apprend la rigueur et la lucidité. « Elle a le droit de réclamer le maximum, dit une ancienne employée. Mais il est certain qu'elle nous épuise. » « Elle lit tout, vérifie tout, pose toujours la bonne question », dit un autre « ex ».

Certains hauts fonctionnaires, qui espèrent toujours secrètement contrôler leur ministre et devenir les vrais maîtres à bord, se heurtent à un mur. « Ce n'est pas parce qu'on va lui faire de beaux raisonnements et de magnifiques graphiques qu'on va emporter son adhésion », dit un vétéran, Albert

Jessop. Bacon travaille avec la machine administrative, mais après l'avoir façonnée à son image. « Je déteste être à la merci de mon entourage, il faut que j'aie la haute main sur mes dossiers », affirme l'intéressée. Jessop, qui observe ministres et premiers ministres depuis l'époque duplessiste, juge « qu'elle serait aussi bonne, sinon meilleure, que la majorité de nos premiers ministres ».

Sans aller aussi loin, Jean-Paul L'Allier, ministre avec Bacon sous le premier règne Bourassa et maintenant maire de Québec, a déjà affirmé que son ancienne collègue « jouit d'une importance disproportionnée à sa véritable valeur », car Bourassa refuse de s'entourer de personnalités fortes. « Ceci dit, elle se situe nettement un cran au-dessus de la moyenne du Cabinet, à la fois en termes d'éthique et d'intelligence, ajoute L'Allier. Et j'admire vivement son ascension, qui l'a obligée non pas à égaler ses collègues masculins, mais à les dépasser. »

Aujourd'hui, l'envie ne lui manque pas de dépasser tel ou tel collègue masculin dans la course à la succession. Notamment Daniel Johnson, dont les atomes n'ont jamais pu s'accrocher aux siens.

L'idée de créer un précédent féminin au sommet ne lui déplairait pas non plus. « Un peu partout dans le monde, les femmes ont démontré qu'elles pouvaient gouverner aussi efficacement que les hommes, disait-elle en 1986. [...] Je crois que la venue un jour d'une première ministre est non seulement possible, mais souhaitable. L'alternance au pouvoir entre hommes et femmes donnerait un bien meilleur équilibre à notre société. Je suis sûre que viendra le moment où une Québécoise va relever ce défi. »

Il est défi moins cinq, madame Bacon.

DANIEL JONHSON

Daniel Johnson lors de la campagne libérale
au leadership, en 1983. (© Canapress.)

II

L'HOMME DERRIÈRE LE NOM

Tel un OVNI sur l'écran radar du sondeur, le nom de Daniel Johnson figure régulièrement, depuis une dizaine d'années, en tête du palmarès des politiciens fédéralistes québécois. En novembre 1992, dans un sondage Léger et Léger/ *Journal de Montréal*, Johnson coiffait même son chef, Robert Bourassa, de quelques décimales.

Comment un ministre jusque-là aussi absent des débats publics qui ont dominé le Québec a-t-il pu réaliser de tels scores ? « Je ne voudrais pas être méchant, dit un de ses ex-collègues du Cabinet — qui se prépare à être très méchant — mais son gros atout, c'est que son père a laissé un bon souvenir dans la population. S'il ne s'appelait pas Daniel Johnson, personne ne se demanderait s'il doit aspirer à être chef. S'il s'appelait Bélanger, il ne serait même pas dans la liste. »

La claque est un peu forte, tant pour la réputation de l'intéressé que pour le QI politique des électeurs. Quoiqu'un organisateur libéral prétende qu'il ne faut jamais sous-estimer l'ignorance des électeurs. « On faisait des *focus groups* sur Meech, raconte-t-il, et il y a des gens qui disaient : " Meech, c'est une affaire du Nouveau-Brunswick, ça, non ? " »

Fils de l'autre, frère de l'autre, Daniel Johnson n'a pourtant rien d'un héritier ou d'un jumeau. Son père cultivait l'ambivalence, lui la proscrit ; son frère construisait l'État-providence, lui le démantèle.

Pour le sondeur Jean-Marc Léger il y a certes, dans la popularité du fils auprès du public, un soupçon de confusion avec le père et une bonne dose d'accoutumance à la bonne marque politique « Johnson ». Le ministre est d'ailleurs particulièrement populaire chez les aînés (61 %). Mais les électeurs connaissent l'attachement inconditionnel de Daniel fils au fédéralisme, son combat incessant pour le contrôle des dépenses publiques et sa fermeté, voire sa dureté, avec les syndicats du secteur public.

« Il projette une image économique sécurisante », dit un vieux militant libéral. « Il n'est pas hargneux contre ses opposants comme l'est Bacon », commente un sondeur. « En gros, les gens trouvent que je fais une bonne job, dit Johnson. C'est une grande satisfaction pour moi. » Il a « de la crédibilité », ajoute un dirigeant du parti. Le carburant indispensable de la durée, en politique.

Notez que personne ne prononce le mot « charisme ». Le mot « drabe » viendrait plutôt à l'esprit. Johnson fait exprès de ne pas détonner dans le concert gouvernemental. « Une qualité de Daniel — et, des fois, il est un peu ennuyeux à cause de ça —, c'est sa loyauté, a un jour expliqué Claude Ryan. On ne l'entend jamais parler contre personne, même contre le chef. C'est assez rare en politique. C'est une qualité que je n'ai pas au même point que lui. »

Son collègue et partenaire de golf André Bourbeau a une autre façon de présenter les choses : « Chez les Johnson on a l'habitude [...] de viser les plus hauts sommets, mais de le faire avec discrétion, sans perdre une seule once de loyauté. »

Daniel Johnson n'a pas toujours été au même diapason que Robert Bourassa. Lors de sa campagne au leadership de 1983, Johnson n'a pas hésité à dénoncer le « mythe » de l'aménagement d'une seconde Baie James — élément premier du programme économique du candidat Bourassa. « De la foutaise ! » a dit Johnson citant Pierre Fortier, un partisan de Bourassa. Le projet « exporterait les emplois ». Il faudrait utiliser « la tête » plutôt que « les muscles » du Québec ! a ajouté le ministre, rappelant à tout venant qu'en 1976 Bourassa avait été battu « parce qu'il gouvernait sans but précis, n'avait aucune direction, aucune plate-forme, aucune vision ». Appelé à dire s'il voudrait de Robert Bourassa dans un cabinet Johnson, il rétorquait avec une touche d'irrespect : « Qu'il se fasse d'abord élire ! Il n'a même pas réussi la dernière fois ! » (De fait, quand son parti remporte la victoire, en 1985, Bourassa ne réussit pas à se faire élire dans sa circonscription, et doit déclencher une élection partielle.) Pas en reste, Bourassa avait traité les partisans de Johnson de « Pygmées intellectuels » et laissé entendre que ces *minus*, pas plus que leur chef d'ailleurs, ne seraient invités à son conseil des ministres, où « il n'y aura que des amis ».

Mais, en règle générale, Bourassa n'est pas rancunier. Il n'allait pas se priver de cette jeune étoile politique. Maintenant au pouvoir depuis plus de sept ans, les deux hommes travaillent en assez bonne intelligence. « Robert Bourassa a une sympathie réelle pour Daniel Johnson et je pense que c'est assez réciproque », dit quelqu'un qui les a vus travailler ensemble. Le président du Conseil du trésor « est conservateur et responsable. Bourassa sait qu'il peut dormir sur ses deux oreilles. »

Il y a cependant de bonnes raisons de croire que Johnson est loin d'adhérer totalement, aujourd'hui encore, à la politique de son chef. Il a été constamment dissident face à la position du premier ministre sur le dossier constitutionnel — d'abord opposé à la stratégie de l'ultimatum, il a ensuite réagi tièdement, sinon froidement, à l'entente de Charlottetown qu'il surnommait la « pizza ». Il a aussi critiqué ouvertement au Cabinet la politique industrielle du gouvernement, les « grappes » de Gérald Tremblay qui visent à regrouper les forces d'un même secteur économique pour établir avec l'État des objectifs communs. Johnson juge le procédé trop interventionniste et un tantinet corporatiste. De même trouve-t-il le premier ministre un peu timoré dans la réduction des dépenses et du déficit budgétaire. Johnson n'a ni compris ni approuvé par ailleurs l'acharnement du parti contre son aile nationaliste au lendemain d'un référendum qui, selon lui, a plus que jamais divisé les francophones et les anglophones québécois.

« C'est un pragmatique, mais il est plus idéologique que la moyenne des libéraux, dit un cacique du parti. Il a un certain nombre de principes auxquels il croit, et il y croit pas mal fermement. »

Moins diplomate, un autre ex-ministre de Bourassa résume ainsi la pensée de Johnson : « Il représente la frange d'extrême droite de la classe d'affaires québécoise. Pour lui, seule l'entreprise compte. Il faut la détaxer et la bichonner. Les chômeurs pourraient disparaître, ça ne lui ferait ni chaud ni froid ! » Dur.

C'est heureux, en fait, pour le centriste Robert Bourassa, que Johnson soit aussi loyal — aussi, « ennuyeux », dirait Ryan. À l'interne, Johnson « agit, bouge, dit ce qu'il pense, fait de bons débats, argumente », raconte Ronald Poupart, un vétéran des cabinets Bourassa. « Une fois la décision prise, tu ne le verras jamais la contester. [...] Moi qui ai fait de la politique depuis les années 50, je peux dire que si un gouvernement n'avait que des ministres qui agissaient comme ça, on aurait bien moins de problèmes ! »

POIDS PLUME DANS LE DÉBAT PUBLIC, Daniel Johnson est un poids lourd, très lourd, au gouvernement, dont il contrôle un des postes de commande essentiels. En tant que président du Conseil du trésor, il est le grand argentier du Québec. Aucun ministre ne peut engager de dépenses spéciales excédant 10 000 dollars sans son approbation. Aucun député ne peut livrer de subvention sans sa bénédiction. Aucun fonctionnaire ne peut voyager à l'extérieur du Québec sans son feu vert. « C'en est au point où, lorsqu'on nous voit utiliser notre cellulaire dans un corridor, quelqu'un nous dit de prendre un téléphone ordinaire pour économiser ! » se plaint l'attaché politique d'un ministre.

L'argent étant le nerf de la guerre, Johnson agit comme

maréchal du gouvernement, chapeauté seulement par le chef des armées Bourassa. (Johnson dit au gouvernement combien il peut dépenser. Dans son discours du budget, le ministre des Finances Gérard D. Levesque décline comment on percevra et répartira la somme.)

En temps normal, le boulot du président du Conseil du trésor n'est pas rigolo. Par définition, l'argentier est toujours près de ses sous, allergique à la prodigalité. Mais sous le triple fardeau de la dette accumulée (55 milliards), du déficit courant (5 milliards cette année) et de la baisse de revenus causée par la récession, la tâche devient rude et monotone. « Les décisions du Conseil du trésor commencent *toujours* par un non », explique Ronald Poupart, aujourd'hui conseiller de Johnson. « Mais si le gouvernement prend la décision de dire oui, voici à quelles conditions. »

Johnson ramène toute décision à sa valeur économique. Si par exemple, un ministre propose qu'on injecte 200 000 $ dans un projet, il rétorque aussitôt : « Le déficit est de 5 000 000 000 $ et vous voulez prendre une décision de 200 000 $. Total : 5 000 200 000 $! A-t-on vraiment les moyens de se payer ça ? » Toute dépense nouvelle creusant le déficit, explique Johnson en entrevue, « je demande au ministre pourquoi son projet devrait constituer une priorité pour le gouvernement », pourquoi s'endetter davantage, « ou alors je lui demande ce qu'il veut couper dans le reste de son budget ».

Il croise parfois le fer avec Gérald Tremblay, qui siège aussi à la table du Conseil du trésor. Tremblay, toujours fébrile, lui dit : « Il faut faire plus. » Pour la relance, pour l'investissement, pour les PME. Johnson répond : « Tu peux pas faire plus, t'as pas d'argent pour le faire », raconte un témoin. Même réponse à Rémillard qui veut élargir l'accès à l'Aide juridique. À Frulla qui réclame 1 % du budget pour la culture. À Paradis qui demande pour l'Environnement les 50 millions supplémentaires que Bourassa a promis au cours de la dernière campagne électorale.

On pourrait les nommer tous. Faut-il s'étonner qu'ils

ragent l'un après l'autre contre « le maudit président du Conseil du trésor », pour reprendre une expression souvent entendue dans les bureaux ministériels ?

Le ministre André Bourbeau a eu ce mot : « Michel Rivard a beau chanter " libérez le trésor ! ", Daniel demeure imperturbable. » On a même entendu Claude Ryan, un des grands alliés de Johnson au Cabinet, affirmer à l'Assemblée, après qu'on eut rogné le budget de son ministère : « Le président du Conseil du trésor est très humain. Quoique... »

Pour Johnson, c'est devenu un réflexe. Une société ne peut-elle pas, pour des raisons sociales, opter pour la gratuité scolaire ? lui a demandé l'auteur. « Pas les moyens ! » a promptement répondu le ministre. C'est le primat de la comptabilité sur la politique.

Aucun représentant du Trésor n'a jamais gagné de concours de popularité. En plus d'avoir, effectivement, le mauvais rôle, l'argentier est le bouc émissaire idéal pour les députés ou ministres forcés eux-mêmes de refuser une faveur à un maire, à une entreprise ou à une association. « Ça bloque au Trésor ! » diront-ils. Que voulez-vous ? On n'y peut rien ! « Quand on gratte un peu, on se rend compte qu'on n'a jamais eu de demande là-dessus, que ça ne nous regarde pas », raconte Jacques Chagnon, adjoint parlementaire de Johnson.

Selon Jean-Claude Rivest, conseiller de Bourassa, Johnson se tire néanmoins assez bien d'affaire. « Parfois, ça rue dans les brancards, mais, globalement, il n'est pas considéré comme un bourreau. Il n'attire pas l'inimitié. » Jugement qui est loin d'être unanimement partagé... « Le soir, au bar, quand des ministres parlent de Johnson, ils voudraient parfois lui faire subir le sort de la poupée ensorcelée que l'on transperce d'aiguilles », raconte un participant à ces petits exercices de défoulement, tout en mimant avec violence le geste de celui qui plante l'aiguille.

Il faut dire que le président du Conseil du trésor ne dit pas *toujours* non. « Il contrôle les dossiers, dit le chef de cabinet d'un ministre important. Il dit oui quand il y tient ; il a des favoris. » Il envoie les ascenseurs qui pourront lui être retournés un jour. Yves Séguin, ex-ministre du Revenu, se souvient de combats épiques au Conseil des ministres sur les priorités de l'argentier en chef. Et d'une séance particulièrement houleuse vers la fin de 1989. D'abord, Johnson plaide, à son habitude, la pauvreté des coffres de l'État, pour motiver le retrait des quatre millions de dollars alloués au second dépistage de carie dentaire chez les enfants. Dorénavant, il faudra payer. Après un tour de table, où on sent les ministres très divisés sur la question, le conseil accepte. Les temps sont si durs...

On passe au dossier suivant : les installations du centre de ski de Raymond Malenfant situé dans la circonscription de Gérard D. Levesque. La montagne ne présentant pas la bonne configuration, il est d'urgence nationale de financer le remblayage préalable à l'installation d'un remonte-pente. Johnson propose de signer un chèque d'un million à l'entrepreneur. Séguin explose : « Est-ce qu'on vient d'enlever quatre millions aux enfants pour les donner à Malenfant ? » Le débat qui suit, explique l'ex-ministre, « est aussi agressif qu'il est possible de l'être sans en venir aux mains ».

« Ne cherchez pas le trésor au gouvernement du Québec, aime pourtant répéter Johnson, il n'y en a pas ! » Cherchez plutôt le gouffre. De même que les trous noirs happent la lumière environnante, la dette et le déficit sapent l'économie québécoise en raréfiant les fonds indispensables à la croissance : sur chaque dollar de taxes, 15 cents vont au « service de la dette », 15 cents qui pourraient, qui devraient servir ailleurs.

À qui la faute ? « Aux intellectuels au pouvoir », dit Johnson qui met dans le même sac (« épouvantable ! ») les Lévesque et Parizeau comme les Trudeau et Chrétien, coupables, selon lui, d'avoir donné aux Canadiens — à crédit — « l'illusion du confort et du bien-être ». (Dans l'un de ses discours, Johnson rejetait cependant presque deux années du premier règne Bourassa dans cette période d'irresponsabilité.)

Éponger cette mer d'encre rouge reçue en héritage, c'est difficile, explique Johnson. « Tout ce qu'on peut promettre, c'est, comme Churchill, " *blood, sweat and tears* " [du sang, de la sueur et des larmes]. » Les restrictions budgétaires imposées pour une cinquième année consécutive et la diète salariale à laquelle on a mis de force les 400 000 employés du secteur public depuis plus de quatre ans n'ont pas été vains, estime-t-il. « On dépense deux milliards de moins que si on n'avait rien fait » ; malheureusement, « la dureté de la récession nous a ramenés vers notre point de départ ». C'est pourquoi il aimerait frapper plus fort.

« Daniel est absolument convaincu qu'on n'a pas encore tenu le discours clair et rigoureux qu'on doit tenir à la population pour aller chercher le soutien dont le gouvernement aurait besoin pour faire un bon travail de ce côté-là », confiait en décembre 1992 son vieil ami Robert Gratton, actuel président de la Financière Power Corporation. « Dans un style complètement différent, il pourrait être un Ross Perot », ajoute-t-il, évoquant les remèdes de cheval proposés par le milliardaire texan pour éliminer le déficit américain.

De fait, en entrevue, Johnson fait une intéressante distinction lorsqu'on lui fait remarquer que, malgré des tonnes de discours sur « l'urgence d'un redressement », les dépenses de l'État continuent d'augmenter de 3 % de plus que le taux d'inflation.

« Après quatre ans au Conseil du trésor, *vous* n'avez toujours pas cassé ça.

— *Le gouvernement*, non », répond-il, oubliant l'espace de deux secondes la solidarité ministérielle. Puis il reprend, loyal : « Je vais prendre mes torts en même temps que tout le monde, bien sûr. » Et il jure de venir à bout de ce 3 % d'ici avril 1994, en faisant plafonner le taux d'augmentation des dépenses annuelles de l'État à moins de 1 %.

La taille de la fonction publique semble aussi le narguer. En 1988, son prédécesseur Paul Gobeil avait promis de diminuer de 1,4 % le nombre d'employés de l'État. En avril 1991, Johnson promettait de geler les effectifs puis, un an plus tard, de les réduire de 4 % en un an. Le fruit de tous ces efforts ? Entre 1988 et la fin de 1992, les effectifs *augmentaient* de 7 %.

Mécontent, Johnson a alors établi le nouveau taux de réduction à 12 %, lequel devrait être atteint en avril 1997. « Contrairement à tous les discours des années antérieures, cette fois-ci, c'est sérieux », note, désolé, Jean-Louis Harguindeguy, président du Syndicat des fonctionnaires. L'État a effectivement viré 2 % de sa main-d'œuvre au début de 1993, vise un autre 4 % d'ici avril 1994, puis 2 % par an jusqu'en avril 1997. Les ministères abolissent d'abord les postes vacants, puis ne renouvellent pas les postes des contractuels et des surnuméraires, et ils renvoient les employés en probation. « Ils nous enlèvent notre sang neuf, nos jeunes », se plaint un cadre au ministère du Tourisme.

« Daniel est pour l'esthétisme dans la rigueur administrative, explique Jean-Claude Rivest. Il aime le beau plan : " Voici : nous avons tant d'argent, nous allons donc en dépenser tant. " Mais le premier ministre sait qu'il faut écouter le caucus et les ministres, et, à un moment donné, il faut donner une chance à l'un et à l'autre. Alors ça fait un accroc dans les plans des savants analystes du Trésor. »

Parfois, Johnson lève un coin du voile sur le type de politique qu'il mènerait s'il avait le plein contrôle du ciseau — ou de la tronçonneuse — budgétaire. « En soustrayant du champ d'action gouvernemental toutes les activités qui pourraient être réalisées par le secteur privé, nous pourrions réduire la taille de l'appareil gouvernemental », affirmait-il en janvier 1992 lors d'un déjeuner de l'Association des constructeurs de routes. Pour lui, l'État doit s'occuper de « l'essentiel », qui « ne consiste sans doute pas, dit-il, à embouteiller du vin [Johnson vise ici la Société des alcools du Québec], à gérer des stations de loisirs sportifs [Mont Sainte-Anne], à publier des magazines [*Protégez-vous* et *Justice*] ou à distribuer des dépliants polychromes sur papier glacé de luxe [allusion probable aux magnifiques documents de Marc-Yvan Côté sur la réforme de la santé, pour une opération qui venait de coûter 631 000 dollars au Trésor]. » « Si des efforts ont été faits, il en reste à faire... »

Et l'on peut prévoir que le Ross Perot québécois ne

s'arrêtera pas en si bon chemin. Il veut rendre les taxes visibles, à coups de tickets modérateurs, orienteurs ou révélateurs. Et par la tarification des services non essentiels, car, avance-t-il, « les services publics coûtent quelque chose. Il faut le dire et il faut que ça paraisse. » En réunion, on l'a entendu poser cette question, parmi mille : « Combien ça coûte, tuer un orignal ? Si ça coûte 100 dollars à la société québécoise, pourquoi on [en] charge seulement 10 ? » Il envisage sereinement « une révision de l'universalité de certains programmes sociaux qu'au fond nous n'avons plus les moyens de maintenir ». « Nous sommes à l'heure du réveil brutal. »

En février 1993, le ministre s'est servi de la commission parlementaire sur les finances publiques comme d'un tremplin pour ses idées. L'opération lui a sans doute permis d'imposer ses thèmes au discours public, de mieux camper son personnage pour les luttes politiques à venir. Sa crédibilité a cependant souffert du décalage fort visible entre la théorie et la pratique johnsoniennes. Alors qu'il annonçait qu'on verrait tomber des « pans de murs » de l'activité gouvernementale en 1992-1993, l'opposition ministérielle et des fuites à répétition l'ont rapidement fait changer d'avis. Quant au tour de force lui permettant de freiner à moins de 1 % l'augmentation de dépenses de l'État durant la même année, seules une pirouette comptable dans le budget de l'Éducation et une modification des calculs actuariels pour les régimes de retraite de l'État — tours de passe-passe qui s'apparentent plus à Houdini qu'à Ross Perot — le rendent possible.

Mais la question reste entière : Au Trésor, Johnson fait plus fonction d'exécutant que de concepteur. Une fois premier ministre, mettrait-il le Québec à l'heure « du sang, de la sueur et des larmes » ?

De la sueur et des larmes, il en a giclé, en 1989, quand Daniel Johnson a connu à la fois son heure de gloire et le passage le plus ardu de sa carrière : la grève, en partie illégale, des syndiqués du secteur public.

Johnson était plutôt mal disposé envers les employés de l'État ; député de l'opposition, il avait fustigé cette « minorité qui estime n'avoir pas de comptes à rendre [et qui] tient trop souvent, à des degrés divers il va sans dire, une population en otage ». Il s'était opposé, à l'époque, au droit de grève pour tout le secteur de la santé, y compris les employés de soutien, et voulait l'abolir aussi pour les transports en commun à Montréal.

Sa dureté envers le PQ, à qui il reprochait d'avoir amnistié les responsables du saccage de la Baie James, préfigurait sa détermination à appliquer les dispositions punitives de la loi 160 aux grèves illégales. Pourtant, n'avait-il pas lui-même participé au *filibuster* libéral, en 1982, contre la loi spéciale 105 qui imposait et modifiait unilatéralement 109 conventions collectives ? (Avocat d'affaires de formation, Johnson disait détester les bris de contrats tant collectifs ou constitutionnels que matrimoniaux. C'est d'ailleurs pourquoi il était opposé au projet de loi de Monique Gagnon-Tremblay sur le partage du patrimoine des époux modifiant obligatoirement et rétroactivement la majorité des contrats de mariage de la province.) Quand l'Institut de recherche et d'information sur la rémunération l'informe que les employés de l'État ont perdu la longueur d'avance salariale qu'ils détenaient naguère sur les employés du privé, il reste placide : C'est exactement là où ils doivent être, croit-il.

En 1988, Johnson — l'avocat, le comptable et le néoconservateur — prend donc en main le dossier de la négociation du secteur public, jusqu'alors assumé par Paul — dit « la hache » — Gobeil. Mal informé, le syndicat des fonctionnaires affirme alors dans un communiqué que la nomination de Johnson est « positive », qu'elle « ne peut qu'améliorer le climat de relations de travail » et favoriser « un règlement satisfaisant » des prochaines négociations. Un optimisme à faire pleurer. « Johnson n'a pas l'image de Gobeil, dit Poupart, mais je pense qu'il est plus raide que Gobeil. De temps en temps, Gobeil pliait le genou. »

Aux syndicats qui réclament 8,7 % d'augmentation pour

1989, Johnson fait comprendre qu'il n'est pas enclin à la génuflexion : « La négociation va commencer à 4 % et elle va finir à 4 %. » « Baveux ! » « Méprisant ! » crient les syndicalistes. Même en cette année de relative prospérité, il veut serrer le robinet ; les salaires comptant pour la moitié des dépenses de l'État, il peut, par une seule manœuvre, contrôler la moitié du débit.

Il tiendra le cap de ce 4 % pendant plus de deux ans avec un rare entêtement, n'acceptant de réaménagements que sur des questions telles que l'équité salariale. L'épreuve de force aurait été d'une brutale simplicité s'il n'y avait eu les infirmières (les moins bien payées au Canada après celles de Terre-Neuve). « Un conflit avec les infirmières, c'était comme se battre contre sa mère ou contre sa sœur », se souvient Robert Gratton, l'ami de Johnson. Elles ont l'appui d'une majorité de l'opinion publique, celui des médias et de plusieurs députés, sans oublier celui de... Robert Bourassa.

En avril 1989, alors que 40 000 d'entre elles boycottent les heures supplémentaires et que les hôpitaux suppriment des lits, Bourassa finit par admettre publiquement que leurs revendications sont « justifiées et raisonnables » — déclaration arrangée avec le gars du Trésor, Johnson étant finalement convaincu que les infirmières forment « un groupe de laissées-pour-compte ». Une fois, deux fois, trois fois, il jette du lest, surtout sous forme de primes pour le travail de nuit et pour les jeunes infirmières. Mais il reste ferme sur le 4 %. Face à celles qui, en grève illégale, s'exposent aux pertes d'ancienneté (un an perdu par jour de grève), Johnson reste de glace : « On ne peut pas négocier l'illégalité. Je ne vois pas de place pour la souplesse. »

Pour le reste du secteur public, c'est pis encore. Pendant des mois, le gardien du Trésor refuse de dire quelle augmentation salariale il consentira pour les deuxième et troisième années de la convention collective. L'épouvantail du 4 % est seul dans le décor. Le ministre déclare que les revendications syndicales atteignent « un plateau ionosphérique », qu'il ne fera jamais supporter par ses « six millions d'actionnaires ».

Outrées, la CSN et la CEQ déclenchent, en septembre, en pleine campagne électorale, des grèves légales et illégales. « Les moyens de pression rentraient véritablement dans le corps du gouvernement », se souvient un dirigeant du Parti libéral. Dans un sondage sur les intentions de vote, poursuit-il, « le PLQ et le PQ n'étaient plus qu'à 4 % de différence [chiffre maléfique !] [...] Il y a ceux qui disaient : " S'il faut se mettre à genoux pour gagner, mettons-nous à genoux ! " » Mais ceux-là sont en minorité. À quelques jours de l'élection, Robert Bourassa demande aux Québécois : « Qui mène ? » Il marque un point contre les leaders syndicaux.

Plusieurs mois plus tard, en mars 1990, les syndicats signent la convention : 4 % pour la première année et quelques aménagements mineurs, notamment une enveloppe de 180 millions pour l'équité salariale et une indexation, « si nécessaire », en 1991. Johnson se dit « extrêmement heureux ».

Pour les syndicats, la cérémonie de signature n'est pas une occasion de réjouissance. Gérald Larose se dit tout au plus « satisfait » de l'entente, dénonçant d'un même souffle l'attitude « méprisante » du gouvernement dans une des négociations « les plus ardues et les plus féroces » qu'il ait connues. Louis Laberge, président de la FTQ, qui n'a pas participé aux affrontements, ayant accepté le 4 % dès le début, est plus dur : « Cette grève a été désastreuse, dit-il à son biographe Louis Fournier. Le moment était très mal choisi. » Selon son successeur, Fernand Daoust, la confrontation de 1989 semble avoir été un point tournant dans le rapport de forces entre le gouvernement et ses employés.

Économe, ferme, capable pour une fois de mettre ses menaces à exécution même quand l'opinion publique (comme en fait foi un sondage CROP/*La Presse*, publié à l'époque) lui donne tort, le gouvernement Bourassa sort grandi de l'opération. « Une chose avec Daniel Johnson, dit Claude Ryan, c'est qu'il n'a pas besoin de lire les sondages pour savoir ce qu'il pense. » Une attitude qui déteint parfois autour de lui.

Pourquoi, quelques mois après ce triomphe patronal, aperçoit-on, dans un restaurant d'Outremont, un Daniel Johnson défait, déconfit, bref, selon un témoin, « décrissé de la vie » ? Il peste contre sa tâche ingrate, contre les médias qui ne voient jamais ses « bons coups », contre le destin. Parce qu'il sait que la situation financière du Québec empire. « Il arrive des moments où on se dit “ ça n'avance pas ”, explique-t-il aujourd'hui. On venait de passer au travers [de la négociation], et là j'étais pour leur offrir 0 % ! »

Zéro. Le gel des salaires. Au début de 1991, Johnson propose d'abord de l'appliquer pour les douze mois de 1992, et il dépose un projet de loi en ce sens pour des raisons, explique-t-il, de législation budgétaire. C'est « un *gun* sur la table ! » selon l'expression plus crue de Jean Doré. Cette fois, la riposte est massive. Au caucus, cinq députés de la région de Québec menacent de voter contre une mesure qui gèlerait le chèque de paie de leurs électeurs. Marc-Yvan Côté va jusqu'à les menacer d'exclusion s'ils s'entêtent. Mais on n'en viendra jamais là. Car au *bunker*, Robert Bourassa hésite à mettre en furie les syndicats au moment où les municipalités ploient sous leur nouveau fardeau fiscal et où les nationalistes, dans l'attente des débats constitutionnels, se tiennent sur un pied de guerre. Un ennemi, ça va. Trois, bonjour les débats !

Johnson réussit tout de même en quelques mois à arracher un gel de six mois, suivi d'une augmentation de 3 % à verser en juillet 1992. Mais les syndiqués n'ont pas le temps de toucher ce supplément que, déjà, au début de 1992, Johnson revient à la charge. En pente descendante, comme l'économie, il ne propose plus 4, ni 0 %, mais *moins* 1,5 % ! c'est-à-dire que les syndiqués renoncent à encaisser d'un coup l'augmentation promise et ne réclament rien de plus pour l'année suivante. Une économie de 350 millions pour le Trésor.

Chaque fois qu'il reçoit les chefs syndicaux, c'est le même rituel. Première rencontre : un cours sur les finances publiques où il leur explique comment et pourquoi il n'a presque rien à offrir. « C'est la faute au Trésor ! », leur dit-il, à sa façon. Les syndicats râlent, se mobilisent, manifestent. « Cette façon d'agir finit par être extrêmement dévalorisante, commentent les chefs syndicaux dans un texte commun publié à l'époque. Elle laisse la désagréable impression que les salariés de l'État ne sont qu'une dépense inutile, un fardeau, ou encore une sorte de ponction financière dans l'économie du Québec. »

Impossible de faire sortir Johnson de sa logique. « Il est très ferme, têtu, *one-track-minded,* dit Fernand Daoust. Ce n'est pas un homme qui lève la voix ou qui donne des coups de poing sur la table. Il maîtrise très bien ses sentiments, n'est pas disgracieux ni discourtois. Mais ce n'est pas véritablement une négociation. Il vous écoute, mais vous avez l'impression que son idée est faite. Il est en possession un peu trop tranquille de la vérité. »

En fait, Johnson a évacué tout le plaisir qu'il peut y avoir à négocier. Il fait ses calculs et présente son offre « finale » dès le premier jour, en abaissant les attentes au niveau du plancher, sinon du sous-sol. « Dans la négociation, il faut qu'il y ait... pas nécessairement du mystère, mais un aspect créateur, reprend Daoust. Sinon, c'est la négation de la négociation. Si, d'avance, tout le monde sait où il va aboutir, alors autant négocier par ordinateur. » Le résultat aseptisé fait joli dans les chiffres du Trésor, disent Daoust et Pierre Paquette, de la CSN, mais les syndiqués se sentent exclus de la définition de leur rémunération et de leurs conditions de travail, d'où une baisse de la productivité et de la qualité des services, et un climat de travail « pourri ». En entrevue, on perçoit dans leurs voix, non la colère, mais la frustration, l'écœurement. Comme s'ils se sentaient piégés.

Finalement, en mai 1992, Johnson consent à verser les 3 % convenus à la date prévue (c'était dans le contrat, après tout !), mais n'ajoute que 1 % pour l'année 1993 : il n'économisera que 125 millions, et puisera pour le reste dans les caisses de la Société d'assurance automobile du Québec. Ce compromis « tient compte de la réalité et du prix que le gouvernement est prêt à payer pour en arriver à un règlement négocié plutôt qu'à un règlement imposé ». Le genou du ministre n'a pas touché terre. Mais on a perçu un net tressaillement de la rotule.

Reste que, grâce à la méthode Johnson — mélange de dextérité et de force, selon un négociateur syndical — le secteur public québécois aura connu de septembre 1989 à 1993, tout au moins, l'une des plus longues périodes d'accalmie de son histoire. Johnson n'y est pas arrivé tout seul. La récession, la fin du radicalisme syndical, la leçon retenue de l'affrontement de 1982 avec le PQ, sont autant de cartes dans son jeu. Mais c'est lui qui joue.

« Les plus belles opérations de négociation, ce sont les deux dernières : Johnson a réussi à faire un arraché, comme aux poids et haltères », dit son adjoint parlementaire Jacques Chagnon. Quand on connaît les mécanismes de la négociation, dont la mise en branle coûte à l'État, à elle seule, 30 millions de dollars et paralyse en partie, pendant dix-huit mois, les travaux ministériels, sans parler du psychodrame national auquel donne lieu toute grève du secteur public, cette double prolongation des conventions représente un exploit.

Au début de 1993, il descend de nouveau dans l'arène, aspirant à la triple couronne : un troisième gel des salaires, de deux ans celui-là, et l'assujettissement des établissements à une hausse de productivité de 1 %, qu'il compte obtenir de gré (augmentation réelle du rendement) ou de force (« congés sans solde » de trois jours pour les enseignants, par exemple). La proposition, qu'il dit être — comme toujours — « le premier et le dernier mot » du trésorier recevra, à la fin d'avril, l'appui de 58 % des Québécois. Entre le mois d'avril et la fin de septembre 1993, la réaction syndicale s'est déroulée selon un scénario maintenant bien rodé : 1) dénonciations ; 2) manifestations ; 3) capitulation. L'auteur résume, mais à peine.

Johnson réussit de surcroît à entraîner les syndicats dans sa logique comptable. Lors des précédents pourparlers, les syndicats n'ont accepté les offres du grand trésorier qu'en échange d'une commission parlementaire. « On lui a arraché l'engagement solennel d'un vaste lieu de débat sur la fiscalité. » La visée n'est pas triviale : les syndicats cherchent une occasion de démontrer qu'en taxant plus et mieux les entreprises et les citoyens aisés, on pourrait — sans refroidir l'économie — dégager des sous pour les salariés. Mais le troc est surréaliste. « Monsieur le ministre, nous acceptons une toute petite augmentation, mais nous exigeons une bonne discussion sur la loi de l'impôt ! »

Daoust voulait une « Bélanger-Campeau » itinérante de la fiscalité : un lieu où plusieurs visions réformistes, la syndicale, la patronale, auraient pu se confronter, échanger et, qui sait ? se compléter. Mais Johnson n'a pas pris ce risque, ou ce pari. Tenant frileusement les commandes de l'exercice, plaçant le débat sur ses rails néo-conservateurs dans le document *Vivre selon nos moyens,* publié en janvier, il s'est contenté d'inviter les leaders syndicaux à venir témoigner en février à la commission parlementaire déjà évoquée. « Un bien mauvais exemple de concertation, affirme Daoust, une souricière », un exercice « profondément malhonnête ». Gérard D. Levesque, courroucé, a renvoyé l'ascenseur en accusant les syndicalistes de « défendre leurs intérêts corporatistes ». Difficile de dire, sur le fond, qui a raison et qui a tort. Mais sur la forme, Levesque et Johnson ont donné à cette occasion l'impression qu'ils venaient non pas recevoir des propositions, mais valider leurs propres orientations. Satisfait, Johnson signale en conférence de presse, à la fin de l'exercice, qu'il a maintenent en main son permis de comprimer, de tarifer, de percevoir. « On commence, dit-il, il est minuit et une. »

Pour la réforme globale de la fiscalité, pour le débat de fond sur la contribution de chaque groupe social ou économique au fonds commun qu'est le Trésor, il faudra repasser. Johnson et Levesque auront réussi à ouvrir une première brèche dans le partenariat État-patronat-syndicats sur les dossiers économiques, construit et entretenu patiemment depuis cinq ans. « On est déçus », dit Daoust.

C'EST AUSSI LE SENTIMENT qu'inspire à plusieurs responsables montréalais le bilan de Johnson, « ministre de

Montréal ». Ils ont longtemps attendu les premiers signes de vie de son « plan de relance du Grand Montréal », promis en septembre 1989, concocté depuis février 1990, annoncé en décembre 1991 et dont le principal outil, la société Innovatech (pour l'aide à l'innovation), n'avait toujours pas de standardiste en décembre 1992. La critique péquiste Louise Harel a beau jeu de déclarer que Johnson, qui préside le comité interministériel sur la relance de Montréal, « n'a pas l'intérêt, ni l'enthousiasme, ni la combativité, ni le feu sacré, ni l'énergie nécessaires » pour mener à bien l'entreprise. Pour ce qui est de l'intérêt, elle lui fait un mauvais procès : Johnson a perdu l'appui de délégués, dans la course au leadership de 1983, parce qu'il s'est entêté, dans des discours à Rimouski, à évoquer les besoins de Montréal. Mais elle fait mouche lorsqu'elle se demande, comme bien d'autres, si les Montréalais sont bien servis en ayant pour avocat et leveur de fonds, au Conseil des ministres, celui dont le rôle est de ne donner d'argent à personne.

Lors du dévoilement du plan de relance, en décembre 1991, un porte-parole de Johnson tentait par exemple d'expliquer pourquoi 300 millions de dollars avaient été dégagés pour l'innovation, plutôt que 400 ou 500. « Nous avons évalué que cette somme répondait à peu près aux besoins », disait-il en substance. Johnson, arrivé dans la salle pendant l'exposé, s'approcha du micro réservé aux journalistes, pour déclarer : « Écoutez, il faut dire ce qui est : 300 millions, c'est tout l'argent qu'on avait ! »

Le milieu montréalais reproche beaucoup au ministre de n'avoir pas ouvertement pris la défense de Montréal dans le projet de déménagement de l'Hôtel-Dieu. Dossier plus symbolique que clinique, quoi qu'en disent Marc-Yvan Côté et ses tableaux sur les « bilans-lits » par ville ou quartier. La vraie question est de savoir : qui mène dans l'aménagement de Montréal : les habitants de l'île et leurs représentants, ou Côté, ministre de la Grande-Allée ? On croit savoir que Johnson, à l'interne, défend la cause montréalaise. Mais son propos aurait plus de poids si, en rupture de ban, il s'associait publiquement au maire Doré.

Le dialogue entre les deux hommes se tient parfois au ras des légumes. En décembre 1991, forcé d'augmenter les taxes municipales sur les commerces, Doré, comme tout le monde, en imputa la faute au Trésor et à la réforme Ryan qui venait d'alourdir le fardeau fiscal des villes. Johnson rétorqua que le maire de Montréal aurait dû plutôt, à l'exemple de Québec, freiner l'appétit de ses salariés. C'est ce que j'ai fait ! répondit Doré, chiffres à l'appui. Et il ajouta : « Johnson est carrément dans les patates. » Soucieux de « mettre un peu de légèreté » dans ce débat acide, Johnson alla acheter 50 livres de patates au marché Atwater, la veille de Noël ; puis, après avoir grimpé jusqu'au second étage l'escalier de l'hôtel de ville, il déposa au bureau du maire le lourd colis accompagné d'une carte de vœux. Un beau geste.

On peut facilement imaginer la crainte que dut éprouver, au moment où fut ébruitée l'affaire, la présidente de la Chambre de commerce de Montréal, Nycol Pageau-Goyette, qui venait de dire que le plan de relance de Montréal était un « plan de souris » !

C'était plutôt mal parti, entre le ministre et les Montréalais. La première rencontre, en avril 1990, entre Johnson, ses collègues montréalais (dont Gérald Tremblay) et les membres du Comité de concertation économique, qui réunissait maires, entreprises et syndicats, a tourné à l'orage. Les Montréalais avaient présenté à Johnson une « stratégie concertée » en six points pour relancer la région. Dans quatre cas, Québec devait sortir son chéquier ; dans tous les cas, l'effort principal devait venir d'en haut. De l'État, plutôt que des entreprises.

« Johnson et Tremblay ont été virulents, se souvient Poupart, témoin des échanges. C'était un débat à filmer et à rendre public parce qu'il y avait deux philosophies, deux dynamiques qui s'affrontaient. » Côté Montréal, les interventionnistes. Côté Québec, les partisans de l'État minimal. « C'est Tremblay qui a parti le bal, en disant qu'on ne leur offrait pas de projet précis, se souvient Pierre Paquette, de la CSN. Johnson a embarqué en nous traitant pratiquement — pas loin, en tout cas — de bons à rien. »

« Ils nous soumettaient une liste d'épicerie, explique aujourd'hui Johnson. Ce n'était pas comme ça que j'envisageais qu'on puisse redresser l'économie de Montréal à long terme. »

« Notre porte-parole, c'était Jacques Ménard [alors président de la Chambre de commerce]. On ne peut pas l'accuser d'être un interventionniste à tout crin, grogne Paquette. Et si le gouvernement avait pensé n'avoir rien à faire, il n'aurait pas mis sur pied un comité ministériel sur Montréal ! » Les esprits s'échauffant, dans la trop petite salle de la Chambre de commerce, Paquette avait lancé aux ministres : « Si vous n'êtes pas capables de gérer et d'administrer la province, laissez la place à d'autres. » Après une demi-heure de vains débats, Tremblay avait affirmé : « On n'y arrivera jamais. »

Un an plus tard, les esprits s'étant calmés, Johnson avait présenté au même groupe, à huis clos, les quatre grandes orientations qui devaient présider à la relance de Montréal : innovation, modernisation, formation, exportation. L'approche jardinier plutôt que l'approche épicier. Très bien, avait-on répliqué, mais qu'en était-il de l'objectif de faire de Montréal une « ville internationale », comme le réclamait le milieu ? « Voyons donc ! avait répondu le ministre. Est-ce qu'il y a beaucoup de villes internationales qui interdisent d'utiliser de façon visible la langue internationale des affaires ? » Nycol Pageau-Goyette, « très furieuse », avait alors riposté que cela aurait dû être au contraire leur premier but. Michel Hamelin, président de la Communauté urbaine de Montréal, avait renchéri, raconte Pageau-Goyette, en disant : « Ça n'a rien à voir. Ce n'est pas parce qu'à Paris on parle français que ce n'est pas une ville internationale. »

En décembre 1991, lors de la publication du plan de relance, la réaction des intervenants est polie, sans plus. Les analyses et les orientations paraissent acceptables, mais on s'étonne que le Montréal du ministre Johnson inclue nombre de circonscriptions d'où on ne voit pas le mont Royal. La force de frappe, surtout, est microscopique — 100 millions par an, en tout, s'ils viennent à être dépensés — en regard de l'ampleur du désastre économique. Plusieurs problèmes sont refilés à d'autres comités, notamment le partage des responsabilités municipales et de la taxation. Et où sont les propositions concernant les deux aéroports, la décontamination des sols de l'est de l'île, la réfection des grandes artères ?

Johnson demeure très fier de son plan, « panoplie la plus complète possible d'outils » dont la région doit se servir pour « redevenir la locomotive de notre développement », dit-il. Au bureau du ministre on explique que l'impact ne sera mesurable « que dans cinq à dix ans », et Innovatech a investi ses premiers 30 millions en avril 1993. Mais le chômage à Montréal ayant augmenté de 2 % depuis le dépôt du « plan de relance », on a l'impression que là où Johnson a jardiné, il aurait fallu labourer.

« La politique, ça me regarde. » Daniel Johnson a 17 ans lorsqu'il publie sous ce titre un article dans *Le Laurentien*, journal du collège Saint-Laurent. Le message est double : d'abord, on le sait, la politique lui est tombée dessus quand il était petit ; mais qu'il y ait ensuite pris goût, ce n'était pas couru d'avance. Surtout quand la politique transforme votre père en courant d'air et qu'elle vous a parfois empoisonné l'existence.

Dans cet article de septembre 1961, où l'on apprend que l'État est « une sorte d'entreprise gigantesque qui s'occupe de l'intérêt commun », Johnson indique que « chez nous, on est plutôt porté sur la politique provinciale ». Il ne veut pas seulement dire « chez nous, à la maison », où habitait le leader de l'opposition officielle, Daniel Johnson père. Il venait de l'accompagner en campagne électorale ; pour lui, il collait des timbres à l'âge de 11 ans, et allait chercher à bicyclette, chez le président des élections à Saint-Pie de Bagot, les résultats électoraux. Non, il veut dire « chez nous, au Québec ». Pourquoi ? Simple, écrit le jeune collégien, parce que « charité bien ordonnée commence par soi-même ». Parfois appelé, plus tard, par les sirènes fédérales, il ne se laissera jamais séduire. Il dira en 1983 qu'il est un fédéraliste élu à l'Assemblée « pour aller défendre les intérêts du Québec, point à la ligne ». Troisième message dans le texte estudiantin : l'ambition dans la solidarité. En politique, écrit-il, « il faut savoir faire partie d'une équipe, même lorsqu'on en est le chef ».

Le personnage est déjà posé : de la politique, mais au Québec, en équipe et, pourquoi pas, chef !

Oui, mais pour faire quoi, exactement ? Réponse six mois plus tard, toujours dans *Le Laurentien* : de l'économie. « Pour nous, Canadiens français, le contrôle de notre économie nous fera gagner le respect de nos compatriotes anglo-saxons qui jugent et apprécient une nation en “ *dollars and cents* ”. Une fois que nous aurons remédié à notre condition de parent pauvre (parce que vache à lait), notre situation ralliera les autres Américains de souche française à la province de Québec, ou du moins nous permettra de les aider en traitant d'égal à égal avec les chefs des provinces où les nôtres sont en minorité. » Tout un programme.

Et pourquoi pas, sur cette lancée, l'indépendance ? Johnson raconte qu'à l'époque, il avait participé à une rencontre de collégiens avec André D'Allemagne, du Rassemblement pour l'indépendance nationale. « J'avais engagé le débat avec lui, dit-il. Il n'avait même pas commencé à me convaincre ». À trente ans de distance, Johnson cite une phrase du romancier Yves Thériault, qu'il avait interviewé pour *Le Laurentien* : « On ne peut pas écrire de chefs-d'œuvre si on a le ventre vide, même alors que la tête est pleine. » D'Allemagne parlait de politique ; Johnson, lui, dès 1962, est convaincu que « le vrai pouvoir est économique ». Il ne changera pas d'avis.

« Je ne suis pas né libéral », dira-t-il bien plus tard. Peut-être, à l'adolescence, en a-t-il éprouvé des regrets. Car au début des années 60, « l'équipe du tonnerre » de Jean Lesage symbolisait la jeunesse, le renouveau, le progrès. Dans le mouvement étudiant, « on ne se donnait même plus la peine d'être anti-Union nationale », tant ça allait de soi, raconte Robert Gratton, ex-leader étudiant et camarade de classe de Johnson.

Daniel Johnson père était, au contraire, à cette époque, le

symbole de la réaction, du frein. Le caricaturiste Normand Hudon brossait régulièrement dans *Le Devoir* un portrait cruel de celui qu'on appelait *Danny Boy*. Dans sa biographie de l'ex-premier ministre, Pierre Godin rapporte qu'en 1962, alors qu'il croisait, en compagnie de son père, le célèbre caricaturiste dans un restaurant, *Danny boy's boy* avait été tenté de lui casser la figure. Mais Johnson père avait amicalement serré la main de Hudon. En politique, il faut savoir prendre les coups sans perdre son sang-froid. « C'était une grande leçon », reconnaît aujourd'hui Johnson.

Il applique très tôt cette leçon en restant à l'écart des débats politiques qui animent la vie étudiante. Est-ce pour la même raison qu'il ne brigue aucun poste dans les organisations étudiantes qu'il fréquente pourtant avec intérêt ? « Je me souviens d'un dimanche de 1962, raconte Gratton. À une réunion régionale de la Presse étudiante nationale, il y avait Jacques Girard, à l'époque directeur du *Quartier latin* [aujourd'hui à Quebecor]. Il donnait une conférence sur je-ne-sais-quoi, il avait la parole facile. Il se met à envoyer une sauce à Daniel Johnson père ; ça n'avait rien à voir avec le sujet du jour. Daniel était dans la salle. On devait être une quarantaine. Daniel s'est levé, n'a pas dit un mot, et est sorti. Tout le monde savait qui il était, y compris Jacques Girard qui est devenu tout rouge. Tout le monde était très mal à l'aise, tout le monde se sentait mal pour Daniel. Il ne défendait pas son père, mais de là à prendre les insultes et à rester assis, non. Il devait marquer son désaccord. »

Il brûle son énergie dans la piscine de l'équipe de natation, ou sur la glace dans l'équipe de hockey où il a toujours « joué agressif », rapporte-t-on. En dernière année de droit, à l'Université de Montréal, il a un jeune professeur de finances publiques, déjà député, appelé Robert Bourassa. « Le matin, il était en Chambre devant mon père [devenu premier ministre], et l'après-midi il était devant moi. »

Au pouvoir, l'héritier de Duplessis change de cap, et tente de maintenir l'élan donné par la Révolution tranquille. Johnson fils, plutôt réformiste lui-même, se réjouit du virage autant que de la réhabilitation politique de son père, consacrée définitivement à son décès, en 1968.

Mais Johnson fils est déjà ailleurs. À Londres, où il prépare un doctorat en droit des affaires. « Il était très désireux d'aller étudier à l'étranger, de voyager », raconte Gratton, lui aussi parti pour Londres. « La plupart de nos amis allaient en France, la ferveur nationaliste aidant. Nous, on se disait : On le sait qu'on est français, on va aller voir autre chose. »

Pour sa thèse, Johnson fait dans la dentelle juridique, et compare les pratiques d'évasion et d'évitement fiscales (riche nuance) de quatre pays. Il profite de ses week-ends et de ses vacances pour prendre une grande bouffée d'Europe. Il se souvient de s'être réfugié dans une librairie parisienne pour éviter les gaz lacrymogènes et la charge des policiers. Johnson n'était pas sur les barricades de Mai 68. Il n'a pas participé aux manifestations anti-Yankee devant l'ambassade américaine à Londres. Dommage. Il aurait pu y rencontrer le jeune Bill Clinton. Un contact de moins pour Québec inc.

À Londres, de 22 à 26 ans, Johnson respire l'air politique ambiant. S'il avait vécu en Suède, en Allemagne ou en Autriche, il aurait pu sympathiser avec la social-démocratie. Dans la capitale anglaise, les travaillistes alors au pouvoir mettent tout en œuvre, quoique ce ne soit pas spécifiquement inscrit dans leur programme, pour mener le pays à la faillite. Dévaluation de la livre, grèves en séries, politiques pro-syndicales, faible productivité du secteur public, c'est l'époque de « la maladie anglaise » : on s'entête à vivre au-dessus de ses moyens.

« Si j'avais eu le droit de vote, j'aurais voté conservateur, affirme Johnson. Aucun problème avec ça ! » Ce bain d'anti-travaillisme l'aurait-il poussé vers la droite ? Aucun aveu à ce propos. « Mais ça m'a confirmé que si certains voulaient qu'on fasse comme ça au Québec, moi je n'y verrais aucun intérêt. »

À la fin de son périple européen, il aurait pu atterrir, comme il l'avait envisagé, dans un cabinet montréalais spécialisé dans le droit commercial. Mais Robert Gratton, qui étudie au Harvard Business School, le convainc que Harvard est « l'école parfaite, qui combine l'abstrait et le concret, la substance et la méthode ». « J'ai trouvé ça absolument fascinant », dit Johnson, qui décide alors de faire un détour par les États-Unis. Il y passera deux ans. « L'un comme l'autre, on n'aurait pas spontanément perçu le milieu des affaires comme très stimulant intellectuellement, par opposition au droit », raconte Gratton. Mais la célèbre école utilise une pédagogie particulière : « la méthode des cas », où l'on assimile la théorie en l'appliquant à des exemples précis. « C'était tout pour plaire à Daniel », dit Gratton.

Ce n'est pas le goût des affaires qui le mène à Harvard ; c'est Harvard qui lui donne le goût des affaires. Le futur président du Conseil du trésor emmagasine au passage un savoir qui lui sera utile. Dans le cours « Gestion des emprunts », il obtient la note « excellent ».

Quatre ans en Angleterre où le travaillisme sert de repoussoir, deux ans dans l'Amérique de Richard Nixon où la croissance économique et l'arrogance du pouvoir n'ont encore achoppé ni sur l'OPEP, ni sur le Japon, ni sur le Watergate, et, de surcroît, dans une *business school* où sont rarement vantées les vertus du partenariat et de la réglementation, voilà un parcours qui marque idéologiquement son homme. On ne s'étonnera pas qu'une fois revenu chez lui, Johnson, en campagne électorale, accuse le Parti québécois de vouloir faire du Québec « une Albanie en ceinture fléchée » !

QUAND IL FERA CAMPAGNE pour le leadership libéral, en 1983, Johnson rappellera souvent que ce qui le différencie de ses adversaires Robert Bourassa et Pierre Paradis, c'est son passage dans le monde des affaires. Il dira incarner « la nouvelle classe de *managers* francophones », qui constitue « l'assise essentielle » de l'avenir québécois. « On s'est aperçu qu'on était aussi bons, sinon meilleurs, que la classe dominante économique du secteur privé, qui était anglophone », dira-t-il. Devenu ministre, il se gaussera des membres du PQ qui, « faisaient preuve de respect et d'admiration pour les posters de Che Guevara qui ornaient leurs salons », dans les années 70, alors que les « Québécois se souciaient de création d'emplois ».

Et lui, que fait-il dans les années 70 ? De 1973 à 1981, il travaille pour l'entreprise privée, près des sommets de Power Corporation, la compagnie du Pouvoir, la compagnie de la Puissance. Fait-il du droit ? Oui. Du droit des affaires ? Plein. Des affaires ? Non.

À son retour de Harvard, il a en effet choisi, parmi quatre offres d'emploi alléchantes, le poste de secrétaire du conseil de Power, propriété de Paul Desmarais. « Pour certains de nos anciens amis étudiants, Power était un symbole du milieu financier vendu aux Anglais », raconte Gratton, qui y avait aussi postulé un emploi, mais sans succès, après ses études à Harvard, et qui en dirige aujourd'hui la division financière. « Mais, pour nous, Power était un symbole de réussite francophone, de ce qu'il fallait faire. »

À cette époque, Power Corporation est déjà une mégacompagnie. Dans son ouvrage intitulé *Paul Desmarais,* Dave Greber brosse le tableau suivant : « Si vous savouriez quelques moments de répit avec des copains, la bouteille qui contenait votre bière avait probablement été fabriquée par Dominion Glass, propriété de Power, et le sac d'emballage de vos chips par Twinpak, du même proprio. Le dépanneur qui vous avait vendu la bière et les chips était peut-être situé dans un centre commercial ; auquel cas il se pouvait qu'une filiale de Power possède le centre commercial, l'exploite ou en détienne l'hypothèque. Les chopes dans lesquelles vous versiez la bière pouvaient provenir d'une usine de Libbey-St.Clair, autre filiale. Elles pouvaient avoir été livrées dans des contenants de carton de MacMillan Bathurst, filiale, et transportées dans des camions de Kingsway Transport, autre filiale. »

Pendant huit ans, Johnson agit comme *lawyer in residence* au siège social de l'entreprise. Valeurs mobilières, financement d'entreprise, droit commercial, contrats d'actionnaires, Johnson tient la baguette du chef d'orchestre juridique. Il doit s'assurer que dans l'horlogerie complexe de l'empire Desmarais tous les rouages juridiques soient bien huilés. Il assume, à ce titre, une des tâches les plus exigeantes de son champ professionnel. D'anciens collègues vantent son talent, son intelligence, son ardeur au travail. Il y établit aussi de nombreuses relations — avec Paul Martin fils, notamment, et John Rae, un autre « frère de l'autre » (Bob est au NPD, John est conseiller de Jean Chrétien).

Il s'en passe, des choses, à l'époque, dans le bureau de M. Desmarais. Le plus riche des Canadiens français tente de prendre le contrôle d'Argus, un conglomérat torontois, et se fait rabrouer comme un vulgaire *Frenchie*. Il complote ensuite, pendant quelques années, la prise de contrôle de Canadien Pacifique. Manœuvre, avec Parizeau et la Caisse de dépôt et placement, la quasi-nationalisation de Domtar (il faut « se débarrasser des crisses d'Anglais », a-t-il dit à Jean Campeau si on en croit le récit de Matthew Fraser dans *Quebec Inc.)* Desmarais tente aussi d'acheter *Le Soleil*. Organise un putsch des administrateurs de *La Presse*. Achète, puis ferme, *Montréal Matin*, le vieux porte-drapeau de Johnson père. Encore plus fort, Desmarais arrache le premier contrat canado-chinois. Traficote avec les Belges et les Suisses. Par une superbe opération financière, proche de l'arnaque et baptisée « opération arche de Noé », il assiste une banque française, Paribas, dans sa tentative de soustraire ses vastes avoirs étrangers à la vilenie nationalisatrice du socialiste François Mitterrand, qu'une majorité de Français, dans un moment d'égarement, avaient porté au pouvoir. (En dépit de ce tour de passe-passe Desmarais sera décoré de la Légion d'honneur française en 1992, pendant le règne de Mitterrand.)

Où est donc Johnson, alors que les grandes manœuvres du capitalisme canadien, puis mondial, se trament sous les Lemieux et les Jackson de la collection Desmarais ?

Dans ses paperasses. « Je n'étais pas dans les débats d'affaires, j'étais toujours du côté juridique. » La stratégie, les négociations, les coups de force, « M. Desmarais s'occupait de ça ». Devant l'auteur étonné, Johnson ajoute : « Sans le savoir, c'est une interview sur le style de gestion de Paul Desmarais que vous faites, là. »

Sans doute. Mais c'est surtout un gros plan sur l'expérience qu'acquiert Daniel Johnson du monde des affaires. Les contrats, les lois, les règlements, les rapports, ça le connaît. Bravo ! Mais jamais il n'a créé un emploi, conclu un marché, planifié une prise de contrôle, ouvert un marché, doublé un chiffre d'affaires, risqué une fermeture. Sa première négociation de conditions de travail, il la fera avec 400 000 syndiqués. Une première marche plutôt haute. « J'étais de ceux qui se demandaient ce qu'ils pouvaient se dire à ces tables-là pendant des heures de temps ! »

« LA QUESTION N'A JAMAIS ÉTÉ DE SAVOIR *si* Daniel allait se présenter en politique. La question était de savoir *quand* », raconte Paul Martin. Johnson n'est pas resté aux États-Unis, après Harvard, parce qu'un séjour à Montréal à l'été 1972 lui a redonné le goût du Québec et l'a replongé, de façon décisive, dans les débats de sa tribu.

En 1976, le vieux lion de l'Union nationale, Maurice Bellemare, tente de recruter Johnson. Le parti, presque rayé de la carte électorale, a besoin d'un revenant. Un temps, Johnson flirte avec cette fin de comète politique. Les attitudes, les visages qu'il entrevoit aux réunions du samedi matin, à l'hôtel Windsor, lui sont familiers.

Bellemare rêve d'une dynastie québécoise. Et voit déjà Johnson fils à la tête du parti. « Je soupçonne M. Bellemare d'avoir planté ça dans les journaux tous les trois mois, dit Johnson. Moi, j'écrasais [la rumeur] chaque fois [...]. Il aurait donc aimé que je dise oui. Il en avait les larmes aux yeux, littéralement. »

Si Johnson s'est laissé un peu tenter par l'idée, explique un proche, c'est surtout par reconnaissance pour les anciens amis de son père. Car l'UN en 1976, c'est le *Titanic* après l'impact. « D'abord, je sentais que je n'étais pas prêt à être leader. Et puis, le parti, quel était son programme ? demande aujourd'hui Johnson. Avec toute la place que prenait le PQ, tous les députés qu'avaient les libéraux [102 sur 110]... Ça rimait à quoi ? »

Il participe néanmoins au congrès au leadership parmi la délégation de Mont-Royal qui tenait ses réunions dans la grande bibliothèque de Robert Rumilly. Johnson refuse de dire pour qui il a voté, mais affirme avoir perdu son élection quand Rodrigue Biron a gagné la sienne. Ce dernier défend un programme anti-législation linguistique qui permet une surprenante percée de l'UN dans l'électorat anglophone à l'élection de 1976, ce après quoi il appelle les électeurs à voter « oui » au référendum et il passe au PQ. Toute une trajectoire ! « Moi, commente Johnson, je n'aurais pas dit, comme Biron, “ une langue officielle, *two official languages* ”. »

En novembre 1976, son frère cadet, Pierre Marc, entre à l'Assemblée, puis, en 1977, au gouvernement. Daniel se dit « très heureux » et affirme vouloir laisser la chance au coureur. Mais il conclut rapidement que le PQ ne court pas dans la bonne direction. Daniel est pris à rebrousse-poil, d'abord, par la loi 101 qu'il dénonce. « La loi la plus mesquine que j'aie jamais vue », dira-t-il, accusant les employés chargés de l'appliquer d'être des « fanatiques étroits d'esprit » qui « font des misères » aux anglophones. Il en veut en particulier aux dispositions concernant l'affichage, et estime que la francisation des entreprises, enjeu primordial, progresse très bien et n'a nul besoin, dit-il encore aujourd'hui, « d'une législation qui était l'illustration d'un sentiment de méfiance plutôt que de confiance ». (Bigre ! n'a-t-il pas lui-même poussé à la roue quand il a fait en sorte qu'on émette, dès son arrivée à Power, un calendrier des jours fériés où pour la première fois faisaient pendant à la mention « *Victoria Day* » les mots « Fête de Dollard » — ce qui avait provoqué les remous que l'on suppose. Il est aussi pour quelque chose dans le passage de « Power Corporation *of* Canada » à « Power Corporation *du* Canada », folle audace qu'il s'était permise juste avant son départ de l'entreprise en 1980. Alors, les péquistes, du calme !)

Les deux grandes orientations du PQ — la marche vers la souveraineté, qui menace selon lui la prospérité économique et la politique de centre-gauche du parti qu'il décrit comme le « jusqu'au-boutisme d'une social-démocratie délirante » — lui paraissent intenables. « Au rythme où le PQ progresse dans ses inepties législatives, dit-il en 1983, il ne serait pas surprenant de le voir nous présenter bientôt un projet de loi pour amender la loi de l'offre et de la demande. »

Johnson se cherche une porte d'entrée en politique. « J'ai toujours pensé que je ferais de la politique, dit-il à *L'actualité* en 1980. Au fond, je me suis toujours préparé à ça. C'est l'une des formes les plus satisfaisantes de l'action humaine. »

En 1978, lors d'une tournée de consultations discrètes, le directeur du *Devoir,* qui convoite le poste de chef du Parti libéral, demande à Daniel Johnson : Le temps est-il venu de lancer mon chapeau dans l'arène ? Johnson répond : « Vous êtes bien mieux au *Devoir,* n'allez pas là. » C'est un excellent conseil, quand on sait dans quel état Ryan laissera la direction du Parti cinq ans plus tard.

Ryan se porte néanmoins candidat au leadership. Accrochant le petit « L » rouge à sa boutonnière (un des gestes les plus difficiles de sa vie, dira-t-il) Johnson joint les rangs des libéraux et participe au financement de la campagne de Ryan. Au congrès, Johnson prend conscience que, pour la première fois, il se retrouve dans une assemblée politique où il ne connaît pas tout le monde par son prénom.

Il s'engage à fond dans la campagne référendaire de 1980, partageant parfois la tribune avec Robert Bourassa qui, déjà, pose les jalons de l'après-Ryan. Johnson est partout, fait 35 apparitions dans 22 circonscriptions, porte le message du fédéralisme renouvelé. Un vote pour le Non, explique-t-il alors, est un vote « pour un changement profond de la fédération canadienne [...]. Cela consiste à demander aux Canadiens des autres provinces de reconnaître à l'intérieur du Canada deux nations, deux groupes linguistiques. » L'identité culturelle, dit-il encore, « n'est pas discutable ».

Il quitte Power Corporation pour se préparer à l'élection de 1981, une victoire assurée, pense-t-il alors, comme tous ses collègues libéraux, qui n'ont pas encore saisi que les Québécois craignent davantage Ryan que Lévesque. Relégué, donc, aux banquettes de l'opposition, Johnson se fait critique financier et donne la réplique à Jacques Parizeau.

« Il n'a jamais eu peur de Parizeau, dit son ami Robert Gratton. » « Daniel pense, rapporte un proche, qu'il y a toujours eu beaucoup de vent là-dedans et que Parizeau n'était pas un adversaire très robuste. » Bon prince, le critique financier libéral consent à reconnaître que Parizeau « a une bonne capacité de conceptualiser [et] est arrivé avec des politiques, ma foi ! assez originales du point de vue fiscal, du point de vue financement d'entreprises ». Mais Parizeau a le grand défaut de ses grandes qualités, enchaîne Johnson : « Il aime les grands ensembles, les immenses blocs. Il aime ça, les grosses affaires. Et ça fait des gros problèmes, et des gros déficits. »

Et il ne parle pas du style Parizeau. « Comment fait-on pour être aussi spectaculaire que Parizeau ? demande Ronald Poupart. Il [Parizeau] savait même où regarder pour être dans l'œil de la caméra pendant les discours du budget. C'était le feu d'artifice ! Johnson n'était pas flamboyant, mais il était rigoureux. »

Il arrive que, pendant la période de questions, Johnson réussisse à coincer le ministre des Finances. Le journaliste Louis Falardeau, de *La Presse,* se souvient d'avoir vu le critique libéral Daniel Johnson, guilleret, faire irruption dans le petit salon d'un restaurant de Québec où le ministre péquiste Pierre Marc Johnson lui accordait une entrevue. « À l'Assemblée il y avait eu un débat où Daniel Johnson avait planté un ministre, probablement Parizeau. Et c'était comme si Daniel était le jeune frère et venait se vanter de ses bons coups à Pierre Marc, son grand frère. La situation était inversée [...]. Pierre Marc l'écoutait, sympathique, et disait : " Oui, t'as bien fait ça ! " »

QUAND PRESQUE TOUT LE MONDE ABANDONNE Claude Ryan, Johnson, lui, reste loyal jusqu'au bout. Il signe même, avec cinq autres députés seulement, la pétition d'appui au chef qui circule en août 1982. La courte liste démontrera cruellement au chef qu'il jouit de bien peu d'appuis. Le lendemain de la démission de Ryan, Johnson, de retour de ses vacances dans le Maine, va le voir à son bureau pour annoncer qu'il songe à lui succéder. Ryan lui renvoie l'ascenseur de 1978 en lui disant : « Vous n'êtes pas encore prêt. » Johnson ne se souvient pas de ce détail, rapporté par le biographe de Ryan, Ian MacDonald. De toute manière, il ne l'écoute pas. À tort, car c'est un excellent conseil, quand on sait combien de votes Johnson récoltera.

Un autre candidat, Robert Bourassa, est déjà à pied d'œuvre. Aucune association n'est trop petite, aucun village trop éloigné, aucune salle de collège trop rebelle, aucun climat trop inhospitalier pour empêcher l'ex-premier ministre de livrer son message. « Il était très organisé, se souvient un militant. Il avait un gros cartable, dans lequel il avait répertorié ses appuis comté par comté, les sondages dans la population et dans le parti. C'était très persuasif. » Et il n'a surtout pas attendu le signal du départ.

Johnson paiera cher le prix de la loyauté. Il ne bouge pas tant que Ryan est en poste. Ne bouge pas tant qu'un autre candidat potentiel, Raymond Garneau, ne s'est pas exclu de la course. Ne bouge pas quand le leader intérimaire, Gérard D. Levesque, envisage de prendre la relève. « Il y a une stratégie en organisation, c'est de commencer de bonne heure, soupire un de ses partisans de l'époque. Et ça, on ne pouvait plus le faire ! »

Lorsque Johnson se décide enfin, à la mi-juillet 1983, soit à un mois du début de la sélection des délégués au congrès, les jeux sont déjà faits. Il recrute Jacques Lamoureux, qui avait organisé la campagne de Ryan, et Jean Loiselle, fidèle conseiller de son père. Selon un témoin, les deux hommes lui disent qu'il « s'en va à l'abattoir », à la défaite certaine, ce qui serait dommage, compte tenu de sa si prometteuse carrière. Johnson ne se souvient pas d'un verdict aussi tranché. « Ils m'ont dit qu'ils n'avaient jamais vu une aussi grosse côte à remonter en aussi peu de temps. »

Mais il lui faut absolument tenter sa chance, offrir au

parti un autre choix. Il voit en Robert Bourassa l'homme du passé. Le slogan de Johnson sera : « Un nouveau chef libéral ».

Ses thèmes : pour la libre entreprise, la réduction du rôle de l'État, l'allègement des impôts. Petite note populiste : il promet qu'une fois élu il fera en sorte qu'on « arrête de donner des subventions aux professeurs de sociologie qui veulent ouvrir un café-terrasse avec des nappes en macramé » ! Plus sérieusement, il se prononce contre les tickets modérateurs pour les soins de santé. « Pendant des années j'ai partagé les préjugés voulant que l'imposition d'un simple deux dollars amènerait des économies extraordinaires pour notre système hospitalier. Mais en faisant du bureau de comté, je me suis vite aperçu que ce deux dollars serait pour beaucoup de gens un obstacle comme la muraille de Chine, littéralement. [...] Je ne suis pas allé en politique pour taper sur les gagne-petit et les plus démunis de notre société. » (Se rappellera-t-il cette promesse quand, neuf ans plus tard, une vieille dame le coincera dans un corridor de l'Assemblée nationale et lui plantera presque son doigt dans le visage en vociférant, au nom des aînés, contre l'imposition d'un ticket modérateur de deux dollars sur les médicaments dont lui, Johnson, est l'instigateur ?)

« Élisez Daniel, vous n'aurez pas à vous battre contre Pierre Marc », clament aussi, fréquemment, les organisateurs de sa campagne. La légende veut qu'un pacte ait été conclu entre les deux frères : si l'un d'eux est élu chef d'un parti, l'autre s'abstiendra de briguer le leadership du parti opposé. Tout en reconnaissant que ses partisans faisaient preuve d'imagination, Daniel Johnson dément aujourd'hui formellement, en entrevue, qu'une telle entente, implicite ou explicite, ait été établie.

Johnson a aussi à l'époque quelques alliés prestigieux : Claude Castonguay, Guy Saint-Pierre et Claude Ryan. Et si on le voit, avec raison, comme un homme de droite, certains collègues arrondissent l'angle. « Le principal atout que je lui connaisse, écrivait Lysiane Gagnon, dans *La Presse*, c'est d'avoir reçu l'appui de Thérèse Lavoie-Roux, qui est la plus social-démocrate des députés libéraux. »

Une bonne partie du milieu des affaires montréalais est avec lui : son *bagman* réussit à amasser en une semaine 250 000 dollars, soit la moitié des fonds autorisés pour la campagne. Et il rallie l'aile anglophone du caucus, les Lincoln, Marx, Scowen et Sirros. Le gros de la députation rejoint cependant Bourassa. « Pas nécessairement parce qu'on l'aimait, mais parce qu'il allait gagner, » se souvient l'un de ces perspicaces.

« Johnson présentait aux Québécois une vision montréalaise », dit Ronald Poupart, alors chargé de l'organisation du congrès. « Il est allé chercher le vote fédéraliste, anglophone, d'affaires, urbain, montréalais. » C'est loin d'être suffisant. Parti second, Johnson est arrivé troisième. Question de détail, car Bourassa a littéralement écrasé ses adversaires, brisant le record de Jean Lesage en obtenant 75 % des votes au congrès.

Qu'est-ce qui, dans la machine Johnson, s'est déglingué ? Tout. Recruté trop tard, Lamoureux n'a pu se dégager de ses obligations professionnelles pour consacrer le temps voulu à la campagne. Son adjoint, Pierre Anctil, aujourd'hui directeur général du parti, manquait d'expérience : ayant milité moins de deux ans au sein de la formation, il s'est trouvé dépassé par la tâche. Aux communications, Jean Loiselle était un grand bonhomme, mais dans le mauvais parti et dans la mauvaise décennie. Enfin, un autre des ses organisateurs était plus occupé à se faire élire échevin qu'à dénicher des délégués pro-Johnson.

Le candidat lui-même n'était pas trop mauvais. Il avait créé un curieux précédent en ne convoquant pas de conférence de presse pour annoncer sa candidature, préférant appeler les journalistes un par un pour les en informer. Tactique pas fameuse pour paraître au *Téléjournal*. Il avait superbement surpris en prononçant un discours enlevé et plein d'humour en début de campagne devant les jeunes du parti, mais n'avait jamais répété l'exploit.

« L'important dans une course, c'est l'organisation et l'“ interpersonnel ”, explique un vétéran. Quand le candidat appelle un député ou un *king-pin* dans un comté, et qu'il lui dit “ il faut que tu travailles avec moi pour telle, telle raison ”, il faut que le candidat *score* avant de raccrocher. S'il ne peut pas *scorer*, ça ne marche pas. » Johnson n'avait pas une bonne moyenne au combiné, dit ce militant qui l'a vu manquer une balle pourtant facile, et rater ce qui aurait dû être un coup de circuit.

Ses entrevues de fond avec *Le Devoir* et la *Gazette* restent les meilleurs guides de la pensée politique de Johnson. Il s'en dégage une impression d'intelligence et de détermination. Mais rien, dans une campagne, ne remplace les petites victoires dans la course aux délégués. Ayant lamentablement raté cette première étape, la campagne Johnson annonça qu'elle allait se rattraper dans une dérisoire « phase deux » visant à débaucher pas moins de la moitié des délégués acquis à Bourassa. Ce haut fait accompli, le candidat comptait sur des alliances avec le troisième candidat, Pierre Paradis, lors d'un improbable deuxième tour de scrutin.

On ne peut reprocher à Daniel Johnson un excès de réalisme dans ses enjambées vers l'abattoir. Dès le début du congrès, tenu à Québec le 14 octobre, Johnson se sait troisième. Manque encore le petit couac qui va mettre du sel sur la plaie. Les organisateurs avaient prévu que chaque candidat fasse une présentation audiovisuelle de quinze minutes. Moderne, rythmée, colorée. La campagne Johnson avait préparé un second système de projection, en cas de panne. À quinze secondes d'avis, quelqu'un chuchote à l'oreille du candidat qu'aucun des deux systèmes ne fonctionne. Qu'il devra, seul au podium, combler son quart d'heure, improviser un discours, perdre peut-être la poignée de votes qui auraient pu, qui sait ? lui permettre de sauver la face. (Paradis ne l'a devancé que de 10 votes.) « C'est le pire moment de la convention, pire que le vote, raconte Gratton, témoin du drame. Ça donnait le sentiment que tout va mal, que tout vous échappe. »

C'est ce qu'on appelle une humiliation électorale, non ? Non, soutient aujourd'hui encore l'intéressé. « On est humilié, je présume, quand tout le monde pense que tu pars gagnant, et que finalement tu finis dernier. » Le jour de la défaite, l'humiliation n'est pas, en tout cas, l'impression qui domine. Dans *La Presse,* Lysiane Gagnon note que Johnson « a fait face à la déception avec une dignité et une sérénité qui ont impressionné tout le monde ». Dans *Le Devoir*, Lise Bissonnette dit lui avoir vu « les yeux tristes de l'amoureux éconduit ».

Dans la chambre d'hôtel, après la défaite, Johnson remercie ses partisans, dont John Parisella, alors à Alliance Québec, aujourd'hui chef de cabinet de Bourassa. Clifford Lincoln fait un discours qui en émeut plusieurs. Dans la pièce, dit un participant, « le sentiment qu'il y aurait un jour une autre échéance était présent ». Avec un baume pour leur peine, un encouragement pour l'avenir : la veille, un sondage révélait que si la moitié des Québécois appuyaient Bourassa, le tiers préféraient Johnson. Un recours ?

Mais l'avenir est encore loin. Johnson doit gérer le présent, faire la paix avec « l'homme du passé ». Une fois la victoire annoncée, Johnson va serrer la main de Robert Bourassa et, au micro, lance : « Robert Bourassa, mon chef ! » C'est son seul slogan depuis dix ans.

Il existe un cliché pratique, lorsqu'il s'agit des frères Johnson. Il se seraient partagé le fameux slogan de leur père : « Égalité ou indépendance ». Pierre Marc aurait pris l'« indépendance » — du moins à une certaine époque —, et Daniel aurait choisi l'« égalité ». Ce n'est pas faux.

Mais la clé du slogan de 1966 est le mot *ou*. C'est la conjonction stratégique. Celle qui comprime en deux lettres l'autre phrase de Johnson père : « Pas nécessairement l'indépendance, mais l'indépendance si nécessaire ».

En 1991, dans l'après-Meech, le Parti libéral du Québec adopte la doctrine unioniste de 1966. Est devenu, à peu de choses près, pro-Johnson père. Et pendant ces remous constitutionnels, Daniel Johnson fils démontre, du moins aux initiés, qu'il ne mange pas de ce pain-là. « Daniel est en désaccord avec toute démarche qui engage le Québec dans la voie de la souveraineté », dit Jean-Claude Rivest, conseiller constitutionnel de Bourassa. « Pour lui, on est bien dans le Canada, et il ne faut pas faire des affaires qui font monter les passions, dit un stratège libéral. Couteaux sous la gorge, ultimatums, il n'est pas d'accord. Le Canada, en bout de ligne, c'est un pays où il fait bon vivre, et, pour lui, il ne faut pas jouer avec ça. »

Vous avez dit Allaire ? Bélanger-Campeau ? Loi 150 ?

Les choses seraient simples si Johnson n'était pas, aussi, très nationaliste. « Le pays est constitué de deux grands groupes linguistiques qui doivent avoir tous deux une *place égale* dans le plus grand nombre d'institutions », disait-il en 1983. Il préconisait de « formaliser dans la Constitution » la « place spéciale » du Québec, recourant parfois, on l'a vu, à l'expression « deux nations ».

Vous avez dit égalité des provinces ? Sénat égal ? Charlottetown ?

« Daniel a une approche québécoise classique de la Constitution », dit Rivest. Il n'a pas hérité de celle de son père, mais de celle de l'ancien patron de son père, Maurice Duplessis. Personne ne soupçonnait « le cheuf » de séparatisme ; il n'en réclamait pas moins « le butin » du Québec.

Johnson honnit l'intrusion du fédéral dans les compétences provinciales. Parce que, du point de vue contractuel, elle ne respecte pas l'esprit de la Constitution de 1867, seul parchemin que le Québec ait jamais signé. Parce que, du point de vue institutionnel, le Québec doit protéger son espace, son identité, ses pouvoirs au sein du Canada. Parce que, du point de vue économique, « l'*encroachment* du fédéral nous coûte une fortune, c'est ça qui donne 30 milliards de déficit fédéral par année, essentiellement », dit-il. Parce que, du point de vue politique, il « trouve que le Québec est capable de s'occuper de ses propres oignons », dit Rivest. Enfin, parce que, du point de vue rationnel, « le système fédéral pourrait fonctionner beaucoup mieux si le fédéral se mêlait de ses affaires », ajoute Rivest traduisant Johnson.

Réclamer la fin du pouvoir de dépenser, ça semble technique. Mais Ottawa étant présent dans tous les champs de compétence québécois, cette modification aurait un impact « énorme », dit Johnson, « sur l'exercice du pouvoir » au pays. « Le pouvoir de dépenser, a souvent dit Bourassa, c'est la moitié d'Allaire. »

Respect des pouvoirs québécois, reconnaissance de la dualité, restriction sévère du pouvoir fédéral de dépenser, Johnson est prêt à se démener pour ces trois principes, mais sans jamais remettre en question le cadre fédéral. Pas étonnant qu'il soit considéré tantôt comme un ultra-nationaliste par la *Gazette*, tantôt comme un ultra-fédéraliste par la presse francophone et semble marcher toujours à contretemps de la politique de son parti.

Acte I. Au moment du rapatriement unilatéral de la Constitution, en 1981, Johnson n'hésite pas à appuyer la motion du Parti québécois contre le coup de force. Son chef, Claude Ryan, fait de même. Neuf députés libéraux refusent toutefois d'accorder cette victoire morale au PQ. Johnson mène la charge, tente de convaincre les dissidents, au point qu'un député le soupçonne d'être un souverainiste déguisé. « Conclure un marché sans le Québec ? Ça n'a aucun sens dans la perspective canadienne. C'est laisser passer un *magic moment,* explique-t-il aujourd'hui. J'ai été très heureux de voir que les péquistes votaient avec moi. » (Comme on le voit, à l'oral, le ministre saupoudre généreusement ses phrases de termes anglais.)

Acte II. Meech. Johnson appuie la manœuvre des demandes minimales. « Ça allait au bon endroit au bon moment, ça pouvait créer un *magic moment.* » C'est une première étape, qui préserve le pouvoir de négociation du Québec dans la vraie, la grande réforme qui doit suivre. Mais dans les derniers mois de Meech, la tentation est forte de baisser la garde pour contenter les provinces récalcitrantes. « C'était sur toutes les lèvres », se souvient Johnson, qui fut de ceux qui militaient en coulisse pour qu'aucune des cinq conditions ne soit sacrifiée, qu'aucun ajout ne vienne émousser le pouvoir de transiger du Québec par la suite. « Quand j'ai eu à le dire, j'ai dit qu'il n'y avait rien à larguer. »

Acte III. Allaire. Même s'il a des amis au sein du comité Allaire (Lavoie-Roux, Cosgrove), Johnson n'est averti que très tard de la tangente souverainiste que prend le rapport. Comme Ryan, il intervient auprès de Bourassa, tente de dévier le tir. « Il y a des limites qui sont à la veille d'être franchies », dit-il. La liste d'épicerie lui semble trop longue, irréaliste. Le ton du rapport sonne à ses oreilles comme une insulte pour le reste du pays. « Si on prétend qu'on va reconstruire le pays avec des partenaires, il faut les traiter avec respect », proteste-t-il. Or le Canada anglais tient à son Sénat. « Tu ne leur annonces pas que [le Sénat] c'est stupide, imbécile et irrecevable. J'ai lu ça, j'ai dit : " Ça s'peut pas ! Le Sénat est aboli. Franchement, ils font exprès ! " »

C'est surtout la stratégie proposée qu'il rejette. Celle qu'on retrouvera dans la loi 150, dont l'article premier prévoyait un référendum sur la souveraineté.

D'abord, il est contre le chantage à l'indépendance. Sous aucun prétexte, affirme-t-il en entrevue, il n'aurait fait campagne pour la souveraineté, confédérale, de Bruxelles ou d'ailleurs*. « Souveraineté ou pas souveraineté, c'est une question de choix fondamental. À un moment donné, on s'affiche. Je l'ai déjà fait. » Pas de loyauté qui vaille, pas de « mon chef » qui tienne.

La question s'est-elle posée ? Pour modérer son aile nationaliste, Robert Bourassa se sert parfois de la réaction des Johnson ou Ryan comme épouvantail : si des ministres de premier plan nous lâchent en pleine campagne référendaire sur la

---

* Le 6 février 1992 à Bruxelles, Robert Bourassa évoque la possibilité de poser la question suivante aux Québécois: «Voulez-vous remplacer l'ordre constitutionnel par deux États souverains associés dans une union économique, responsable à un Parlement élu au suffrage universel?»

souveraineté, demande-t-il aux allairistes, comment allons-nous pouvoir gagner ?

Johnson ne voit pas les choses de cette façon. Car il juge que Bourassa n'a jamais cru à l'ultimatum. « Un ultimatum est valable seulement si vraiment tu vas l'exercer et lui donner suite. Je n'ai jamais pensé ça. Que le Parti libéral du Québec prônerait la souveraineté à un moment donné ? Voyons ! » Ce manque de crédibilité de l'ultimatum, donc de la stratégie, est selon lui « une faiblesse inhérente à l'exercice [...]. Sur la scène internationale, ça n'avait aucun sens, ça niait tout le discours qu'on tenait comme gouvernement. » Finalement, il s'oppose à la stratégie de l'ultimatum, non seulement parce qu'elle n'est pas bonne, mais parce qu'elle n'est pas sincère. « Ce n'est pas son style, dit un ami. Il aime adopter quelque chose à quoi il croit vraiment. »

Député de Vaudreuil, Johnson fait part de ses préoccupations à ses militants, un samedi matin de l'hiver 1991. « Quels sont ceux d'entre vous dont les voisins, les amis, ou vous-même croyez à la nécessité pour le Québec d'obtenir toutes ces revendications ? » Johnson se souvient que seule une minorité — des jeunes — ont défendu à la lettre le rapport Allaire. Thierry Vandal, un fédéraliste confirmé, délégué par le parti pour animer l'assemblée, affirme au contraire que Johnson a été « surpris par la réponse, presque unanime, des militants qui disaient " oui, tout est important " ».

Divisée, la délégation de la circonscription de Vaudreuil au congrès libéral de mars n'appuie pas les amendements « fédéralistes », pilotés par les partisans de Claude Ryan. Johnson lui-même s'abstient de voter. « J'ai été appelé au téléphone pendant le vote », dit-il avec un sourire complice. Il se contente pendant le congrès de rappeler à quelques curieux la véritable hiérarchie du pouvoir libéral : « Il y a 3000 délégués au congrès, 300 au conseil général, 30 ministres au gouvernement. »

Acte IV. Charlottetown. « Trente ministres, un seul premier ministre », aurait-il dû ajouter. Car si Johnson attendait une chose de Charlottetown, c'était la restriction du pouvoir fédéral de dépenser. Or cette revendication essuie un refus catégorique d'Ottawa et des provinces anglophones. Bourassa ne revient qu'avec une fragile promesse pour l'avenir. Dans l'entrevue qu'il nous a accordée, Johnson cache mal sa déception. Ses hésitations, ses esquives, ses silences et ses soupirs sont riches de sens.

Les limites posées dans l'entente de Charlottetown au pouvoir de dépenser l'avaient-elles satisfait ?

« Il n'y en avait pas assez, notamment. »

Sa première réaction immédiate à l'entente ? « Ça peut être un point de départ. La porte n'est pas fermée. Il faut accepter les moins bons morceaux. Il est exagéré de dire que le Québec s'est fait traverser. Mais il était difficile de s'enthousiasmer. C'était très difficile comme campagne. Difficile de soutenir de façon cohérente l'ensemble du dossier. Il y avait presque des morceaux qui se contredisaient les uns les autres. »

Et s'est-il enquis, au départ, si le gouvernement pouvait s'opposer à l'entente de Charlottetown ? « *[Long silence]* Je trouvais qu'on était loin... Comment dire ? Je pensais qu'il y avait plus de potentiel d'atteindre la perfection et l'équilibre [entre le Québec et le reste du pays]. Mais en pensant stratégie ou tactique à ce moment-là [au retour de Bourassa de Charlottetown], à ce qu'il était possible de faire ou de ne pas faire, *on balance*, à ce moment-là... Est-ce que ça fait avancer le dossier ? Ça pouvait être présenté comme ça. »

Une des préoccupations de Daniel Johnson depuis 1982, et tout au long des débats du lac Meech, était la préservation du pouvoir de négocier du Québec. Mais en signant l'entente, le Québec n'en perdait-il pas l'essentiel ?

« *[Soupir]* Difficile. *[Nouveau soupir.]* »

Il n'en dira pas plus. Cet homme a, à l'évidence, beaucoup de mal à mentir. D'où son hésitation à donner des entrevues de fond. Il aurait rompu le rang si on l'avait forcé à défendre la souveraineté. Il ne l'a pas fait quand on l'a poussé à défendre un fédéralisme qui était loin d'être à son goût. « Il a appuyé son parti sans se compromettre, explique un de ses proches. Il a plus défendu le pays, le Québec et l'avenir, qu'il n'a défendu le contenu même de l'accord. »

Parfois, en public, c'est très évident. Le 9 octobre, lorsque Bob Rae vient vendre l'Accord à Montréal avec verve et conviction, Johnson lui succède au podium. Dans *Le Devoir* du lendemain, la journaliste Catherine Leconte décrit la prestation du ministre : « C'est à peine s'il a effleuré — sans prononcer les mots " Constitution ", " entente " ou " Charlottetown " — les " moments difficiles que nous traversons ", sur le mode discrètement allusif qui est de mise pour parler de cancer au chevet d'un malade. » Johnson rétorquera que Rae avait tellement bien fait les choses qu'il était inutile, après lui, de revenir sur le sujet. Claude Castonguay, troisième au podium, n'a pourtant pas hésité à enfoncer le clou.

Des mauvaises langues, au Cabinet, accusent Johnson de s'être « transformé en coup de vent » pendant la campagne référendaire. Des statistiques glanées dans l'organisation du Oui les font mentir : il s'est manifesté 13 fois dans des circonscriptions autres que la sienne, ce qui le place dans la moyenne ministérielle supérieure. Il est vrai que John Parisella, au bureau du premier ministre, a parfois dû insister pour l'envoyer en mission régionale, Johnson préférant rencontrer ses électeurs, qui l'ont peu vu pendant la campagne électorale de 1989.

« Il s'est épuisé dans le référendum », dit Ronald Poupart, qui l'a vu tel un bon soldat, aller, faire du porte-à-porte, dans sa circonscription. Elle a finalement voté « oui » à 51 %. On l'a vu, stoïque, dans un cégep, où des étudiants brandissaient derrière lui une grande affiche du Non. « Il disait : " Bon, ben, je vais aller vendre ma pizza dans le comté ", raconte Poupart. Pizza, parce que 61 maudits articles dans un projet, c'est 61 ingrédients qui peuvent mécontenter toutes sortes de monde. »

Acte V. La purge. Johnson ne comprend pas comment on peut aujourd'hui punir les allairistes pour avoir cru à leur propre rapport. Publiquement, alors que certains collègues, tels Bacon et Côté, prennent un ton d'inquisiteur, il affirme que le parti doit se faire le « rassembleur des forces vives ». Et, empruntant un thème à la politique américaine, il dit qu'il faut « construire la tente la plus grande possible et indiquer aux gens qu'il y a de la place pour eux ». Conscient que les deux tiers des francophones ont voté contre l'entente de Charlottetown, il ne voit pas pourquoi il faudrait les mécontenter en excluant du parti les figures représentatives du vote francophone. Sa prise de position a peu d'impact, et la purge se déroule comme prévu.

Miséricordieux avec les allairistes, Johnson est aussi le premier, parmi les ministres, à reparler publiquement de réforme constitutionnelle après le référendum. « C'est s'illusionner que de croire que la Constitution n'a plus d'importance ni d'intérêt, dit-il à la fin de novembre 1992 devant un parterre de gens d'affaires : le fait est que la question constitutionnelle n'a pas été résolue. Tant que le Québec n'aura pas adhéré formellement à la Constitution canadienne, la question constitutionnelle restera d'actualité. »

Étrange, tout de même, qu'un président du Conseil du trésor se détache ainsi du peloton sur un dossier qui n'est pas le sien. Les paroles sont sensées, mais on flaire la manœuvre. Qui dit que Johnson n'essaie pas de se faire valoir comme rassembleur ? Ni associé à Allaire ni impliqué dans Charlottetown, qui, mieux que lui, peut relancer la balle ?

« Peut-être vais-je m'y attarder un peu plus », avoue-t-il. Le parti tiendra à ce sujet un conseil général, puis un congrès. « Il faut aller voir pourquoi le Non a été si fort. Il faut éviter le même écueil si on veut reconstruire une proposition qui passerait ici, et, évidemment, qui puisse passer ailleurs. » « Le moment magique de Meech, je trouve, était remarquable, et on a fait une grossière erreur au Canada en ne donnant pas suite à ça. Mais c'est ce souffle que je voudrais retrouver au Canada. D'où, à long terme, mon désir très, très profond de reconstruire ce moment-là, recréer cet engouement-là. »

Tout un programme, pour un argentier.

Est-il resté argentier trop longtemps ? « Ça use, d'être reconfirmé dans des fonctions où il faut dire non à tout le monde », dit l'intéressé.

Johnson a longtemps rêvé d'être muté au ministère des Finances. Il a déjà, quelques mois durant, assuré l'intérim de Gérard D. Levesque, quand celui-ci a dû subir une intervention chirurgicale. « C'était le summum pour lui, je me souviens qu'il pétait le feu », dit un ministre. « Il ne portait plus à terre. Un peu plus et il nous aurait obligés à le vouvoyer, dit un autre. Il se comportait comme Gil Rémillard ! » Johnson brûlait de répéter l'expérience, ces deux dernières années, et attendait avec impatience un remaniement ministériel qui n'est jamais venu.

« Pour un type de son âge et de sa dimension, le Trésor c'est frustrant, politiquement, explique Jean-Claude Rivest. Il est un peu comme les joueurs des Canadiens sous Pat Burns, qui jouaient sur l'équipe défensive. Il aurait voulu être plus offensif, dans un autre secteur. »

Dommage pour Johnson, qui aurait eu bien besoin d'un ministère plus « gentil », car pour satisfaire son aspiration au leadership, il aurait fallu se faire un peu plus d'amis. « Il est chaleureux comme une pierre tombale », dit un ancien député qui s'est vu refuser une enveloppe. « Ce n'est pas le *jolly good fellow* », dit Fernand Daoust, qui n'a pas, il est vrai, de raison de s'éclater avec le patron. Johnson sait être d'humeur massacrante. À une réunion du comité ministériel sur Montréal, un collègue lui a lancé : « Si vous voulez qu'on vous dise qu'on est toujours d'accord avec vous, dites-le-nous tout de suite, on va s'en aller ! »

Il est prompt, se fâche rapidement. Il peut être tranchant, impatient avec des collègues qu'il juge mal préparés. Au Trésor, « Gobeil pouvait te refuser un dossier, mais ensuite il venait prendre une bière avec toi », raconte un membre du cénacle des ministres. « Johnson ? Jamais ! »

Est-il tâtillon ou prévenant lorsqu'il appelle un syndicaliste qu'il a entendu dire à la télé que le gouvernement n'avait pas suffisamment dénoncé la politique monétaire de la Banque du Canada ? « Si vous voulez avoir copie des communiqués que le bureau du premier ministre a émis à ce sujet, dit-il à Pierre Paquette un lundi matin, le fax de la CSN sera occupé toute la journée. » Paquette, qui a raconté l'anecdote, a constaté que plus d'un avaient eu des expériences semblables avec Johnson.

« Il exècre la bêtise, dit son adjoint parlementaire Jacques Chagnon. Il réagit un peu promptement aux suggestions bêtes ou qui manquent de subtilité. » Lorsqu'on lui fait remarquer qu'il a frappé un peu fort, il est pris de remords et tente de réparer les pots cassés. Il soigne son « interpersonnel » qui lui a fait tant défaut dans sa course au leadership. Souligne les anniversaires. Livre même les patates. Et, comme son père, connaît les nom et prénom de centaines d'électeurs, de militants, qu'il salue au passage chaque fois qu'il le peut.

« J'ai probablement fait des progrès puisque des gens sont capables de venir me dire que je suis trop froid », constate Johnson. Même chez ceux qu'il glace, il ne crée pas nécessairement une mauvaise impression. Nycol Pageau-Goyette, par exemple, dit « ne jamais savoir comment le prendre » tout en notant qu'il est « très clinique dans son approche. Clinique, c'est le mot. » Mais elle reconnaît que « c'est un homme de valeur », certainement au-dessus de la moyenne des ministres. « Il se dessine une ligne de conduite et il y tient. J'admire assez ça, parce qu'on n'a pas beaucoup de gens qui se tiennent debout. »

Le ministre, qui a défendu à l'Assemblée et en public le dossier du Musée de l'humour, est aussi connu pour sa vaste collection de blagues. « Il doit avoir un répertoire d'environ 500 farces, dit Chagnon. Il en a pour tous les groupes d'âge. » Au party de Noël des députés, ses imitations de Clifford Lincoln étaient naguère le clou du spectacle. Il a déjà imité Parizeau et, il y a longtemps, Bourassa.

Peu d'indices permettent de conclure que Johnson s'est préparé très longuement d'avance, en coulisse, pour l'après-Bourassa. C'est avec beaucoup de réticence qu'il a accepté d'accorder une entrevue pour cette enquête. Nous l'avons rencontré avant que ne soit connue la résurgence de la maladie de Robert Bourassa en décembre 1992. Une fois cette information rendue publique, cependant, Johnson a contacté l'auteur et le directeur de *L'actualité*, pour les aviser que la publication d'un article le mettant en vedette ne « serait pas opportune » au moment où toute spéculation sur l'avenir politique de Robert Bourassa était considérée comme taboue. Détail qui a son importance, alors même qu'il effectuait ces démarches — très polies — auprès de *L'actualité*, il n'a pas annulé la séance de photos prévue par le magazine. (Bien lui en prit. Jamais photo n'a projeté de lui une image aussi sympathique.) Fin janvier, pour la première fois en trois ans, il embauchait un attaché de presse à temps plein. Et faisait en sorte que sa commission parlementaire sur la fiscalité soit télédiffusée.

On appelle ça « l'expérience ». En 1983, Daniel Johnson s'était totalement abstenu — jusqu'à ce qu'il soit trop tard — de faire campagne pour la succession. Cette fois, il a compris qu'en politique l'abstention n'est pas une vertu. Qu'on peut faire campagne sans trop en avoir l'air. Qu'affecter de s'abstenir suffit. À l'été 1993, il a même appuyé sur l'accélérateur, multiplié les rencontres, et laissé son organisateur, le ministre André Bourbeau, commencer les sollicitations, tantôt subtiles, tantôt malhabiles. Plus sagement, Johnson a posé depuis longtemps les jalons de sa campagne. Son carnet d'adresses de militants est, par exemple, bien tenu à jour, car il répond présent aux invitations du parti dans les circonscriptions ou les régions, chaque fois que son horaire le permet. Et il le permet souvent.

Résultat des courses ou rapport d'étape : en avril 1991, pas moins de 1400 militants sont venus célébrer à Vaudreuil son dixième anniversaire de vie politique. Frappé de l'ampleur de la troupe ainsi réunie, Marc-Yvan Côté a glissé à l'oreille de Lise Bacon : « Je viens de voir une madame de Matane. Il est allé les chercher loin ! Il est prêt. »

GIL RÉMILLARD

Gil Rémillard en 1986. (© Canapress.)

III

HOMME DE THÉÂTRE OU HOMME DE DROIT ?

Trois jolies filles en maillot de bain défilent dans une salle du collège de Baie-Saint-Paul. Elles ont le trac des futures stars, et la crainte d'être surprises ainsi vêtues par les bons frères enseignants. Dans la salle, en ce tout début des années 60, un metteur en scène local de 17 ans, la tête pleine de séquences de Fellini et de dialogues de Truffaut, évalue le talent et le galbe des trois aspirantes-starlettes. Il cherche le premier rôle de son futur court métrage. Avec la caméra 8 mm de ses parents, celui que ses copains connaissaient sous le nom de « Gilles » Rémillard s'apprête à tourner un film d'auteur (qui restera inachevé), où l'atmosphère doit l'emporter sur le suspense, la forme sur le contenu.

Rémillard n'a pas vraiment changé. Architecte de l'Accord du lac Meech, copilote québécois dans la difficile traversée de Charlottetown, réformateur du Code civil et prétendant présumé à la succession de Robert Bourassa, il a passé sa vie à faire de la mise en scène, à monter de grands spectacles à caractère savant, où il se réserve presque toujours le rôle du brillant jeune premier.

Gil Rémillard aime, très certainement, la politique ; sans

le moindre doute, le droit et les affaires constitutionnelles ; par-dessus tout, le *show business*. Ce qui n'est pas nécessairement contradictoire.

« Il était toujours sur le plateau », raconte le cinéaste Gilles Carle, qui l'a connu pendant les années 70, alors que Rémillard s'improvisait producteur de films. Doctorat en poche, déjà professeur de droit constitutionnel, Rémillard, devenu « Gil » (« pour l'originalité », explique-t-il), a assuré le financement du documentaire de Carle *Les chevaux ont-ils des ailes ?* où se combinaient deux de ses grandes passions : le celluloïd et l'équitation.

Rémillard était « un bon producteur », se rappelle Carle. Il était à la fois « un poète, un homme d'argent, mais surtout un homme de continuité, qui sait qu'un projet doit être mené jusqu'au bout ». Emporté par son enthousiasme, celui à qui il revenait de faire respecter le budget, acceptait parfois qu'on crève l'enveloppe prévue, pour « continuer à tourner, quitte à se débrouiller après ».

Rémillard avait « cette sorte d'émerveillement d'être là, d'être le patron sur un plateau », dit Carle, « un émerveillement, surtout, d'être accepté » dans ce milieu. Suffisamment pour avoir le goût de lâcher les relations fédérales-provinciales, qu'il commentait alors dans ses livres, devant des micros et dans *Le Devoir*. « Il voulait faire du cinéma, il était fasciné par le média, j'ai toujours pensé qu'il allait faire le saut », dit Carle.

Au milieu des années 80, à sa manière, Rémillard fait le saut. Désormais son goût du spectacle n'arrêtera plus de se manifester. Il devient producteur, metteur en scène, acteur de sa propre superproduction : les grands colloques constitutionnels, qui se tiennent à l'université Laval. Il convie d'abord Pierre Trudeau, René Lévesque, puis Brian Mulroney aux banquets de clôture de ces rencontres intellectuelles, où « la forme l'emportait toujours un peu plus sur le fond, année après année », selon le commentaire de deux constitutionnalistes participants, Henri Brun de l'université Laval et Daniel

Proulx de l'Université d'Ottawa. Visant ensuite beaucoup plus haut, il convainc Javier Pérez de Cuellar, secrétaire général des Nations Unies, de participer à une table où Lévesque et Mulroney font de la figuration.

En mars 1985, au moment de présenter de Cuellar devant l'auguste assemblée et les caméras de télévision, Rémillard a le pépin de sa vie. Alors qu'il croit sortir de sa poche le discours de bienvenue qu'il a préparé avec André Patry, y jetant çà et là quelques mots d'espagnol, le maître de cérémonie découvre, en dépliant le feuillet qu'il a en main, que s'y trouve plutôt inscrit le budget du colloque. Il s'initie aux joies de l'improvisation et du direct.

Reste que la table d'honneur est impressionnante : un secrétaire général, deux premiers ministres, deux ministres des Affaires étrangères. Et lui, alors simple professeur, présidant l'aréopage. « Il n'était même pas doyen », s'exclame Patry, ancien chef du protocole de Daniel Johnson père, pour qui cette soirée « est une des choses qui m'ont le plus impressionné de ma vie ». Il glisse à l'oreille du jeune professeur : « Savoure bien ce moment, il ne se reproduira jamais jusqu'à la fin de ta vie. » Rémillard répond par une moue perplexe. Jamais ? Pas sûr !

Il a encore deux ou trois grandes scènes en tête, le producteur-constitutionnaliste. L'une d'elles confine au mystique, quand Rémillard convainc mère Teresa de bénir Québec de sa présence. Trop de forme ? Pas assez de fond ? Et après ! L'éclat considérable de ces rassemblements de célébrités rejaillit non seulement sur leur grand initiateur, qui y consacre un temps et une énergie considérables, mais sur la ville de Québec et son université. Les colloques, qui ne survivront que deux ans au départ de Rémillard, auront contribué à ce que la ville de Québec figure sur la liste du « patrimoine mondial » établie par l'UNESCO. Sur cette lancée, une fois candidat libéral, il promet de faire de la Vieille Capitale « la Genève d'Amérique du Nord ».

N'eût été son entrée en politique, en 1985, Rémillard aurait tout mis en œuvre pour réaliser un projet plus ambitieux encore : celui de recevoir Mikhaïl Gorbatchev à Québec pour un supercolloque sur la paix, le développement et les libertés. Au programme, une émission de télé réalisée par Claude Lelouch, animée par Yves Montand, Shirley MacLaine et Carole Laure, dont le clou aurait été une reconstitution de la dernière scène du film *Les Uns et les Autres*, un ballet moderne sur fond de *Boléro*. Le tout au profit de la Croix-Rouge. Bien sûr, le projet fait sourire. Mais dans un pays où l'on a tendance à penser petit, n'a-t-on pas besoin de gens qui voient les choses en grand ?

Devenu ministre des Relations internationales en 1986, Rémillard met ses talents de metteur en scène au service de son nouveau patron, Robert Bourassa. Au premier sommet des pays francophones, à Paris, il proclame d'emblée que le Québec, en tant que « rapporteur officiel » de la conférence — un joujou protocolaire au sens ambigu —, y est « numéro deux » en importance. Ce commentaire, largement rapporté dans la presse anglophone, met l'entourage de Mulroney en furie. L'ambassadeur canadien à Paris, un certain Lucien Bouchard, apostrophe Jean-Claude Rivest :

« Qu'est-ce que c'est que cette histoire de " numéro deux " ? »

— Ben, le numéro un, c'est... Mitterrand ?

— Oui.

— Le numéro deux, c'est... Bourassa ? reprend Rivest. Puis Mulroney ne doit pas être loin derrière ! »

Rémillard se charge de faire respecter concrètement cette hiérarchie. Arrivé avant les autres dans la salle de conférence, rue Kléber, le nouveau ministre voit qu'autour de la grande table les hôtes français ont prévu d'asseoir la délégation québécoise près du Canada et du *vulgum pecus* provincial : Nouveau-Brunswick, Ontario. L'usage voulant que le rapporteur siège à côté du président, le sang diplomatique de Rémillard ne fait qu'un tour. Il saisit la chaise et la plaque du « Canada-Québec » et après avoir poussé un peu plus loin la plaque du « Sénégal » — pays cofondateur de cette assemblée — pour se tailler une place, il va les installer fièrement à la table d'honneur, juste à côté de celle du président Mitterrand. Que diable ! on est numéro deux ou on ne l'est pas !

Des hauts fonctionnaires fédéraux, affolés, rapportent à leurs supérieurs l'affront par talkie-walkie (les cellulaires n'ont pas encore proliféré). Ils reçoivent l'ordre de rectifier le tout. Mais Rémillard s'interpose. Il est ministre, ils sont fonctionnaires. Ils ne peuvent rien faire. C'est un des privilèges de la hiérarchie. Quand Bourassa arrive enfin, Rémillard le presse d'un ton de conspirateur : « Monsieur le premier ministre, ne me posez pas de question, mais allez vous asseoir, allez vous asseoir. »

Un fonctionnaire fédéral est alors envoyé au front, pour demander à Bourassa de bien vouloir regagner son siège. Ayant saisi le manège, le premier ministre ne bronche pas. Brian Mulroney est relégué aux secondes loges. Les fédéraux se vengent lors de la conférence de presse de clôture en « omettant » de prévoir un siège pour le Québec. La présence du « rapporteur » y étant, pour le coup, indispensable, une chaise est ajoutée dans la confusion et à la toute dernière minute, sous le sourire narquois de François Mitterrand.

Le second sommet, à Québec, donne lieu l'année suivante à un ballet diplomatique où Bourassa, Mulroney, Lucien Bouchard et Rémillard trouveront chacun leur compte. L'astuce diplomatique veut que Québec soit le « gouvernement hôte », et Ottawa le « pays hôte ». On ne rapporte aucun jeu de chaise musicale.

À Québec, note François Leduc, un haut fonctionnaire provincial qui a participé à l'opération, le ministre a « transformé l'événement en grand spectacle, de qualité, mais en spectacle tout de même ». Rémillard se mêle à la foule des chefs d'État avec une délectation évidente. Chacun lui accorde qu'il sait se tenir avec les grands de ce monde. Il les aborde avec assurance comme si ça allait de soi, dissimulant sa témérité sous un air sérieux et concentré. « Il a un talent formidable et une facilité remarquable à communiquer avec ces grandes instances », note l'universitaire Alain Bisson, qui l'a parfois vu à l'œuvre. « On y va, on fonce et on le fait, explique

Rémillard en entrevue, riant de sa propre audace. On peut monter et cogner à la porte de Pérez de Cuellar : “ Toc toc toc ! Bonjour, je suis professeur de droit et je pense qu'il est temps que vous fassiez un vrai bon discours sur les droits des minorités. Et moi, je voudrais que vous le fassiez à Québec. ” »

Mais il en fait parfois un peu trop. Au début, rapporte un témoin, le ministre des Relations internationales refusait de porter lui-même son attaché-case, « parce que ça ne faisait pas “ ministre ” ». De même, à l'occasion d'un séjour à titre privé en France, Rémillard téléphonait à Québec en vue d'obtenir que le service du protocole intervienne auprès d'un musée français pour que celui-ci les accueille gratuitement, lui et son fils. Allez savoir pourquoi des fonctionnaires l'ont surnommé « Gil premier »...

Il lui est aussi arrivé de prendre Lise Bacon à rebrousse-poil, ce qui est à déconseiller. Vice-première ministre, Bacon a droit à des égards protocolaires. Lors d'une rencontre avec des dignitaires, alors qu'elle attendait en coulisse que Rémillard ait terminé son boniment (le ministre, passionné sans doute par son propre propos, avait dépassé de vingt minutes le temps qui lui était alloué), Bacon, n'y tenant plus, lui donna sans ménagement le signal du départ en faisant irruption dans la pièce au beau milieu de son discours.

Pendant longtemps, le ministère de Rémillard a été dénommé ministère des Affaires intergouvernementales, devenues ensuite les Affaires « internationales » (nom qu'il a repris depuis). Sous sa gouverne, il est celui des « Relations internationales ». Le changement d'appellation n'est pas de lui. Mais le glissement sémantique lui va comme un gant. Car Rémillard a toujours eu davantage le sens des relations que celui des affaires. En formant son cabinet, Bourassa avait retiré du champ d'intervention de Rémillard le Commerce extérieur, puis sabré dans le reste du budget du ministère comme nulle part ailleurs dans le gouvernement. Rémillard a alors réaménagé son demi-portefeuille en fonction de ses priorités : laissant en friche la « coopération individuelle » (entre citoyens, groupes, chercheurs de divers pays) qui forme le terreau des échanges internationaux ; mettant de l'avant la coopération « de gouvernement à gouvernement », où la « personnalité internationale » du Québec pouvait briller de tout son éclat, en la personne — bien sûr — de son chef de la diplomatie. C'est une politique qui en vaut une autre. Puisque Rémillard y excellait, autant pousser l'avantage. L'approche surprenait cependant dans un gouvernement qui tendait plutôt à fondre le Québec dans le paysage canadien.

Au *Devoir,* Lise Bissonnette, qui a toujours entretenu de bonnes relations avec le ministre, sans jamais avoir perdu pour autant son sens critique — comme la suite des débats constitutionnels allait le montrer —, résumait alors ainsi la politique du premier diplomate québécois :

« Il pousse effectivement encore plus loin les ambitions péquistes. Il parle lui aussi avec gourmandise de la capacité québécoise de conclure des accords, ententes et autres arrangements avec des entités étrangères [...]. Il se réjouit, d'une manière presque ingénue, de pouvoir rencontrer des chefs d'État et de gouvernement, en direct, sans médiation [...]. M. Rémillard rêve même plus haut et plus fort que tous ses prédécesseurs de la création d'un corps diplomatique québécois distinct du reste de la fonction publique, ce qui n'existe, paraît-il, chez aucun État non souverain. »

Et de proposer que le Québec soit présent dans les organisations internationales, dont Rémillard connaissait les arcanes pour avoir courtisé Pérez de Cuellar et maintenu le contact avec lui, et pour avoir été observateur spécial à l'ONU en 1985. En commission parlementaire, le ministre expliquait un jour qu'il voulait que la présence du Québec revête un caractère distinctif de celle du Canada à l'Organisation de coopération et de développement économique, à l'UNESCO (il avait ouvert des négociations en ce sens), à l'Organisation mondiale de la santé et à la FAO (l'Organisation des Nations Unies pour l'alimentation et l'agriculture, créée à Québec en 1945, et dont le cinquantième anniversaire, pensait Rémillard, pourrait être célébré avec faste dans la Vieille Capitale en 1995.)

Réplique — logique — de Pierre Marc Johnson, alors leader de l'opposition : Pourquoi pas, tant qu'à y être, un siège à l'ONU ?

Rémillard sera, durant trois ans, « ministre des Relations ». Quand il voit aujourd'hui que son successeur, John Ciaccia, a abandonné tout espoir — et toute velléité — d'arracher des sièges au Canada au sein de ces organismes, il doit en pleurer ! Tout au plus Ciaccia a-t-il prévu, dans son énoncé de politique de la fin de 1991, que le Québec « cherchera à participer régulièrement aux réunions » des organismes internationaux. Un tabouret devrait lui suffire amplement.

CE N'EST PAS D'HIER QUE GIL RÉMILLARD FRÉQUENTE LES CÉLÉBRITÉS. Déjà, enfant, il voyait chaque été Baie-Saint-Paul se transformer en petite colonie artistique, où les peintres Riopelle, Lemieux et Jackson s'installaient à demeure. Il leur arrivait même de loger à l'hôtel des Rémillard et d'y goûter la table campagnarde, aux côté des invités et des marmots de la famille. À la manière d'un oncle de passage, le peintre René Richard aidait le petit Gilles à faire ses dessins d'écolier. De même la romancière Gabrielle Roy s'est-elle déjà attelée à la difficile tâche de lui faire accorder des participes passés. « Ça me fascinait parce que sa chambre était toujours à l'envers », dit Rémillard, à propos de la romancière.

« Gil a dû prendre à Baie-Saint-Paul ce goût qu'il a pour les belles choses, pour la peinture, dit Solange Chaput-Rolland, une amie de la famille. C'est un esprit très fin, très ouvert et très cultivé. »

Mais le génie créateur des Jackson et Lemieux ne frappait pas outre mesure le jeune Gilles. « Enfants, on trouvait qu'ils n'étaient même pas capables de dessiner une cabane droite. Ça ne nous impressionnait pas beaucoup ! »

Quand l'adolescent Rémillard décide d'ouvrir une boîte à chansons au sous-sol de l'hôtel, il trouve tout naturel de téléphoner à Félix Leclerc et à Gilles Vigneault. « Faut que vous donniez un coup de main », leur dit-il. « C'était un étudiant dynamique », se souvient Jean-Pierre Ferland, chargé d'inaugurer la salle baptisée *Le Hibou,* sous les inévitables filets de pêche.

L'audace est chez Rémillard une constante qui l'a bien servi. Évidemment, ça ne marche pas à tout coup. Ainsi, en 1983, Me Rémillard, flanqué d'un client, le président de la Centrale de l'enseignement du Québec Yvon Charbonneau, n'hésite pas à frapper, au début de la nuit, à la porte du lieutenant-gouverneur Jean-Pierre Côté : ils veulent dissuader le représentant de la reine de signer la loi spéciale touchant les grévistes de la fonction publique que les députés péquistes viennent tout juste de voter. « Une loi anti-démocratique ! » plaident ces visiteurs du soir. Pendant que Charbonneau et Rémillard, entourés de parlementaires ahuris par l'incongruité de la démarche, font les cent pas dans le corridor, le lieutenant-gouverneur signe, porte close, la loi sur-le-champ. Rémillard repart bredouille. Ce n'est pas ce jour-là qu'il aura créé un précédent constitutionnel.

Audacieux, doué aussi pour « se lier d'amitié avec les grosses têtes du moment », dit une amie, Gil Rémillard a su choisir ses mentors. À l'Université d'Ottawa, il se place d'abord sous l'aile bienveillante de Gérald Beaudoin, qui n'est pas encore sénateur. À l'Université Laval, il choisit ensuite comme guide le constitutionnaliste Jean-Charles Bonenfant, alors très influent, puis prendra rendez-vous avec Léon Dion (« notre Raymond Aron », dit Rémillard), qu'on n'a plus à présenter. « Est-ce que c'était filial, est-ce que j'étais paternaliste, je ne sais pas », s'interroge Dion, qui prend le relais de Bonenfant, mort en 1977. « Gil voulait devenir un spécialiste important », rapporte Dion.

Dion devient le vieil ami de la jeune star universitaire avant d'être entraîné, ballotté, puis blessé, dans le sillage du ministre. Le récit du couple Dion-Rémillard au moment de l'entrée du cadet en politique vaut d'être raconté avec quelques détails, sans omettre la « scène de la piscine ». Comme dans certains bons films d'Hitchcock, il en existe deux versions, imparfaitement concordantes.

Le terrain se préparait depuis plusieurs mois déjà.

Solange Chaput-Rolland se souvient d'une altercation qu'elle a eue avec Bourassa, qui, devenu chef de l'opposition et préparant sa future équipe électorale, tentait de la recruter : « Quand vous serez capable d'avoir des gens de haute qualité comme constitutionnalistes dans votre parti, lui dit-elle, j'accorderai plus d'importance à vos positions constitutionnelles. Pour l'instant elles sont floues, elles ne nous disent rien. Quand vous aurez un Gil Rémillard, je vous accorderai plus d'importance. »

Au sommet Reagan-Mulroney en mars 1985 à Québec, Bourassa, alors chef du PLQ, croise Rémillard : « Solange me dit que vous seriez un bon candidat... » Rémillard décline. « Je ne me voyais pas de carrière politique, absolument pas, pour aucune raison », explique-t-il. Une carrière d'éminence grise, certainement (il devient d'ailleurs cet été-là conseiller constitutionnel de Brian Mulroney) mais, assure-t-il, pas de visées politiques.

En septembre, la montée libérale dans l'opinion semble irréversible. Dans un colloque, les députés libéraux Claude Ryan et Herbert Marx l'approchent : « Pourquoi ne viens-tu pas avec nous ? »

Même son épouse, raconte Rémillard, l'encourage alors à suivre cette voie. Tout un retournement ! car Marie Dupont-Rémillard est l'attachée du ministre péquiste de l'Énergie et des Ressources, Jean-Guy Rodrigue. Elle a auparavant été très active dans l'organisation du PQ de la région de Québec, et plus particulièrement au sein du cabinet du très indépendantiste Jean-François Bertrand. (Lorsque la rumeur de la candidature de Gil Rémillard commence à circuler, des journalistes sont convaincus qu'il joindra les rang du PQ. Mme Rémillard rendra sa carte de membre du PQ quelques jours seulement avant l'annonce officielle de la candidature de son mari.)

« Ma femme m'a dit : " Gil, Léon veut te rencontrer tout de suite. " Marie m'a dit : " Il faut que tu penses à t'impliquer. " Elle m'a poussé. »

Par un beau vendredi matin d'octobre, Gil se rend donc chez Léon. Les deux hommes discutent longuement dans la cour du politologue, en longeant la piscine qui en occupe presque tout l'espace. Son mentor était très animé, se rappelle Rémillard. « On tournait autour de la piscine et j'avais peur qu'il tombe dedans. Il passait les coins ronds et, comme il est très distrait — ça n'a pas d'allure ! —, j'étais toujours en train de le retenir. » La raison de cette agitation ? Dion lui disait : « C'est le temps que tu t'impliques en politique. T'as écrit tes livres, t'as fait un bon bout, mais il faudrait que tu t'impliques », rapporte le ministre. Insistant, Dion aurait signalé que Gérard D. Levesque, un des poids lourds du Parti libéral, qui habitait d'ailleurs tout près, l'attendait instamment. « Il faut que tu ailles chez Gérard D. », répète-t-il à un Rémillard toujours réticent.

« Je ne sais pas si c'était préparé d'avance, raconte ce dernier, mais Gérard D. était là, sur sa terrasse, en train de prendre le frais en robe de chambre [...]. Il était surpris de me voir. On est entrés chez lui et on a parlé. »

Le lendemain, Levesque organise un rendez-vous avec Bourassa à sa résidence d'Outremont. L'ex- (et futur) premier ministre dit à Rémillard : « Venez appliquer ce que vous avez écrit », en matière de réforme constitutionnelle. « Moi, j'ai été touché par ça, avoue Rémillard. Je suis sorti de là, j'étais candidat. » (En fait, le leader libéral n'avait pas lu l'œuvre de l'universitaire, avouera plus tard son conseiller Jean-Claude Rivest. « J'ai été recruté sous de fausses représentations ! » blague maintenant Rémillard.)

La version de Léon Dion est quelque peu différente. Il y a toujours la piscine, mais ce n'est plus le même qui tente de convaincre l'autre. « Qu'est-ce que tu penserais si je faisais cette démarche politique ? » lui aurait demandé son jeune collègue. « Je ne peux pas dire que j'étais convaincu qu'il aurait une carrière politique flamboyante, j'avais plutôt des doutes », affirme Dion. Rémillard venait en fait chercher une bénédiction, pas un conseil, explique-t-il. « Même si je lui avais dit : “ Non, t'es pas fait pour la politique ”, il y serait allé. »

C'est Gilles Lesage, du *Devoir*, qui explique le mieux le pari de Rémillard. Connaissant l'engouement du professeur pour l'équitation — Rémillard avait siégé au Conseil d'administration du quotidien — il intitule son billet : « La cavalcade de Gil Rémillard ». « Qu'il soit ambitieux et fier, soit. Qu'il fasse preuve de naïveté en pensant avoir plus d'influence que les éminences grises et les gros organisateurs auprès de M. Bourassa, peut-être. Qu'il entreprenne une chasse à courre dont il sortira écorché, peut-être aussi. Mais sa chevauchée est intéressante, généreuse et, probablement, palpitante. »

« N'allez pas croire que je me prends pour Napoléon ! » Gil Rémillard a le regard moqueur et la main glissée sous la veste lorsqu'il présente, en décembre 1990, son projet de réforme du Code civil québécois, calqué, on le sait, sur le Code Napoléon. L'empereur français en était fier : « Ma vraie gloire n'est pas d'avoir gagné quarante batailles, écrivait-il à la fin de sa vie. Waterloo effacera le souvenir de tant de victoires ; ce que rien n'effacera, ce qui vivra éternellement, c'est mon Code civil. » Rémillard n'est pas Bonaparte, c'est entendu. Mais de tout ce que le juriste québécois aura tenté d'accomplir au sein du gouvernement Bourassa, la réforme du Code civil sera son œuvre la plus achevée et la plus durable.

Derrière le théâtre de Gil Rémillard, il y a l'homme de droit. Et, comme son goût pour les célébrités, son intérêt pour la justice a commencé il y a longtemps, à Baie-Saint-Paul, quand Gil s'appelait encore Gilles et que le premier ministre se prénommait Maurice. L'injustice — ou plus exactement l'arbitraire — portait à l'époque les uniformes de la police provinciale : faisant irruption dans la salle à dîner de l'hôtel familial aux heures d'achalandage, elle venait saisir l'alcool.

Charlevoix était encore officiellement « sec ». « On opérait sur le système de la tolérance, explique Rémillard. Ceux qui étaient gentils avec les autorités pouvaient vendre de l'alcool, même si c'était techniquement illégal. Pour nous, qui étions hôteliers, il était très important de pouvoir vendre des vins et des apéritifs. »

Malheureusement, Rémillard père et grand-père avaient un défaut : ils étaient « rouges ». Ils avaient aussi commis l'erreur de le laisser savoir. Il faut dire qu'ils arrivaient de l'Outaouais, où la fréquentation de figures du Parti libéral n'était pas un crime. Grand-père Rémillard était un admirateur de Wilfrid Laurier, auquel on avait déjà servi une bonne assiettée au restaurant familial à Hull ; il avait même laissé un portrait autographié, que la famille possède encore. Le jeune Gilles, qui a vécu à Hull jusqu'à l'âge de huit ans, se souvient que la famille pouvait, de la fenêtre de la maison, regarder l'heure à l'horloge de la tour de la Paix du parlement. « Mackenzie King venait à Hull les jeudis pour manger au café Henry-Burger et il retournait toujours en autobus à Ottawa. Mon grand-père le savait, et parfois il m'emmenait prendre ce bus. Nous traversions avec le premier ministre le pont interprovincial. »

Après avoir déménagé leurs pénates et leur hôtel à Baie-Saint-Paul au début des années 50, Rémillard père et grand-père s'étaient fait un point d'honneur d'aller à la rencontre du premier ministre fédéral libéral, Louis Saint-Laurent, venu faire campagne au village — en plein pays « bleu ». Enthousiastes, ils l'avaient abordé sur le parvis de l'église et lui avaient serré la main. « À partir de ce jour, on était identifiés comme " rouges ", dit Rémillard. On [la police provinciale] venait régulièrement confisquer la boisson et fermer l'établissement. »

Une autre aventure, comme une petite bombe à retardement, allait le faire réfléchir sur l'importance des libertés.

« Je devais avoir neuf ans. Mon grand-père, Albert Rémillard, me dit : " Gilles, je voudrais que tu me rendes un service. Tu vas prendre ta bicyclette et tu vas aller chez M. Vandal, près de la gare. Il t'attend. Tu passes par en arrière. Il va te donner un colis pour moi. Garde ça précieusement et apporte-le-moi tout de suite. "

« Monsieur Vandal m'attendait. Il me donne un petit colis, enroulé dans du papier brun. J'ai mis ça sur ma bicyclette, mais j'étais curieux. J'étais avec mon copain Marcel Poisson, et, avant d'arriver chez nous, on s'est arrêtés chez lui quelques minutes. Tranquillement, on a enlevé le papier.

Tranquillement, on a découvert qu'à l'intérieur il y avait un journal qu'on n'avait jamais vu : c'était *Le Devoir* [alors seul journal francophone qui affichait un anti-duplessisme militant]. Sur le coup, je ne savais pas ce que ça voulait dire. Je m'en suis souvenu quand j'étais à l'université, et j'ai réalisé. [...] Alors, pour moi, le respect des droits et des libertés, c'est le fondement de ma vie en politique et de ma vie comme juriste. »

Pas étonnant, avec ces histoires de permis d'alcool, qu'il s'intéresse ensuite professionnellement à l'affaire Roncarelli, le restaurateur témoin de Jéhovah que Duplessis a persécuté et qui a gagné en Cour suprême sa cause contre « le cheuf ». Bien plus tard, pour une recherche historique qu'il effectuera pour le plus haut tribunal du pays, Rémillard rencontrera, à New York, un Roncarelli innocenté, certes, mais ruiné par le coût de ses poursuites légales, brisé par la vie. En 1992, au moment d'ouvrir le Sommet de la justice, Rémillard peste encore contre un système où « vous pouvez vous rendre en Cour suprême du Canada, gagner votre cause et vous retrouver ruiné ! »

Tout cela explique pourquoi Rémillard n'a jamais, contrairement à plusieurs autres constitutionnalistes québécois, critiqué la charte des droits et libertés de Pierre Trudeau. Il n'en dira toujours que du bien. Un temps, il la voulait encore plus forte, étanche, car il s'opposait à l'existence de la clause nonobstant (qui a permis l'adoption de la loi 178). Par dérision, il nommera un de ses chevaux « Non Obstante ». (Son chien s'appelle Plum Pudding, ce qui n'a rien à voir...). Cet engouement pour la charte fédérale — à laquelle plusieurs collègues préfèrent la version québécoise, plus ancienne et à certains égards plus libérale, quoique non constitutionnalisée — lui causera toutefois quelques soucis.

Ses premiers écrits de constitutionnaliste, disent des collègues, sont prometteurs, soignés, songés. Mais à mesure qu'il prend de la notoriété, il perd de la profondeur. Si les non-spécialistes, tel le politologue Léon Dion, ou encore son collègue nationaliste Guy Laforest, n'ont aucun doute quant à sa valeur comme constitutionnaliste (il a écrit « deux excellents livres », disent-ils), les constitutionnalistes, eux, sont moins tendres à son égard. Peut-être par une sorte d'envie ou de jalousie, nourrie par l'attention disproportionnée naguère accordée aux écrits du professeur Rémillard (le second tome de son livre *Le Fédéralisme canadien* avait été lancé en présence de Brian Mulroney), peu utilisés du reste dans les cours de droit constitutionnel, comme on a pu le vérifier. Ces textes, dit l'un de ses confrères, ne constituent « pas du tout une œuvre lourde, c'est plutôt un décor ». Le mot « collage » revient aussi très souvent dans la bouche de la demi-douzaine d'ex-collègues interrogés. Plus charitable, Pierre Patenaude, qui enseigne cette matière à l'Université de Sherbrooke, pense que Rémillard était un « bon constitutionnaliste », qui avait surtout le don de « rendre sa matière accessible et intéressante », pour le profit d'un public plus large donc, et non pas uniquement pour celui des experts. « Il est beaucoup plus à sa place en politique qu'à l'université », ajoute un constitutionnaliste dont les écrits font autorité.

Au moment où il entre en politique, à la fin de 1985, il convainc Léon Dion de venir s'installer dans les bureaux du ministère. Dion « participera notamment à l'élaboration des propositions constitutionnelles du gouvernement », explique le communiqué du ministre. De mentor, Dion croit devenir éminence grise. Il devient en fait l'homme invisible. « C'est la période où j'ai le moins rencontré Gil, raconte Dion. Ce n'est pas gai d'être fonctionnaire quand le ministre travaille avec quatre ou cinq attachés [politiques] qu'il a choisis et que le reste des fonctionnaires [comme Dion lui-même] écrivent des rapports sans savoir ce qu'il fait avec ça. »

Dion se demande ce qu'il est venu faire dans cette galère. Le matin du 6 mars, on l'invite à assister à une conférence interne du ministre. Le thème ? Il le découvrira sur place. Gil annonce que dorénavant, le gouvernement du Québec renonce à la politique, adoptée par René Lévesque en 1982, d'accrocher systématiquement à chaque loi québécoise la clause « nonobstant » qui rend inopérants de larges pans de la charte fédérale.

Dion considère imprudent de se départir de cet atout constitutionnel et de laisser ainsi le Québec sans garantie et sans contrepartie pour les négociations à venir. « Sachant que 1982 avait signifié l'humiliation et que nous n'avions que cette soupape-là, explique Dion, j'ai décidé de quitter. » Non seulement Dion était en désaccord, non seulement il n'a pas été écouté, mais il n'a pas été consulté. « Je considérais qu'on n'avait pas été juste à mon endroit. » Quelques jours plus tard, n'y tenant plus, il annonce la rupture à son ex-protégé. C'est soir de tempête dans la Vieille Capitale. Quand Gil Rémillard vient ouvrir la porte de sa résidence, il découvre le vieux professeur encapuchonné dans un habit de motoneige. Pendant deux heures, ils examinent leurs divergences, sans pouvoir les réduire. « Gil avait été très influencé par Gérald Beaudoin », commente Dion, pour expliquer son attachement à la Charte.

Recruter Dion, c'était un coup de maître. Perdre Dion en moins de trois mois, c'est un coup dur. Surtout quand le mécontent étale sa dissidence publiquement, dans une entrevue au *Devoir* (quotidien qui, décidément, n'a pas fini de coller à la peau du ministre). « J'ai été dur. Je suis un radical, raconte Dion. Je le mettais en difficulté et son image publique en a pris un coup. » Il « a claqué la porte violemment, ça a blessé Gil d'une façon terrible », confie quelqu'un qui connaît bien les deux hommes.

Le premier geste du justicier Rémillard lui aura coûté cher, mais il aura mis ses partenaires canadiens dans de bonnes dispositions pour la réforme constitutionnelle à venir. En juin 1988, il prend les rênes du ministère de la Justice. Son heure est venue. Il prépare un exercice ambitieux : l'organisation d'un sommet de la justice réunissant en un même lieu magistrats, avocats, notaires et citoyens pour faire le bilan et dessiner l'avenir.

Exercice inédit, le sommet permettra de consulter pas moins de deux cents groupes et suscitera d'innombrables analyses fouillées et de bonne qualité, sur tous les aspects de la justice québécoise : accès à la justice, indemnisation des victimes d'actes criminels, problèmes du *plea bargaining*, présence des femmes dans la magistrature, réforme des tribunaux administratifs, justice autochtone, tout sera passé au crible. Lors du passage de l'auteur dans les bureaux de Rémillard, en décembre 1990, le sous-ministre en titre, Jacques Chamberland, déplie devant son patron une immense feuille (dite *flow chart)* où se trouve schématisé, étape par étape — consultation, réflexion, rédaction, proposition —, le fonctionnement des états généraux de février 1992.

« C'est un exemple à suivre pour l'ensemble des autres ministères », commente alors le Protecteur du citoyen et ex-sous-ministre de la Justice Daniel Jacoby, ravi qu'un ministre s'attaque avec autant d'entrain aux ratés du système. Empruntant une expression de Gérald Tremblay, le Protecteur voit dans ce sommet une démarche de « qualité totale ».

Justice, théâtre, les deux amours du ministre se croisent une fois de plus. Il convie ses deux cents participants dans la salle de bal du Château Frontenac et préside pendant quatre jours les grands débats du sommet, au cours desquels il donne la majorité à des non-juristes (19 sur 25), organise une table ronde, annonce un « engagement ». En point d'orgue, les discours de deux de ses amis : le juge en chef de la Cour suprême, Antonio Lamer, qui dénoncera l'inaccessibilité de la justice, « la plus nocive des pathologies » dont souffre la justice québécoise ; la directrice du *Devoir*, Lise Bissonnette, qui dissertera sur le respect de la vie privée en informant les convives que ce n'est pas dans *son* journal qu'ils pourraient suivre les mésententes conjugales de la famille royale d'Angleterre.

La plupart des épîtres ministérielles déclamées dans la salle de bal ont bien sûr été rédigées avant la tenue de cette grand-messe. Rémillard n'improvise pas ses promesses au gré des discussions qu'on tient devant lui. Ainsi, il profitera du sommet pour lâcher certaines annonces, prêtes depuis des mois. Ce qui fera grincer des dents certains participants, dont Clément Godbout, secrétaire général de la FTQ, qui dira avoir eu l'impression d'être apprêté « comme une dinde la veille de

Noël » (mais nous fera-t-il croire que les congrès de la FTQ sont, eux, complètement improvisés ?). Gouverner, c'est aussi mettre en scène.

Le lundi, Rémillard annonce que « l'État n'a pas le droit de se défiler devant les consensus raisonnables qui pourront se dégager d'un forum aussi représentatif de notre société ». Remarque intéressante. A-t-il quelque raison de craindre que « l'État », justement, ne se défile ? « On ne peut pas faire de miracle, on n'a pas d'argent », ajoute-t-il. On croirait entendre Daniel Johnson. Il annonce tout de même illico l'extension à tout le Québec de la gratuité en matière de médiation dans toute cause de contestation d'une séparation ou d'un divorce.

Le mardi, le ministre promet de réaménager l'indemnisation des victimes d'actes criminels.

Le mercredi — gros morceau — il s'attaque au dossier de l'Aide juridique. Les barèmes d'accès aux « avocats gratuits » n'ont pas été révisés depuis une vingtaine d'années et, grosso modo, seuls les assistés sociaux peuvent y prétendre. Plusieurs, dont Jacoby, proposent de donner accès à l'Aide juridique à tous ceux dont les revenus annuels sont inférieurs à 25 000 dollars.

Rémillard propose d'abaisser la barre à 19 000 dollars, ce qui permettrait d'offrir ce service à 27 % des Québécois, soit un peu plus qu'aux premiers jours du régime. Il suggère aussi d'établir une échelle progressive qui permettrait à 44 % des citoyens d'y avoir recours, moyennant une contribution variant entre 50 et 1000 dollars par cause selon leurs revenus et d'exiger, dans chaque cas, un montant de 20 $ pour « ouverture de dossier ».

Au total, sa proposition maintient essentiellement au même niveau qu'auparavant la contribution de l'État (91 millions environ). Mais elle suscite beaucoup de réserves de la part des participants, y compris le bâtonnier du Québec, qui n'aime pas voir égratigner ainsi le principe de la gratuité. Plusieurs avocats rechignent par ailleurs à percevoir le ticket d'ouverture de dossier chez les assistés sociaux ou la « contribution » des plus aisés.

Le jeudi, Rémillard annonce que le plafond des réclamations recevables à la cour des petites créances passera de 1000 à 3000 dollars (Jacoby voulait 10 000 dollars). Il signale que le service d'aide juridique par téléphone sera disponible dans tout le Québec et dit préparer un projet de loi sur les quelque 80 tribunaux administratifs, leur imposant notamment un mode de sélection des membres, ainsi que des règles de recrutement et des normes déontologiques.

Sur le coup, tout le monde se félicite du grand succès de la rencontre. Le bâtonnier en fait « un bilan fort positif ». Le président de la Chambre des notaires parle de « réussite ». Même la critique péquiste Louise Harel applaudit « l'exercice de démocratisation de la justice qu'a constitué le sommet ». Le ministre dit disposer alors « des outils dont [il avait] besoin », promet de respecter ses engagements et de faire avancer ses dossiers « dans les prochaines semaines, dans les prochains mois ».

Comment expliquer alors que soit émis, un an plus tard, dans un mémoire du Barreau du Québec déposé à la commission sur les finances publiques, le commentaire suivant : « On peut s'interroger sur la valeur de cet exercice public, tout comme sur celui tenu il y a moins d'un an lors du Sommet de la justice et qui a créé certaines attentes qui ne seront peut-être jamais satisfaites » ?

Quelque chose a mal tourné. « L'opération était tout à fait excellente, résume un juriste participant. Laisser venir tout ce bagage de résolutions, c'était assez courageux. Le sommet lui-même a été relativement bien exécuté. Ce qui a été désastreux, c'est l'absence de poids politique au Cabinet. » À plusieurs reprises, note une source informée, Rémillard a entonné — sans succès — au Conseil des ministres et au Conseil du trésor, sa complainte sur la justice accessible seulement aux très riches et aux très pauvres, les familles des petits et moyens salariés étant laissés pour compte. Sans succès. Il semble avoir voulu utiliser le sommet pour forcer la serrure du Trésor. Mais elle a tenu bon.

Pire : quelques mois plus tard, le budget de l'Aide

juridique sera réduit de 6 millions par le Trésor pour l'année en cours, puis encore de 3,5 millions pour 1993. La proportion de Québécois ayant accès au programme n'est plus actuellement que de 11 %. Au printemps 1993, le ministre a promis pour l'automne la tenue d'une commission parlementaire sur le sujet maintenant reportée à l'hiver 1994. À l'été, il soumet à la consultation des intéressés un nouveau projet de réforme où la recherche d'économies prend le pas sur la générosité. Il parle même de privatiser le système. Le rêve de Rémillard s'est brisé sous la férule du Trésor. Les chances d'obtenir une réforme avant les élections sont infinitésimales.

Certains dossiers ont bougé. La médiation familiale a bel et bien été étendue à toute la province. De même, depuis le 1er septembre 1993, les cours des petites créances acceptent des réclamations jusqu'à 3000 dollars. Mais d'autres mesures traînent sans raison. Pour forcer la main aux maris divorcés qui refusent de payer leur pension alimentaire, Québec adoptait en 1988 une loi prévoyant que le fisc percevrait, pendant un an, les montants en souffrance, pour remettre le divorcé dans le droit chemin. Lors du Sommet, Rémillard a promis que cette mesure serait mise en œuvre au cours de l'année 1993. On parle maintenant de 1994. « Ça n'a pas de bon sens, dit Jacoby. Ça aura pris six ans pour la mettre en application, alors qu'ici [au bureau du Protecteur du citoyen] on accumule des plaintes de pensions alimentaires non versées ; des questions de survie parfois ! »

Parmi les engagements du Sommet, il n'y avait pas que des questions de gros sous, mais aussi des réformes de fond. L'énergie du ministre semble toutefois lui avoir fait défaut. L'énergie ou... le sens politique. De son projet de réforme des tribunaux administratifs et de resserrement des critères d'embauche des quasi-magistrats, on aura pu observer les lambeaux en première page de *La Presse* du 22 janvier 1993 : le journaliste Denis Lessard y dressa la liste édifiante des 59 nominations d'ex-candidats, ex-attachés politiques, ex-confrères de ministres, épouses, frères et cousins, sur les 325 postes à pourvoir. Dans le lot figurent un bon nombre d'anciens adjoints de Rémillard.

Oui, mais, le Code ? Il l'a fait voter, le Code. « Il aura été celui qui aura permis la réforme globale du Code civil », note l'universitaire Alain Bisson, ancien directeur de la législation à Québec. « Ce n'est pas avec ça que vous vous faites du capital politique ; ça ne passionne pas l'opinion. Mais il a bien mené sa barque avec discrétion, mais avec volonté. » Un texte mastodonte de 550 pages et 3144 articles qui représente le fondement juridique de « la différence » québécoise au Canada. « Ce n'est pas une grosse loi, c'est un projet de société », fait remarquer le juriste de McGill Paul-André Crépeau. Comment on se marie, et comment on se sépare. Comment on noue des contrats, et comment on les conteste. Acheter, vendre, hériter. Poursuivre son voisin, aider un accidenté, adopter un enfant, hypothéquer sa maison.

Rapiécé petit bout par petit bout depuis la Confédération, le Code avait pris du retard sur la vie. Depuis Duplessis, on songeait à le mettre à l'heure. À la demande de Jean Lesage, le professeur Crépeau avait planché quinze ans sur une nouvelle version. « J'ai remis le projet au ministre de la Justice [Marc-André Bédard, du PQ] en 1977, il l'a déposé à l'Assemblée nationale le 21 juin 1978 à 10 heures, et je n'en ai jamais réentendu parler », soupire-t-il.

Herbert Marx, ministre de la Justice en 1985, exhume le dossier. Mais Marx ne survivra pas à la loi 178. Prenant la relève, Rémillard décide de pousser la machine. « Il y a des pressions énormes pour l'immobilisme dans ce dossier, note Denis Nadeau, un civiliste de l'Université d'Ottawa. Les avocats, les notaires, la magistrature, personne ne veut vraiment chambarder tout ça. » De fait, en 1991, le Barreau affirme : « Si le Code a attendu cent vingt-cinq ans, il peut attendre encore trois ou quatre ans. » Les notaires ne seraient pas montés aux barricades si Rémillard avait jeté l'éponge, et les juges — que cette réforme oblige nécessairement à se recycler — seraient sûrement restés muets.

Rémillard n'est pas un civiliste. Il n'est d'ailleurs pas l'auteur ni l'inspirateur du nouveau Code. Les lauriers de la victoire doivent être effeuillés sur de nombreuses têtes, notamment celles de Lise Morency et de Marie-Josée Longtin, âmes et moteurs de la réforme dans les bureaux de Rémillard. Il les a cependant fortement épaulées, étant le seul à disposer des forceps politiques nécessaires à l'accouchement de cette énorme progéniture (le Code formant un tout, chaque article doit être réécrit, même si les changements juridiques n'en affectent que le quart).

Pourtant, ici, pas de mise en scène. « On avait la commission parlementaire sur l'avenir constitutionnel du Québec qui siégait juste à côté de nous, raconte Claude Masse, civiliste depuis vingt ans et conseiller de l'opposition dans ce dossier. C'était bondé de caméras et de journalistes, alors que cette commission-là n'a jamais abouti à quoi que ce soit. De l'autre côté, on avait notre commission parlementaire sur le Code qui décidait de l'avenir du projet de société québécoise, et elle est passée complètement inaperçue ! »

Pourquoi Rémillard investit-il tant de fougue dans un dossier si peu politique ? Une hypothèse : son ami français, Robert Badinter, a effectué un passage relativement bref et passablement controversé au gouvernement du socialiste François Mitterrand. Mais on saura pour des décennies qu'il fut le réformateur du Code pénal français — qui d'ailleurs en avait bien besoin. Rémillard « aurait cherché à son tour à se placer dans l'Histoire, pense Denis Nadeau. Il pourra dire : " Je suis le ministre qui aura fait adopter le Code. " C'est important, surtout dans le monde juridique. Saint chef-d'œuvre ! Ça faisait cent vingt-cinq ans qu'il n'avait pas été réformé ! »

L'entreprise n'est pas un pique-nique. Le projet de réforme de Rémillard, déposé en décembre 1990, essuie un tir de barrage. Il aurait pu en mourir. Rémillard convoque, pour l'automne 1991, une commission parlementaire de cinq mois, qui a toute l'apparence d'un marécage. Étudier un à un 3114 articles : de quoi se noyer !

Comment Rémillard s'en tire-t-il ? Claude Masse, principal critique du premier projet de Code, fait un bilan : « Dieu sait que je ne suis généralement pas très élogieux à l'égard de Gil. Mais je dois dire que, contrairement à ce que je craignais, il est apparu beaucoup mieux préparé sur le fond et connaissant beaucoup mieux son dossier qu'on pouvait le penser. En fait, il était très au point. [...] À partir du moment où la commission a commencé, le ministre a véritablement fait des efforts louables et très, très habiles pour aller chercher un consensus. Il m'a fortement impressionné quant à son habileté à manœuvrer et quant à son ouverture à l'égard du débat de fond au niveau technique. [...] Ça a donné lieu à une expérience législative de cinq mois qui a été très dure, très longue, mais très efficace. Et je pense qu'on a pu sauver un bon Code civil avec ça.[...] On n'a pas encore réalisé que sans lui, probablement, sans le consensus non partisan qu'il a réussi à provoquer, ça ne se faisait pas. Historiquement, le Code n'aurait pas passé sans lui. » Masse fait une pause. Puis il reprend, comme si une idée venait tout juste de s'imposer à son esprit : « Ça me fait penser... Avec ce que je connais de l'individu, je me dis que s'il avait eu, au plan constitutionnel, les coudées aussi franches qu'il les a eues en matière de Code civil, il aurait fait beaucoup plus de pistes qu'il n'en a faites. »

DES PISTES, SANS DOUTE. MAIS DANS QUELLE DIRECTION ? Pour répondre à cette question, il faudrait d'abord savoir quelle case occupe Gil Rémillard sur l'échiquier constitutionnel. Difficile à dire. Comme le cavalier, Rémillard semble ne se déplacer que par virages en équerre : un pas en avant, et deux sur le côté.

Avant d'entrer en politique, il affectionnait déjà le flou artistique. Ce qui est compréhensible chez un expert appelé à conseiller tantôt les uns, tantôt les autres. Que le même refuse, une fois devenu ministre, de dire quelle a été sa réponse à la question référendaire de mai 1980 a toutefois de quoi surprendre. Plus d'un ministre conservateur fédéral, ignorant pareil scrupule, n'a-t-il pas avoué en toute simplicité avoir voté oui avant de se convertir au fédéralisme ?

Dans la trajectoire de l'adolescent et de l'adulte Rémillard, on trouve fort peu d'indices de son attachement à la cause fédérale. Les journalistes, pour la plupart indépendantistes, qui travaillaient avec lui de 1965 à 1967 à l'émission régionale de Radio-Canada *Sur le vif*, à Ottawa, ne se souviennent pas de l'avoir jamais entendu défendre devant eux l'unité canadienne. Rémillard a réussi avec brio le tour de force de satisfaire à la fois aux exigences de son métier de journaliste qu'il exerçait à temps plein et à celles de ses études en droit et en sciences politiques (car il convoitait les deux bacs à l'Université d'Ottawa.) « C'était un bon journaliste, qui avait le souci de la vérité et le souci du détail, se souvient Louis Tardif, son confrère d'alors. Il avait toutes les qualités de base d'un informateur, sauf une : il était incapable de dire correctement un mot, pourtant couramment utilisé sur les ondes, le mot " gouvernement ". Il le prononçait " kouvernement ". D'ailleurs, si vous écoutez bien, note aujourd'hui Tardif, il le fait encore. »

Rémillard se permettait de sécher bon nombre de cours, grâce, entre autres, aux doubles des notes de cours d'une amie, Anne Robinson. « On tirait à gauche pas mal, et Gil nous suivait bien », rappelle Jean-Baptiste Bouchard, ancien animateur de *Sur le vif*, plus tard candidat péquiste. Rémillard, dont on prononçait alors le prénom à l'anglaise *Guil*, comme le voulait la mode, a d'ailleurs tiré si fort à gauche que sa carrière journalistique a dû abruptement être interrompue. Il avait vanté sur les ondes les qualités du candidat néo-démocrate en lice lors d'une élection complémentaire fédérale. Le lendemain, le leader créditiste Réal Caouette l'avait traité à la Chambre de « communiste ». « On ne m'a pas offert de renouveler mon contrat », se souvient l'ex-journaliste, devenu ensuite professeur à Laval.

S'avisant, explique Anne Robinson devenue elle aussi prof à Laval, que le nom d'un restaurant de routiers très connu à Bernières (près de Québec) avait pour enseigne *Guil-Truck*, il est redevenu, à partir de ce moment-là — et pour de bon — *Gil* Rémillard.

« Gil Rémillard était quelqu'un qui était favorable à l'indépendance du Québec », révèle Jean-François Duchaîne, un de ses étudiants et amis, qui le fréquentait en 1974-1975.

Le constitutionnaliste Henri Brun, qui le côtoyait à l'Université Laval, confirme ces propos : « Mon souvenir est qu'il était à cette époque-là un indépendantiste, jusqu'en 1980 en tout cas. » Il arrivait même à Rémillard de donner quelques munitions théoriques à l'ultra-nationaliste Guy Bertrand, qui s'en servait pour critiquer la stratégie, trop étapiste à son goût, de René Lévesque et de Claude Morin.

Même Léon Dion et Solange Chaput-Rolland ne peuvent jurer de l'allégeance fédéraliste de leur ami, du moins jusqu'au référendum de 1980. Quoique la sénatrice se souvienne que Rémillard lui avait dit beaucoup de bien du rapport Pépin-Robarts de 1979 (elle avait participé aux travaux de la commission qui proposait une refonte majeure de la Constitution où seraient prises en compte plusieurs revendications du Québec). Après 1980, cependant, note Léon Dion, Rémillard est devenu « plus fédéraliste que moi ».

Pour l'avoir côtoyé depuis le milieu des années 60 jusqu'au début des années 80, six personnes ont affirmé à l'auteur, sur la base de conversations qu'elles avaient eues avec lui, que, sans être un indépendantiste militant, Rémillard était clairement partisan de la souveraineté.

L'intéressé, qui contredit ces témoignages, soutient avoir toujours été fédéraliste, version Jean Lesage ou Paul Gérin-Lajoie. Parlez-lui d'indépendance, il répond « xénophobie » et « intolérance ». Et le ministre de se construire un passé néo-fédéraliste, en prétendant avoir « écrit » avec d'autres, en 1975, le texte exposant la position constitutionnelle du PLQ (en fait, il avait été consulté, à titre personnel et sur des points de droit, par l'un des auteurs du texte.)

Il y a quelques années, le ministre se targuait volontiers d'avoir contribué à la préparation du livre beige de Claude Ryan rendu public en 1980. (Un exemplaire du livre ornait le bureau de Rémillard lors du passage de l'auteur au ministère en 1991.) Vérification faite, sa contribution a été si discrète que les principaux auteurs du livre beige n'en ont gardé aucun souvenir. Il avait tout au plus participé à un panel avec... André Tremblay.

Rémillard proclame aussi n'avoir jamais reçu, sur le plan professionnel, de mandat du gouvernement péquiste. Son curriculum vitæ le dit pourtant « conseiller juridique du ministre des Communications de 1976 à 1979 ». Il est incontestable, cependant, que Rémillard avait dénoncé le manque de clarté de la question référendaire, ce qui lui avait valu l'inimitié de plusieurs membres du PQ. « M. Lévesque ne l'aimait pas beaucoup », se rappelle Bernard Landry ; il lui reprochait précisément ses faux-fuyants sur la question de la souveraineté.

Anne Robinson pense qu'il ne faut pas s'entêter à vouloir trouver chez Rémillard des convictions profondes. « Gil, ce n'est pas quelqu'un qui a de l'âme, qui va se battre pour une cause », dit celle qui l'a observé pendant vingt ans. « C'est quelqu'un qui veut arriver à tout prix, qui rentre dans le moule et qui fait ce qu'il y a à faire. » Selon cette théorie, Gil Rémillard ne serait ni souverainiste ni fédéraliste, mais arriviste.

Et s'il était, plus simplement, ambigu ? Ce qui, en politique québécoise, a tout de même bien réussi à Daniel Johnson père et à Robert Bourassa...

Rémillard est un nationaliste québécois, c'est sûr ; il est loyal au Québec avant tout. Il n'est pas le seul à avoir cru à la souveraineté, puis compris plus tard qu'une majorité de Québécois ferait échec au projet. C'était perceptible dès 1977. Mieux valait trouver une autre formule. Rémillard n'étant pas dogmatique, il se serait recyclé dans la promotion d'un fédéralisme flexible — en appuyant très fort, ici, sur le mot « flexible ».

Ainsi, au début de 1985, rencontrant Pierre Marc Johnson, alors ministre de la Justice occupé à définir la nouvelle position constitutionnelle du Québec, Rémillard le semonçait pour la timidité des revendications péquistes. « J'ai été sévère, raconte-t-il. Ils ne récupéraient pas, malheureusement, le droit de veto. » Le fédéralisme de Gil Rémillard passait certainement la frontière qui sépare ce concept de celui de « souveraineté-association ». Mais il ne campait pas très loin du poste de douane.

« Le prochain siècle sera le siècle du fédéralisme », proclamait-il en 1990, avant l'échec de Meech, dans un discours prononcé en France. « Véritable compromis d'État, le fédéralisme est une philosophie avant d'être un système, un mouvement avant une définition, une association avant une union. Il apparaît comme la solution aux mouvements tant sécessionnistes qu'intégrationnistes qui caractérisent notre fin de siècle. » Il évoquait le cas du Québec, bien sûr, et celui de la Lituanie, qui n'était pas encore indépendante, pour lui souhaiter une « véritable association fédérative » avec l'Union soviétique. C'était, dans le premier cas, compter sans Clyde Wells et la pénétration insoupçonnée de l'idéal trudeauiste chez les anglophones. C'était, dans le second, mésestimer l'intransigeance de Gorbatchev et la volonté d'affranchissement du peuple lituanien. Bref, le fédéraliste Rémillard affichait un optimisme débridé. La fin de siècle allait crever la plupart des baudruches fédéralistes. Mais on anticipe.

Fédéraliste tendance « beau risque », Rémillard a jeté quelques fleurs dans la cour de Pierre Trudeau. « M. Trudeau a été un premier ministre marquant dans l'histoire du Canada, disait-il à l'Assemblée, en mars 1990. Il a su, par sa détermination et son sens politique, donner à ce pays, sur plusieurs plans, l'élan dont il avait besoin pour devenir un grand État. À la fois homme d'action, de principe et de paradoxe, M. Pierre Elliott Trudeau a laissé un héritage constitutionnel inachevé que l'Accord du lac Meech complète. » L'ex-premier ministre dirait plus tard de cet « achèvement » qu'il n'est rien d'autre qu'une trahison ourdie par quelques « eunuques geignards ».

Tenté, à la fin de 1985, de passer de la théorie constitutionnelle à la pratique politique, pourquoi Rémillard serait-il devenu un « déçu de la souveraineté » dans un Parti québécois alors en chute libre, qui ne manquait déjà pas de « déçus », alors qu'il pouvait jouer la carte du « fédéraliste de tendance nationaliste » dans un Parti libéral sur le point de reprendre le pouvoir ? Il venait de faire un (très) petit tour — trois mois seulement — dans la boutique constitutionnelle de Mulroney.

Suffisamment pour y déceler une ouverture. Les planètes constitutionnelles peuvent s'aligner, croyait-il. Bon endroit, bon moment, bon programme. On serait arriviste pour moins que ça.

Sur le principe, il voit juste. Sur le terrain, encore une fois, il en fait trop.

Le 24 octobre 1985, à la conférence de presse où il annonçait son adhésion au Parti libéral (il possédait sa carte depuis moins de trois jours), il affirmait fermement avoir toujours été fédéraliste. Peu après, lors d'un rassemblement politique à Québec, il marchait vers les deux drapeaux plantés sur l'estrade, et saisissant, d'un geste théâtral, un coin du drapeau canadien, y posait les lèvres. Il faisait aussi la bise au drapeau québécois. Par la suite, il tentait brièvement de redonner vie au terme « Canadien français » plutôt que d'utiliser celui de « Québécois ». On n'en demandait pas tant. Un beau cas de surcompensation.

« RÉMILLARD A ABORDÉ LE DÉFI CONSTITUTIONNEL comme s'il avait été créé spécialement pour lui », observe l'ex-ministre ontarien de la Justice, Ian Scott, un des principaux danseurs au grand bal de Meech. Rémillard le sentait : aucun rôle dans sa carrière de ministre n'allait être aussi prestigieux que celui de présider à la réintégration du Québec dans le giron canadien.

Il savait le terrain propice. Depuis 1982, une partie du personnel politique avait changé au Canada. À Ottawa, les libéraux des Trudeau, Lalonde et Chrétien étaient partis. À Québec, la défaite des péquistes, à l'élection de décembre 1985, avait changé la dynamique. Robert Bourassa avait promis de faire en sorte que le Québec signe la Constitution canadienne avant « la fin du mandat ». Plusieurs mois auparavant, le Parti libéral s'était doté d'une plate-forme — *Maîtriser l'avenir,* écrite notamment par le constitutionnaliste et futur juge René Dussault — qui préfigurait les conditions de Meech*. En Ontario, pivot de l'édifice canadien et principal

* Anecdote qui n'a rien à voir, mais qui mérite d'être racontée. Mario Bertrand, qui coordonnait alors le retour de Bourassa sur la scène politique,

allié des manœuvres de Trudeau, on trouvait maintenant une oreille sympathique au Québec. Élu en juin 1985, David Peterson a cru entrevoir « un moment de l'histoire » : « On sortait du séparatisme, on avait un premier ministre fédéraliste au Québec. Il fallait nous saisir de cette chance, car ces moments ne se présentent pas souvent. »

Dans l'entourage de Mulroney, Rémillard avait pu déceler une nouvelle souplesse. Sur le point de devenir l'un de ses conseillers constitutionnels en juillet 1985, il avait fait lire à Mulroney les conclusions de son second livre, *Le Fédéralisme canadien.* Postérieur à la publication de *Maîtriser l'avenir,* le texte de Rémillard en épousait la trajectoire. Il y indiquait à quelles conditions le Québec pourrait signer la Constitution canadienne, soit essentiellement : la reconnaissance de « la spécificité de la société québécoise et de l'égalité de deux peuples fondateurs, les Canadiens français et les Canadiens anglais » ; le droit de retrait avec compensation pour tout transfert de compétence ; le droit de veto pour le Québec.

Six mois plus tard, « devenu ministre québécois, le professeur Rémillard avait eu la tâche de présenter les demandes du Québec à ses anciens collègues et employeurs d'Ottawa », ironise dans son livre sur Meech un négociateur ontarien, Patrick Monahan. « Rémillard a réussi à sauter sans effort la clôture. Les restrictions d'Ottawa sur les activités des ex-employés fédéraux ne s'appliquaient apparemment pas à ce singulier plan de carrière. »

C'est dans les préparatifs de Meech qu'on peut le mieux discerner « les pistes » de Gil Rémillard, sa méthode, son élan. La ronde suivante, qui mènera à Charlottetown, sera essen-

---

n'appréciait pas tellement le document de Dussault, et avait pris sur lui d'en commander un autre. L'auteur de rechange: Robert Guy Scully, plus versé en communication qu'en constitution, mais proche de Claude Ryan, dont il avait traduit en 1978 le livre-programme, *Une société stable.* La commission politique du Parti libéral n'a toutefois pas apprécié la manœuvre de Bertrand. Le texte de Scully est rapidement passé aux poubelles de l'histoire constitutionnelle.

tiellement une opération de, par et pour Robert Bourassa. Mais dans l'élaboration de Meech, du moins jusqu'à la négociation finale, c'est Rémillard qui occupe la cabine de pilotage, aux côtés de Jean-Claude Rivest, de Diane Wilhelmy (que les négociateurs anglophones surnommeront « Madame Meech ») et d'André Tremblay. Sans compter Louis Bernard, ancien bras droit de René Lévesque devenu, dans la classe politique québécoise « Monsieur pragmatisme » et « Monsieur compétence » qui prêtera en fin de parcours son assistance au pilote. C'est pourquoi il vaut la peine, ici, de s'attarder davantage à Meech qu'à ses suites*.

Au début de 1986, Rémillard était beaucoup mieux branché sur les affaires constitutionnelles que ne pouvait l'être un Robert Bourassa de retour de son exil politique et de sa tournée de Club optimiste de province indispensable à sa résurrection politique. Rémillard, note un ami des deux hommes, « était professeur de droit, avait écrit deux ouvrages, ça avait encore du poids » dans l'esprit du premier ministre. Dans une entrevue accordée ultérieurement à Jacques Godbout, Bourassa confirmait s'être tenu en retrait au moment du démarrage constitutionnel : « Au début, j'étais un peu sceptique. Parce qu'il y avait eu tellement d'échecs... [Mais] je me disais : Il n'y a rien à perdre à essayer. »

C'est la méthode Bourassa. Des ministres proposent des réformes. Il les laisse aller, tâte le terrain, flaire le vent, l'opinion. Si ça se présente bien, il bénit. Ça donne la loi 22, la Charte des droits de la personne, la réforme du Code civil. Si ça se présente mal, il retire l'échelle, et laisse choir le ministre. Ça donne la non-réforme Côté sur la santé, la non-réforme Bacon sur l'assurance-auto, la non-réforme Rémillard de l'Aide juridique.

Meech se présentait bien. Remarquablement bien. « On aurait pu attendre [jusqu'à l'élection fédérale de 1988], dira

---

* L'auteur prépare par ailleurs un ouvrage consacré aux remous politiques qui ont agité le Québec entre la mort de Meech et le référendum d'octobre 1992. Le rôle de Gil Rémillard et des autres acteurs politiques y sera raconté avec plus de détails.

Bourassa. On ne subissait pas de pression. J'étais serein, mais quand j'ai vu que les pièces se mettaient en place, je me suis dit : Ben voilà, c'est ça. » Il a embarqué.

La stratégie articulée entre autres par Rémillard était simple : poser cinq conditions minimales, faire un « *Quebec round* » qui mette le Québec, seul, en position de demandeur. « On n'allait pas en demander huit [conditions] pour en lâcher deux », expliquait-il pour justifier l'approche minimaliste, rejetée avec force par son maître à penser, Léon Dion, mais qui donnait au Québec l'argument de l'inflexibilité. « On n'est pas des marchands de tapis ! »

La sobriété de la liste québécoise allait assurer le succès du lancement de l'opération. Devant le petit monde canadien des experts *ès* constitution réuni au mont Gabriel en mai 1986, à l'occasion d'un des tout premiers colloques sur la question depuis le rapatriement de 1982, Rémillard, dans un discours remarquable de calme et de modération, présentait en termes généraux les cinq conditions du Québec : société distincte, veto, immigration, Cour suprême, droit de retrait.

« Le discours électrise l'assistance, écrit le journaliste Andrew Cohen dans son histoire de Meech. Le consensus s'établit rapidement sur le fait que la liste est courte, le contenu raisonnable, l'esprit conciliant [...]. En fait, ce qui frappe dans la liste est ce qui y manque : le contrôle des communications, de la main-d'œuvre, du droit familial, autant de demandes traditionnelles du Québec. »

Ces sujets feront l'objet d'une deuxième étape de négociations, pensaient Rémillard et Bourassa. Meech était le « ticket de retour » dans le train canadien. Une fois à bord, on s'occuperait de changer l'aiguillage.

À l'été 1986, à Edmonton, les premiers ministres provinciaux acceptaient le principe d'un « *Quebec round* ». Rémillard et ses adjoints faisaient une tournée des provinces pour préciser les demandes québécoises.

Rémillard ne venait pas négocier, explique l'Ontarien Ian Scott, mais exposer sa position, entendre les arguments et dire s'il les trouvait acceptables. « Il n'était pas du genre à courir d'un groupe à l'autre pour proposer un nouveau libellé pour surmonter une difficulté », dit-il. Dans ses discussions avec ses homologues, Rémillard restait de marbre. « Il aurait été impossible d'imaginer faire une blague sur un des aspects de Meech avec Gil Rémillard, même en coulisses », dit Scott, impressionné par le sérieux, le sens de la dignité et des responsabilités de son interlocuteur.

Les délibérations de l'équipe québécoise étaient entourées du plus grand secret. Diane Wilhelmy, en particulier, « avait une peur maladive des fuites, depuis le début, raconte un ancien collègue. Elle en faisait une obsession. C'est paradoxal qu'elle ait chuté là-dessus. » Rémillard avait averti ses homologues que si une version écrite des demandes du Québec se retrouvait dans un quotidien, cette version deviendrait immédiatement une offre finale. Plus moyen ensuite de reculer !

Le ministre se promenait, raconte Monahan, avec une proposition en sept parties, dont il refusait toutefois de distribuer des copies. « À la place, les Québécois donnaient les libellés de leurs amendements en dictée à leurs homologues provinciaux. » Si un exemplaire du texte « dicté » venait à circuler auprès des journalistes, le Québec pourrait légitimement nier l'avoir produit ou l'avoir vu. Le texte d'origine, non signé, ne portait que la mention « document de travail ». L'équipe québécoise en était venue à l'appeler *Homère,* par allusion au célèbre poète grec dont l'identité réelle est toujours demeurée énigmatique.

Le lecteur n'a peut-être pas conscience des circonvolutions auxquelles peuvent s'astreindre les élus et les experts des États modernes pour se donner le droit de nier, éventuellement, avoir fait ou dit telle ou telle chose. Les progrès des techniques de fabrication des demi-vérités sont toujours un peu plus rapides que les progrès de la transparence. En voilà un bon exemple.

Le lecteur pense peut-être, par ailleurs, que la période de questions à l'Assemblée nationale est une perte de temps, un échange inutile entre bouffons. L'histoire de Meech prouve le contraire. Dans son discours du Mont-Gabriel, Rémillard avait annoncé que la clause de société distincte pouvait être inscrite dans le préambule de la Constitution. À cet endroit, elle servirait essentiellement de symbole, ou de décoration. Peu après, Pierre Marc Johnson, encore chef de l'opposition, faisait la leçon à Rémillard en lui demandant à l'Assemblée pourquoi le Québec devrait se contenter du préambule, alors que le caractère multiculturel du pays et les droit autochtones avaient déjà droit de cité dans le corps même de la loi fondamentale, là où les articles ont plus de poids.

L'équipe québécoise avait-elle déjà pris conscience de ce déséquilibre ? Jean Claude Rivest le croit. À l'Assemblée, en tout cas, Rémillard a formulé une réponse évasive. Ses interlocuteurs canadiens-anglais ont constaté qu'il avait ensuite adopté la suggestion de Johnson et insisté pour que la société distincte apparaisse désormais dans le corps du texte, sous la forme d'une clause d'interprétation (c'est-à-dire qui aide les juges à trancher en cas de litige). Il n'allait plus en démordre.

Ici, les versions divergent. Selon le récit de l'Ontarien Monahan, deux fois Rémillard s'est efforcé d'élargir la portée des cinq conditions québécoises de telle façon qu'on puisse régler durablement le dilemme québécois au sein du Canada. Il tentait, en un sens, de faire d'une pierre deux coups. De transformer le « ticket de retour » en « billet de saison ».

La première tentative consistait à réclamer une clause de société distincte encore plus forte, « déclaratoire », qui aurait eu un impact tangible et immédiat sur le partage des pouvoirs (comme le principe du droit inhérent des autochtones à l'autonomie gouvernementale). « Le Québec est une société distincte, qu'on se le tienne pour dit », aurait spécifié, en substance, la Constitution. Fort de ce principe de base, Québec aurait campé devant la Cour suprême et réclamé un à un les pouvoirs essentiels à la protection et à l'affirmation de ce caractère distinct.

Rémillard et Bourassa ont cependant reculé lorsque leurs interlocuteurs fédéraux leur ont démontré le caractère « invendable » de cette proposition au Canada anglais. (Meech a été invendable parce que, entre autres raisons, le Canada anglais était convaincu, à tort, que la version plus timide de la clause de société distincte avait justement cette portée.)

Les commentaires de Monahan à ce propos s'appuient sur ses propres souvenirs et sur des sources fédérales. À Québec, Rivest affirme, au contraire, qu'« on n'a jamais été aussi loin que de vouloir modifier le partage des pouvoirs avec la société distincte. On n'a jamais franchi ce pas. »

Rémillard a ensuite exploré une autre voie pour arriver à un résultat similaire : mater, une fois pour toutes, le pouvoir de dépenser du fédéral, pouvoir qui a permis à Ottawa d'intervenir dans tous les champs de compétence provinciaux depuis la guerre. Allant loin au-delà du programme libéral élaboré dans *Maîtriser l'avenir*, Rémillard proposait qu'Ottawa ne puisse dorénavant dépenser un sou dans un champ de compétence provinciale (comme l'éducation ou la santé) sans l'accord préalable de la province concernée, exception faite pour les programmes à frais partagés existants. Chaque fois qu'Ottawa voudrait créer un nouveau programme de ce type dans un domaine qui relève des provinces (telles les garderies), Rémillard souhaitait que le Québec puisse prendre sa part des fonds fédéraux et l'utiliser comme bon lui semble (pour dépolluer le Saint-Laurent, par exemple).

C'est du moins l'interprétation qu'en donne Monahan ; elle est toutefois contestée par Rivest. « Ce ne fut jamais notre intention », dit ce dernier. Or le texte de la proposition québécoise tel que publié dans l'ouvrage de l'Ontarien semble effectivement consentir ce droit aux provinces*. Monahan,

---

* La proposition québécoise, telle que reproduite par Monahan dans *Meech Lake - The Inside Story*, p. 321 se lit comme suit:

«Section 36A is added to the Constitution Act, 1982, as follows:

«36A. (1) The government of a province shall receive fair financial or fiscal compensation from the government of Canada in respect of any program of expenditures offered to all the provinces within the fields of their legislative authority which is to be funded jointly by the government of Canada and the provincial governments, if it decides not to participate in the program. The government of Canada shall not of its own initiative modify such a program while it is being carried out.

soulevant une fois de plus le déni de Rivest, affirme que la proposition Rémillard pouvait, à la limite, restreindre le droit du fédéral d'accorder des exemptions fiscales à des individus, si l'objectif visé recoupait une compétence provinciale (la déduction des frais de scolarité, par exemple). Enfin, la proposition d'origine de Rémillard sur l'immigration allait au-delà de tout ce qu'on avait vu auparavant (et de ce tout qui venait ensuite). Elle aurait donné au Québec le pouvoir exclusif de faire des lois « pour la sélection de tous les immigrants désireux de s'établir ou de résider au Québec ».

Le fédéralisme est « une association avant d'être une union », dira Rémillard en 1990. L'association qu'il rêvait de former grâce à Meech (et dont on retrouvait des traces dans ses propositions du sprint de Charlottetown) aurait obligé

«(2) Any other program of expenditures of the government of Canada in relation to matters coming within the classes of subjects under the legislative authority of a province must be carried out under the terms of an agreement with the province. The government of Canada shall not of its own initiative modify the terms of such an agreement.
«(3) Programs existing on January 1, 1988 are not subject to subsection1. Parliament, after consultation with the provinces, shall appropriate the public revenue for the funding of the renewal of such a program. Nevertheless, such renewal or any decrease in the financial contribution of the federal government entails the obligation to renegotiate its existing terms and criteria with all the governments. Neither the government of Canada nor Parliament may modify such terms and criteria of its own initiative.»
«Monahan affirme qu'au paragraphe 2, le mot *expenditure* pouvait aussi inclure la politique fiscale fédérale.
Sur l'immigration, la proposition québécoise se lisait ainsi:
«The Constitution Act, 1867, is amended by inserting, after section 95, the following heading and sections:
Quebec Powers in Immigration
«95A. The legislature of Quebec has the power to make laws in relation to (a) the determination of the number of immigrants that Quebec deems it appropriate to receive; (b) the selection of all aliens wishing to settle in or stay in Quebec. Such laws prevail over any federal law inconsistent therewith.
«95B. The legislature of Quebec may exclusively make laws in relation to services with respect to the reception, integration and training of permanent residents or persons who are becoming permanent residents.»

Ottawa à respecter la souveraineté québécoise dans tous ses champs de compétence, aurait remis les pendules constitutionnelles à l'heure de 1867, assouvi les appétits de l'électorat nationaliste modéré et probablement fait sombrer l'idéal indépendantiste dans un coma politique d'au moins vingt ans. Le temps, pour les Québécois, de digérer complètement cette nouvelle marge d'autonomie.

Ces précisions, données par Monahan dans son livre publié en 1991 mais jamais rapportées dans la presse québécoise, donnent une meilleure idée de l'élan nationaliste de Rémillard et de son sens de l'initiative. Elles indiquent aussi les rebuffades essuyées par les négociateurs québécois pendant les discussions préliminaires. À cause du secret entourant ces pourparlers, l'opinion anglophone a toujours cru que Québec s'était figé dans une arrogante immobilité et n'avait pas fait sa part de concessions dans l'élaboration de l'Accord. Cette perception, complètement fausse comme on le constate ici, allait puissamment contribuer au naufrage.

Il n'y a pas de doute qu'au sein de la délégation québécoise Rémillard était considéré comme le nationaliste dur, et Bourassa comme le politicien conciliant. On a pu s'en rendre compte lorsque le premier ministre du Nouveau-Brunswick, Frank McKenna, a réclamé un amendement à l'Accord pour assigner à Ottawa, plutôt qu'aux seules provinces, le rôle de « promouvoir » le respect des droits des minorités linguistiques (francophones au Canada anglais, anglophone au Québec).

« Rémillard et Bourassa sont venus dire ici [au Nouveau-Brunswick] qu'ils ne comprenaient pas mes objections, a raconté McKenna à Michel Vastel. " C'est quelque chose qu'on pourra facilement régler dans la deuxième ronde [de négociations] ", disaient-ils. [...] Mais qu'est-ce qui est arrivé quand on a fusionné les agendas de la première et de la deuxième ronde de négociations ? La clause sur la promotion est venue sur la table et il est devenu très clair, à ce moment-là, que le Québec n'accepterait jamais ce genre de clause, en aucune circonstance. »

Lorsque, faisant un compromis, McKenna a suggéré une entente bilatérale ne donnant à Ottawa qu'un rôle de promotion des droits des francophones du Nouveau-Brunswick, donc sans impact pour les Anglo-Québécois, « Rémillard et la délégation québécoise se sont battus contre ça aussi, dit McKenna. Et ce n'est que l'intervention personnelle de Bourassa qui a permis que ça passe. »

Quand on lui demande, en entrevue, s'il a sciemment joué le rôle du « mauvais flic » mettant en valeur le « bon flic » Bourassa, Rémillard arbore un sourire narquois : « Rien n'a été fait au hasard. Les seules improvisations que j'aime sont celles qui sont planifiées. » Et au cas où on irait s'imaginer que son patron a pu, à l'occasion, le désavouer, il ajoute : « On ne s'est jamais contredits pendant cinq ans de débats constitutionnels. »

Certains partenaires, en tout cas, semblent n'y avoir vu que du feu. « Rémillard était imprévisible, a confié à Cohen un stratège ontarien. Personne ne savait ce qu'il allait sortir. J'ai vu, à plusieurs occasions, Bourassa sortir son fouet pour le ramener dans le rang. »

Deborah Coyne, conseillère du Terre-Neuvien Clyde Wells, affirme en entrevue qu'elle a toujours douté de la foi fédéraliste de Rémillard. « Il est de ceux qui pensent que le Québec devrait se séparer s'il n'obtient pas une décentralisation massive de pouvoirs. » Il faut cependant se méfier de ces jugements péremptoires. À l'extérieur du Québec, on a parfois du mal à distinguer les nuances du nationalisme québécois. Coyne, une trudeauiste dans l'âme (et dans le cœur : elle a eu un enfant de l'ex-premier ministre), écrit par exemple au sujet de Claude Castonguay : « Je ne le considère pas comme un véritable fédéraliste canadien. » Elle se souvient aussi que Rémillard l'a accueillie à Québec en janvier 1991 par un « *welcome to the distinct society* », qui ne l'a pas beaucoup amusée.

Une chose est certaine : en mars 1987, un mois avant la fameuse rencontre des premiers ministres au lac Meech, c'est ensemble que Rémillard et Bourassa font l'erreur stratégique de s'attirer l'inimitié des autochtones. La bourde est commise à la dernière de quatre conférences sur les autochtones prévues lors du rapatriement de 1982. Les Premières Nations réclament l'enchâssement de leur « droit inhérent à l'autonomie gouvernementale ». Mathématiquement, ils pourraient l'obtenir si sept des dix provinces y consentaient. Selon les calculs de certains — mais pas de tous —, l'appui du Québec ferait la différence. Mais, depuis 1982, Québec boycotte ces conférences en signe de protestation. Rémillard n'assiste à celle de 1987 qu'à titre d'observateur, car en coulisse, il s'occupe essentiellement de faire avancer son propre dossier. Quand les autochtones lui demandent de briser l'impasse, il refuse, arguant que voter à cette conférence « banaliserait » le cas québécois.

Constatant l'échec de la rencontre, il affirme ensuite : « La preuve est faite qu'on ne peut pas amender la Constitution canadienne sans la présence du Québec ! » Le chef des Premières Nations, George Erasmus, peste dans un coin contre l'arrogance du Québec. Le journaliste Michel Vastel, qui croque la scène, rapporte qu'à quelques pas du ministre un de ses conseillers commente : « Espérons que les Québécois ne goûteront pas à la même pilule amère. » Ils y goûteront. Il est probablement faux de soutenir que la vengeance est douce au cœur de qui vous savez, mais il arrive qu'elle soit politiquement efficace, donc particulièrement savoureuse.

Comme tous les autres conseillers et ministres provinciaux, Rémillard est exclu de la rencontre des premiers ministres au lac Meech. Comme les autres, il est ravi que cette réunion produise si rapidement une entente. « Le moment est tellement " historique " que Gil Rémillard engage à la hâte un photographe personnel qui fige, pour la postérité, l'image de sa modeste personne serrant la main du premier ministre du Canada », écrit Vastel.

Il revient sur terre le mois suivant lorsque Léon Dion, dans une longue analyse publiée dans *Le Devoir*, signale que la clause de société distincte jumelée à celle de la « dualité canadienne » protége en fait davantage les anglophones que les francophones québécois. C'est « l'effet Dion ». En clair, la réforme accomplirait le contraire de ce que veut Rémillard : elle mettrait en péril la protection du français.

Rémillard commande une série d'études juridiques confidentielles, qui confirment les appréhensions de son vieil ami. « Voici un observateur respecté, extrêmement compétent sur la politique du Québec et du Canada, dit-il en commission parlementaire, qui propose un amendement [...]. Il est de notre devoir de parlementaires de l'étudier aussi objectivement que possible. »

L'intervention de Dion conduit Bourassa et Rémillard à réclamer que des « clarifications » soient apportées au texte juridique de l'Accord, lors d'une seconde réunion des premiers ministres, longue et pénible, à Ottawa en avril 1987. Bourassa laisse entendre que le péril est tel que la Cour suprême pourrait utiliser la clause pour imposer l'affichage bilingue et rendre inopérante la clause nonobstant. Selon Monahan (contredit par Rivest), Bourassa propose alors une autre clause nonobstant accordant au Québec le droit de déroger à l'Accord « nonobstant l'Accord du lac Meech, j'interdis l'affichage bilingue* » ! Ses homologues ne le suivent pas dans ce détour politiquement vaseux, qui aurait d'ailleurs conduit Rémillard bien loin de sa position de principe initiale, hostile à toute clause de dérogation.

Finalement, des conseillers québécois et ontariens proposent de neutraliser « l'effet Dion » en ajoutant une phrase précisant que la société distincte n'enlève pas de pouvoirs au Québec. L'Ontario, emboîtant le pas, suggère d'ajouter que la clause ne donne pas non plus de pouvoirs au Québec. Rémillard tente de tuer ce dangereux concept, car il a toujours rêvé que la clause étende, par voie de jurisprudence, la marge de manœuvre québécoise. Pas question de fermer cet entrebâillement.

* Plus précisément, selon Monahan, qui a pris en notes les délibérations, Bourassa suggère d'introduire une seconde clause nonobstant qui aurait affirmé que rien, dans la clause de société distincte et de dualité, n'empêche le gouvernement québécois d'invoquer la clause nonobstant présente dans la Charte des droits.

Mais, face à l'Ontario, qui tient bon, Bourassa accepte un dernier compromis : un bout de phrase stipulant qu'Ottawa ne perd aucun de ses pouvoirs. Puisque le pouvoir n'est divisible qu'entre Ottawa et Québec, si Ottawa ne perd rien, Québec ne peut rien gagner. L'effet Dion a disparu. L'effet Rémillard aussi.

Qu'importe. Au moins, Rémillard a son accord. Il ne reste plus que le détail de la ratification. Date limite : 23 juin 1990. Déjà, les forces anti-Meech prennent leur élan. Pierre Trudeau tire dans le tas, accusant de « stupidité politique » les leaders québécois. Rémillard se sent-il visé ? En décembre 1988, la Cour suprême invalide les dispositions de la loi 101 sur l'affichage, et le gouvernement Bourassa invoque la clause nonobstant pour faire adopter la loi 178, qui n'autorise l'affichage bilingue qu'à l'intérieur de certains commerces. Le geste de Bourassa met en rogne le Tout-Canada anglais et donne au premier ministre manitobain, Gary Filmon, une bonne raison de ne pas ratifier l'Accord. Au Conseil des ministres, à Québec, Rémillard surmonte son aversion pour les clauses nonobstant et défend la nécessité de l'invoquer pour légiférer en matière de langue. Mais, à mesure que les mois passent et que des provinces manquent à l'appel de Meech, il se met à s'inquiéter. Un peu.

La situation est suffisamment préoccupante pour que, le soir de sa réélection, en septembre 1989, Bourassa affirme que le fédéralisme ne constitue pas « une option éternelle » pour les Québécois. Rémillard explicite le lendemain : « Il est certain que si l'Accord du lac Meech n'était pas accepté, pour beaucoup de Québécois l'indépendance pourrait être une possibilité. » Peu après, son patron, toujours inspiré lorsqu'il visite l'Europe, parle vaguement d'une position de repli : la « superstructure ».

En février 1990, lors d'un conseil général du Parti libéral, Rémillard monte le volume et annonce que « le Québec ne présentera pas l'autre joue » ni ne souffrira « une seconde humiliation ».

Ce qui inquiète surtout Rémillard, c'est l'arrivée d'un

nouvel acteur sur la scène politique : Clyde Wells, élu en avril 1989. L'Assemblée de Terre-Neuve avait approuvé l'entente l'année précédente, malgré les protestations de Wells alors dans l'opposition, mais Rémillard ne s'attendait pas à ce que Wells mette à exécution sa menace de rescinder la ratification. Ce qu'il fait pourtant, en avril 1990. Ce recul secoue vivement Rémillard et ses alliés, dont le sénateur Gérald Beaudoin qu'on entend soupirer, après un discours de Wells à Ottawa : « C'est la fin de tout, c'est la fin du pays. »

Deux semaines après que l'Assemblée terre-neuvienne eut rescindé la ratification de Meech, un Rémillard hagard s'amène au congrès des professeurs de droit du Québec. Denis Nadeau, de l'Université d'Ottawa, assiste aux échanges, qui se déroulent à huis clos. « Je le vois encore, raconte Nadeau. Il est arrivé sur l'heure du midi, a serré la main de tout le monde. Il était censé prendre la parole. Mais il avait la gorge nouée, le visage défait. Il est resté au milieu de la salle. Il disait : " Vous savez, les temps sont difficiles, on ne sait pas ce qui va arriver. " » Une attitude, dit Nadeau, qui tranche avec celle que Rémillard avait affichée, devant le même auditoire, un an plus tôt à Québec. Il était alors « effervescent, très content, il disait que Meech était un grand pas ». Fanée, finie, foutue, l'effervescence.

Puis vient le sprint constitutionnel d'Ottawa en juin 1990. Invités à dîner par Mulroney, les premiers ministres s'attardent sept jours sur les bords de l'Outaouais. Rémillard se rappelle avoir vu des premiers ministres n'être « plus capables de parler parce qu'ils étaient en sanglots », et d'autres, furieux, mal contenir leur colère ; « une des expériences les plus difficiles mais les plus touchantes de ma vie », dit-il.

Plus que la déception ou la furie, Rémillard, lui, y connaît la peur de l'échec. « Chaque fois que je suis entré dans cette salle [de négociations] à Ottawa, j'ai toujours eu en tête la conférence de novembre 1981 et comment René Lévesque et Claude Morin se sont sentis lorsque tout à coup, autour de la table, ils se sont aperçus un matin que tous les jeux avaient été faits, et avaient été faits sans eux. »

Le ministre québécois dit avoir cru jusqu'au bout que Meech allait être sauvé. À Ottawa, « on voyait Gil verdir », raconte la sénatrice Solange Chaput-Rolland. « Il venait nous voir. Une journée il disait : " Ça passe. " Le lendemain : " Ça ne passe pas. " »

Dans ce climat de tension et d'émotivité, Rémillard et Bourassa répondent avec calme et retenue aux arguments des provinces récalcitrantes. Une maîtrise de soi qui n'a pas que des avantages, juge rétrospectivement l'ex-ministre ontarien Ian Scott. « Au lieu de dire " Êtes-vous fous, on ne peut pas accepter ça ", ils étaient trop polis dans leurs répliques, trop académiques. » Ce qui donne l'illusion que, sur certains points majeurs, le compromis est possible.

Ce petit manège dure cinq jours. Et, tandis que, grâce à la savante désinformation des experts fédéraux, plusieurs médias parlent de « progrès » ou « d'entente imminente », à l'intérieur on piétine dans un cul-de-sac. Le soir du cinquième jour, le ministre ontarien Ian Scott s'entretient avec Rémillard. Il lui demande d'indiquer précisément où est le *bottom line* du Québec. Selon le récit qu'en fait Monahan, Rémillard se laisse convaincre qu'un geste clair s'impose. Dans les heures qui suivent, la délégation québécoise décide de se retirer des discussions chaque fois que celles-ci porteront sur la société distincte. (Selon Rivest, cette décision découlait de l'entêtement de Wells à revenir encore et encore sur le sujet.)

« Paradoxalement, écrit Monahan, l'action unilatérale du premier ministre québécois fut un facteur clé permettant de conduire les discussions vers un consensus. » Une belle démonstration, explique Scott, que l'absence peut être plus éloquente que la présence. L'Histoire retiendra que c'est l'Ontario qui a incité le Québec à se montrer ferme.

Robert Bourassa répétera souvent que, mise à part sa référence nébuleuse à une « superstructure », il n'a jamais, lui — contrairement à Mulroney —, brandi le spectre de l'indépendance en cas d'échec de Meech. Une fois, cependant, il s'est laissé entraîner à cette fantaisie par Rémillard. Entre deux réunions pendant le sprint de Meech, le hasard a fait que

Bourassa, Rémillard, Deborah Coyne et un député terre-neuvien, Walter Noel, partagent le même ascenseur. Coyne raconte : « Nous échangions quelques banalités lorsque, à mon grand étonnement, Rémillard nous a demandé si nous serions encore tous, demain, citoyens d'un seul et même pays. Noel et moi avons immédiatement répondu “ Oui ! ” Mais Rémillard et Bourassa ont fait non de la tête, puis Bourassa a marmonné : “ Je ne pense pas. ” » Coyne soupçonne que ce petit numéro faisait partie d'une stratégie concertée. « Quelle méthode ! » commente-t-elle.

Rémillard joue également les durs avec les représentants autochtones. « Nous l'avons imploré de rouvrir l'entente pour introduire nos demandes, racontera Ovide Mercredi. Sa réaction fut froide comme la glace. » Ethel Blondin, députée des Territoires du Nord-Ouest, l'apostrophe aussi dans un couloir du Château Laurier ; le Québec devrait renoncer à son droit de veto sur la création de nouvelles provinces, comme les Territoires (qui deviendraient une province essentiellement autochtone), lui dit-elle. « Si vous voulez discuter du veto du Québec, ne m'adressez même pas la parole ! » coupe Rémillard.

Pour permettre à Wells de sauver la face, Rémillard dit avoir conçu l'idée d'adjoindre à l'Accord un avis rédigé par des experts affirmant que la clause de société distincte ne confère aucun nouveau pouvoir législatif au Québec. (Selon Monahan, l'idée était plutôt d'André Tremblay. Rivest pense qu'elle était de Louis Bernard.) Piètre consolation pour Wells. Mais, enfin, il signe. Dans la délégation québécoise, le sourire est de mise. « Depuis l'exclusion du Québec de la Constitution, en 1981, le Canada n'était qu'un pays légal », dit Robert Bourassa. Avec Meech, « pour tous les Québécois, le Canada sera un vrai pays ». Pendant que Wilhelmy embrasse ses collègues des autres provinces, Rémillard distribue des poignées de main. Pense-t-il que c'est dans la poche ? « Il y avait une appréhension qu'on partageait tous, raconte Chaput-Rolland, présente à ce finale. Mais on ne voulait pas se le dire, pour éviter que l'un ne diminue la joie de l'autre. »

Mais le compromis final n'est qu'un château de cartes. Il s'effondre peu après, sous la poussée d'un député autochtone du Manitoba — conseillé par Erasmus et par un certain Ovide Mercredi — et de Clyde Wells, qui refuse, le 22 juin, de soumettre l'Accord au vote de l'Assemblée de Terre-Neuve.

Rémillard affirme qu'il a accueilli cet échec avec sérénité. Alors qu'il siégeait à l'Assemblée nationale, on est venu lui porter une note l'informant de la décision de Wells. L'avis de décès de Meech, en quelque sorte. « J'ai dit : "Très bien, on tourne la page, on passe à quelque chose d'autre." » Des amis se souviennent cependant qu'il « était très secoué ». « Je lui ai parlé peu après, dit Scott. Il était profondément, énormément déçu. À ce moment-là, je me suis vraiment senti comme un de ses frères. »

Le professeur devenu ministre voulait être l'architecte de la réunification du Canada. Or l'échec de Meech attisera comme jamais la flamme souverainiste au Québec et mènera le pays plus près de la désunion. Gil Rémillard refuse encore maintenant toute responsabilité dans cet échec. « La stratégie a été un succès, affirme-t-il avec aplomb. On n'a pas fait d'erreur. Aucune erreur. » C'est tout de même un ratage, non ? « Ce qui a été un échec, c'est strictement le fait qu'un premier ministre n'a pas respecté sa propre signature. » Bref, un acteur fantasque aura flanqué par terre l'excellent scénario.

Mais Wells n'est pas un excentrique. Il incarne une pensée puissante hors Québec, articulée par l'intelligentsia et largement répandue dans l'opinion publique, selon laquelle l'identité nationale canadienne doit s'affirmer avec plus de cohésion et de force. Une idée noble, mais qui suppose un refus de s'accommoder concrètement de la différence québécoise. Deux ans plus tard, lorsqu'il consentira enfin à agréer l'entente de Charlottetown, Wells sera lui-même mis en minorité par ce courant, plus fort et plus intransigeant à chaque étape du débat.

Peut-on blâmer Rémillard, Bourassa ou Mulroney et l'Ontarien Peterson de n'avoir pas vu venir cette vague avant qu'elle n'engloutisse leur projet ? Patrick Monahan, qui ne l'a pas vue venir lui non plus, pose ce constat : « Le problème de la plupart des généraux est que leur plan de bataille vise toujours à gagner la guerre précédente, plutôt que la bataille à venir. C'est vrai pour la stratégie du fédéral face à Meech. Elle était conçue pour une ère où les seuls acteurs étaient le gouvernement fédéral et les provinces. On assignait aux groupes d'intérêt et au public en général un rôle de spectateurs. Lorsqu'on a enfin compris que ce scénario était fondé sur un mauvais calcul, il était trop tard pour faire marche arrière. »

« Si on ne bouge pas, on est morts », dit d'abord Gil Rémillard en privé, au très fédéraliste Conseil du patronat quelques jours après la mort de Meech. Tenté un instant par le concept d'une constitution québécoise (geste qui ne présuppose pas la souveraineté), ravi par les propos de Robert Bourassa qui proclame que le Québec est « d'ores et déjà, et pour toujours, une société distincte » (« un très grand discours », lui dira Rémillard), le ministre s'évertue, comme chaque Québécois, à décoder, à deviner ou à précéder la démarche constitutionnelle de son chef.

Fin septembre 1990, dans une entrevue-fleuve au *Devoir,* Rémillard dévoile ses batteries. On sent un dépit amoureux chez Gil, l'ex-souverainiste devenu l'un des principaux croisés et l'un des pires éclopés du « beau risque ». Son propos est empreint d'un mélange de rancœur et de détermination. « Le système est vicié. Le Québec s'est fait piéger par l'acte constitutionnel de 1982. Ça ne peut plus marcher. On ne peut plus continuer comme ça. Le fédéralisme à onze, c'est terminé. [Le premier ministre du Nouveau Brunswick] Frank McKenna veut faire l'autopsie de Meech ? C'est intéressant ! Peut-être trouvera-t-il quelques-unes de ses balles près du cœur... »

Va pour le *post mortem*. Mais, pour l'avenir, docteur Rémillard, qu'est-ce qu'on fait ? « On n'est quand même pas pour aller demander encore des choses et attendre trente ans avant de se faire barouetter. C'est fini, ça. On se rend compte que c'est un fédéralisme de quêteux. »

Que reste-t-il ? Un Canada décentralisé au point que le Québec devrait peut-être rapatrier les Affaires extérieures (on reconnaît bien là l'aspirant diplomate), l'armée (qu'il pourrait confier à Ottawa « mais pas à n'importe quelles conditions », notamment quant aux retombées sur l'emploi) et la monnaie (oui, même la monnaie !). Car Rémillard conteste les décisions « inacceptables » de la Banque du Canada, qui menacent selon lui la santé économique du Québec. C'est bien la première fois que Robert Bourassa a dans son Cabinet quelqu'un qui envisage sereinement la création d'une monnaie québécoise !

Quelle différence avec la souveraineté ? Mais c'est qu'il s'agit d'un « Canada à deux », explique-t-il, négocié « de nation à nation », un « fédéralisme d'association ». Bref, pas la souveraineté-association, mais une association de souverainetés. Il ne campe plus à proximité du poste de douane conceptuel, il a maintenant planté sa tente en plein sur la frontière.

En cette fin de septembre 1990, il croit tenir la stratégie gagnante. Première étape ; déterminer les revendications québécoises. Si la commission Bélanger-Campeau, convoquée à cet effet, dégage un consensus, celui-ci devrait être soumis au vote référendaire, pour obtenir une sorte de « mandat de négocier ». En l'absence d'un consensus, le Parti libéral et le Parti québécois devraient l'un et l'autre présenter leurs options au peuple lors d'une élection anticipée. Dans les deux cas le gouvernement ayant la faveur populaire amorcerait la seconde étape : les négociations « de nation à nation » avec le Canada, qu'il ne s'agirait plus de convaincre mais de contraindre. « Il faut avoir la force politique pour aller chercher ce qu'on doit aller chercher, explique alors Rémillard. Et cette force politique, elle repose sur une seule donnée : la volonté clairement exprimée par le peuple. C'est la base de la légitimité. »

Le plan d'attaque du ministre conduit logiquement à une consultation populaire dès 1991. Ce contre quoi son patron, Robert Bourassa va se battre de toutes ses forces. Coïncidence ? Après cette entrevue-choc, Rémillard ne tiendra plus jamais de tels propos, du moins en public.

À la commission Bélanger-Campeau, il dirige les troupes gouvernementales, ce qui n'est pas aisé, car elles sont parties vers un *nowhere*. Le deuxième jour, aux dirigeants de la FTQ qui lui vantent les mérites de l'indépendance, il rétorque : « Ou bien il y a des parties de la maison qui méritent d'être conservées et on les conserve, ou bien on met tout à terre. Est-ce que vous croyez vraiment qu'il faut tout mettre à terre ? Est-ce qu'on ne pourrait pas protéger des acquis qui nous sont précieux ? » Louis Laberge lui donne la réplique : « Même si on voulait en garder des parties, ils nous ont mis dehors de la maison ! »

Dehors ? C'est beaucoup dire. Rémillard réagit favorablement aux mémoires qui disent que dehors, sous le vent de l'indépendance, il peut faire très froid. Il vante ainsi « le réalisme et la sagesse » du texte de l'Association des économistes, qui prédit des coûts élevés pour la transition vers la souveraineté.

Mais comment obtenir son « Canada à deux » sans d'abord se hasarder à en sortir ? se demande-t-il à la vue des mémoires extrêmement décentralisateurs qui s'empilent devant les commissaires, ces listes d'épicerie qu'il fustige parfois en privé. « Si on s'est vu refuser cinq demandes, comment pense-t-on qu'on pourrait en passer vingt ? »

Léon Dion — toujours lui — vient à la rescousse en proposant à la commission de donner une dernière chance au Canada, tout en lui mettant « le couperet sur la gorge ». En négociant la réforme d'abord, mais en menaçant de faire l'indépendance en cas d'échec. Ce témoignage, s'empresse de dire Rémillard, est « un message de raison, de sagesse » qui a « marqué » les travaux de la commission.

Interrogé sur la forme que pourrait prendre le « couperet », c'est-à-dire la question référendaire, aucune structure confédérale, aucune « question de Bruxelles », ni d'ailleurs, ne vient spontanément à l'esprit du ministre qui suggère ceci : « Il faudrait demander : “ Est-ce que vous êtes d'accord avec l'indépendance du Québec ? ” C'est une possibilité. »

Incollable sur la Constitution, il lui arrive de déraper sur l'économie. Tentant de calculer de combien le Québec s'endetterait en se retirant du Canada, il ajoute à la dette de 100 milliards — plutôt que de les soustraire de la dette — les 30 milliards d'actif. Cas rarissime, le coprésident de la commission et ex-banquier, Michel Bélanger, intervient : « Je veux vous sauver du temps en disant que ce n'est pas plus, c'est moins. » Hilarité des commissaires. Ce n'est pas tous les jours que Rémillard donne à rigoler.

Reste que son rôle à la commission est doublement controversé. D'abord, à l'automne 1990, la maladie de Bourassa crée un vide politique que le ministre doit combler sur le front constitutionnel. Des députés se plaignent de sa trop grande gentillesse envers les souverainistes. « On veut savoir pourquoi certaines questions ne sont pas posées à cette commission », demande un libéral fédéraliste. Et on rapporte que Ghislain Dufour, président du Conseil du patronat, trouve que Rémillard fait la part un peu belle aux anti-fédéralistes.

Le Parti libéral, qui n'a plus de programme constitutionnel, ne peut se montrer intransigeant au moment où, dans les sondages, le mot « fédéralisme » est tabou. À la commission, « Rémillard tient les deux discours à la fois et c'est un peu son rôle », résume un stratège libéral.

Ce numéro d'équilibriste, il le fait sous les projecteurs de la commission, mais aussi dans des salles moins bien éclairées. Devant ses militants de la circonscription électorale de Jean-Talon, par exemple, un soir de janvier 1991. Faisant référence aux sondages qui portent la souveraineté à de nouveaux sommets, il annonce d'abord avec fougue : « Les Québécois nous envoient un message clair : après trente ans de débat, il est temps qu'on décide ! » Mais, repoussant fermement le pendule de l'autre côté, il ajoute : « Il ne faut surtout pas brusquer les choses, et il faut étudier les conséquences. » Bref, il est urgent de ne rien précipiter !

« Gil était coincé, commente son ami et épisodique conseiller en communications, Alain Guilbert. Normalement, Bourassa occupait le centre et la droite, et Gil occupait le centre et la gauche. Mais en l'absence de Bourassa, Gil s'est retrouvé tout seul à occuper tout le terrain. Il a dû faire le grand slalom. »

Le ministre est aussi accusé par plusieurs députés de préparer une course au leadership. De fait, il accepte plus volontiers les invitations des associations locales. Et il embauche dans son cabinet Lise Saint-Martin-Tremblay, qui a de l'expérience dans les relations fédérales-provinciales, sans compter celle qu'elle a acquise dans la gestion de la course au leadership — infructueuse — de Paul Martin fils au Québec.

Toutes ces apparitions en public et toute cette controverse finissent par lui peser. « J'ai beaucoup de misère en ce moment, confie-t-il alors à un proche. Je fais beaucoup de télévision à cause de tout ce qui se passe et ça ne fait pas l'affaire de tout le monde. Je me sens très seul, à cause de l'absence de M. Bourassa, et je suis obligé de prendre des responsabilités qui sont très, très graves. »

Serait-ce ce qui explique son silence sur le rapport du comité Allaire dont sa chef de cabinet, Suzanne Levesque, est pourtant l'une des membres ? Considérant le document comme « une maison dont on peut bouger les murs », Rémillard rejette notamment la recommandation du rapport quant à la préséance, au Québec, de la charte québécoise des droits sur la charte canadienne.

Rétabli, Bourassa imprime aux travaux de la commission Bélanger-Campeau un premier virage qui coince Rémillard au passage. Les « non-alignés » souverainistes — Lucien Bouchard, Jacques Proulx de l'UPA, Claude Béland de Desjardins, les leaders syndicaux, tel Gérald Larose — réclament un référendum sur la souveraineté en 1991. Bourassa refuse. Puis propose un troc : si les non-alignés consentent à reporter le référendum à 1992, Bourassa acceptera le référendum sur la souveraineté. Il est même prêt à s'y engager par une loi. Il demande simplement que soit aussi formée une commission parlementaire chargée d'étudier la qualité des offres fédérales.

Excellent ! Les non-alignés embarquent, offusqués d'entendre les péquistes parler de piège. Mais Rémillard leur explique à huis clos que ce référendum sur la souveraineté, le gouvernement ne s'engage pas à le « tenir ». Il ne s'engage qu'à le « promettre », le « prévoir », et le « préparer ». À sa convenance, si les offres fédérales sont bonnes, il changera de cap, quitte à en payer le prix politique.

Gérald Larose a quatre mots pour décrire cette intervention du ministre : « duplicité, malhonnêteté, perversion et tricherie ». « C'est du théâtre », dit Rivest, qui a assisté aux palabres. Il affirme que plusieurs non-alignés n'ont rien appris de neuf quand Rémillard a précisé ce qui était jusqu'alors de l'ordre du non-dit, de l'implicite.

Un autre que Rémillard aurait-il mieux fait passer la pilule ? Certains, au Parti libéral, le croient. « Quand on lui donne le ballon, on ne sait jamais comment ça va rebondir, commente perfidement un stratège. Il contrôle mal le volume. »

Ces étapes franchies, Bourassa entreprend sa diplomatie au téléphone avec ses homologues canadiens. Et comme le premier ministre a l'habitude d'être discret sur le contenu de ses conversations, Rémillard se retrouve parfois complètement dans le noir sur le cheminement du dossier. Il lui arrive de s'en plaindre. « Est-ce que quelqu'un parle au fédéral ? » demande le ministre délégué aux Affaires intergouvernementales canadiennes.

Lorsque arrive la première mouture des « offres fédérales » en septembre 1991, Rémillard tente tout de suite de les déclarer « inacceptables », mais Bourassa refuse de mettre dès l'amorce le processus en péril. Fin novembre, quand Ottawa commence à jongler avec l'idée d'un référendum pancanadien, Rémillard, argumentant publiquement et aigrement avec Benoît Bouchard, conteste la légitimité d'un vote fédéral en territoire québécois.

Au cours de cet épisode, et des suivants, Gil Rémillard devient « monsieur Mauvaise Humeur ». Il tente de contribuer au débat sur la réforme du Sénat, poussant tantôt l'idée d'abolir purement et simplement la Chambre haute, tantôt la théorie des « sénateurs gonflables » — à qui l'on donnerait ou retirerait des droits de vote au gré des sujets à l'ordre du jour. Mais il se fait surtout le tenant de la ligne dure. À l'accord du 7 juillet 1992, concocté par les provinces anglophones et les autochtones, Rémillard et ses adjoints ripostent en assénant au ministre fédéral responsable Joe Clark les trois réponses du Québec : le Sénat égal, c'est « non » ; le pouvoir autochtone défini par des juges, c'est « non » ; le pouvoir de dépenser du fédéral, c'est « à tronquer ». La proposition rappelle, par son audace, celle que Rémillard avait avancée pendant les préliminaires de Meech. Clark réplique que les demandes québécoises sont irréalistes. « Je pensais que le Québec comprenait qu'il n'y avait aucune chance que ces propositions suscitent l'adhésion », dit le ministre fédéral, surpris de voir Rémillard les défendre de nouveau pendant le dernier round.

Lorsque les négociations finales s'ouvrent à Ottawa le 18 août 1992, Mulroney fait en sorte d'écarter le plus souvent possible des débats les ministres et les conseillers provinciaux. Notamment Gil Rémillard, considéré comme « arrogant ». Le mercredi, Bourassa finit par accepter, avec des aménagements, le Sénat égal, naguère honni. Le deuxième jour, il accepte l'essentiel des revendications autochtones que Rémillard venait, quelques heures auparavant, de déclarer « inacceptables ». (Le ministre avait tenté d'intervenir auprès de Bob Rae, qui concoctait un texte de compromis. « Ah non ! Robert, s'était offusqué Rae. Ton ministre nous arrive toujours à la dernière minute avec de nouveaux textes ! » Rémillard fut invité à décamper.)

On cède du terrain sur le Sénat, on cède du terrain face aux autochtones : les compromis québécois commencent à faire grincer les éditorialistes. Le vendredi, au petit matin, Rémillard rejoint chez elle Lise Bissonnette. « Écoute, Gil, astu ton ticket de retour à l'université Laval ? T'es en congé sans solde ? » demande-t-elle. Le ministre répondant par l'affirmative, elle enchaîne : « À ta place, j'y penserais, ça commence à regarder mal ! »

Quand il se présente dans la salle, Gil est prêt pour la grande scène du troisième acte. Bourassa présente la position québécoise ; Rémillard le seconde et réclame plusieurs nouveaux pouvoirs pour le Québec. Du côté provincial, le Manitobain Gary Filmon et l'Ontarien Bob Rae font le blocus. « Ce n'est pas l'intervention la plus brillante de ta carrière ! » dit à Rémillard un négociateur fédéral. À la tombée du jour, il ne reste de sa charge que quelques poussières. (Quatre jours plus tard à Ottawa, les principaux négociateurs fédéraux diront dans un *briefing* que Québec n'a rien gagné de substantiel sur les pouvoirs.)

Ce vendredi-là, Gil Rémillard a-t-il vraiment menacé de quitter les lieux, de démissionner ? La rumeur en a circulé le jour même, et elle court depuis. Une version veut qu'il ait achoppé sur un point précis. « Si on n'obtient même pas ça, je pars », aurait-il dit. Selon une autre version, c'aurait été sur le déroulement général de la journée, et le refus global opposé par les autres provinces aux demandes québécoises. Une chose est certaine : il a déclaré à quelques amis avoir brandi la menace. (« Maintenant que l'Accord a été rejeté par les Québécois, commente l'un d'eux, ce n'est pas glorieux de dire qu'il a seulement *failli* démissionner. »)

Est-ce vrai ? Le ministre n'a pas bronché lorsque Bourassa, le soir même, a démenti la rumeur de démission. Jean-Claude Rivest, membre de la petite délégation québécoise, est formel : « Gil n'a jamais menacé de démissionner. J'étais là tout le temps. Il trouvait l'Accord un peu court sur tel ou tel point, mais c'est tout. » À un membre d'une autre délégation, Rémillard a affirmé : « Nous sommes arrivés trop tard. » Les négociations étaient tellement avancées entre les autres partenaires qu'il devenait presque impossible pour le Québec de tout bousculer en sa faveur, une fois le travail accompli.

Quoi qu'il en soit, Gil Rémillard avait, à ce tournant, le pouvoir d'étouffer l'Accord. Lui parti, l'Accord devenait politiquement invendable. A-t-il calculé, dans le feu de l'action, que partir avec fracas (ou sans, d'ailleurs) l'aurait condamné à un long exil politique ? Aurait bloqué ses chances, à court terme, de briguer la direction de son parti ? Ou s'est-il plus simplement rangé à l'opinion de Robert

Bourassa qui lui a dit, ce soir-là : « Tu devais te douter qu'on en perdrait quelques-unes » ?

À l'issue de Charlottetown, Rémillard n'est cependant plus « Monsieur Mauvaise Humeur ». Une semaine après sa quasi-démission, et après avoir un peu mieux serré les boulons juridiques sur les dispositions les plus inquiétantes de l'Accord, Rémillard revient à Québec ragaillardi. « Ils vont réussir à le vendre [cet accord], commente Tremblay ce soir-là. Le ministre est *parti*. C'est un communicateur. Puis là, écoute : ça va être bon, positif, demain. »

« Demain », c'est le jour du congrès libéral à Québec. L'affrontement attendu entre la ligne fédéraliste d'une part, les allairistes et les jeunes de Mario Dumont de l'autre. Dans son discours d'ouverture, un Robert Bourassa fougueux remercie Rémillard, son « vieux compagnon de route dans ce dossier depuis six ans ».

Le texte même de l'entente n'est pas distribué aux militants. Mais la présentation audiovisuelle de Gil Rémillard, d'un enthousiasme « mur à mur », lui vaut de chauds applaudissements. Il met tout le poids de la crédibilité de ses convictions nationalistes dans la balance de Charlottetown. À ses côtés, sur l'estrade, André Tremblay ne bronche pas.

La certitude qu'affiche Gil Rémillard dans ce discours est plutôt louche, lorsque scrutée à la loupe qu'il offrira lui-même, en fin de campagne, à l'occasion de la publication dans *L'actualité* de documents rédigés par ses experts sur les dangers de l'Accord. Ces notes internes affirment, entre autres, que « l'intégrité du territoire du Québec pourrait malgré tout être menacée » par le volet autochtone ; que les ententes relatives au partage des pouvoirs sont tout au plus « facultatives et temporaires » ; que le veto obtenu « n'équivaut pas juridiquement » à celui de Meech ; etc.

En conférence de presse, le lendemain de la publication de ces documents, le ministre les authentifie en indiquant que « la très grande majorité des commentaires qui sont faits dans ces notes qui sont rendues publiques ont été pris en considération et [qu'on] les retrouve dans les textes juridiques » négociés dans l'intervalle. Deux semaines plus tard, dans un long communiqué où il décrit l'article du bimensuel comme « erroné, incomplet et trompeur », il enfonce le clou : « Seuls les textes juridiques auraient permis d'apporter l'éclairage complet auquel la population était en droit de s'attendre. »

Des questions s'imposent. Si les textes juridiques ont effectivement colmaté toutes les brèches identifiées par ses conseillers au lendemain de Charlottetown, comment Rémillard a-t-il pu, au congrès libéral du 29 août, et jusqu'à la rédaction définitive des textes juridiques le 9 octobre, défendre avec autant d'aplomb un accord dont il connaissait les graves périls ? Qui plus est, s'il y a un tel écart entre l'entente conclue entre les premiers ministres et les textes juridiques, pourquoi Rémillard affirme-t-il, au moment de rendre publics ces fameux documents, qu'ils « reflètent et la lettre et l'esprit de l'entente de Charlottetown » ? N'aurait-il pas dû dire, au contraire, qu'il s'agit d'un texte nouveau et considérablement amélioré ? Qu'on l'a, en somme, échappé belle ?

Il faut faire la part de la politique, de la solidarité ministérielle, de la loyauté au chef et de l'ambition personnelle à long terme dans les contorsions référendaires du ministre Rémillard. Et lui reconnaître qu'il a évité le dérapage auquel un autre s'est laissé aller en prétendant, dans un accès de lyrisme, que les documents cités dans le magazine étaient « des faux ».

Malheureusement pour Rémillard, tous ces escamotages ont éclipsé le mérite qui lui revient à un autre niveau : si, entre Charlottetown et la publication des textes juridiques, il n'y a pas eu révolution sur le fond, il y a eu réforme sur plusieurs aspects importants. En dirigeant et en soutenant les deux négociateurs québécois, son sous-ministre Jacques Chamberland et le secrétaire général du gouvernement Benoît Morin, le ministre Rémillard a réussi à presser notablement, en faveur du Québec, le citron de Charlottetown.

Il n'a pu changer l'Accord, ni la balance des profits et pertes. Impossible d'introduire ses audacieuses propositions des préliminaires de Meech, ou celles qu'il exprimait au *Devoir* en septembre 1990. Mais si l'Accord de Charlottetown est devenu un peu plus présentable, si certains « engagements de négocier » du fédéral se sont mués en obligation de résultat, si certaines étincelles dangereuses pour l'intégrité du territoire ont été éteintes, c'est parce que la présence du « mauvais flic » a joué dans les pourparlers des experts, avec d'autant plus d'efficacité qu'Ottawa savait l'électorat québécois peu impressionné par la première mouture.

Fier d'avoir ainsi balisé le texte de Charlottetown, Rémillard s'est mis à défendre pied à pied, en privé, ce qui était devenu *son* accord. « Le degré d'intensité n'était pas le même que lorsqu'il défendait Meech », note un observateur, le juriste Denis Nadeau. Il y avait intensité quand même. Un jour, il fait venir Lise Bissonnette à son appartement de l'Île-des-Sœurs et, armé de serviettes pleines de documents, se fait fort de lui prouver que l'Accord est une bonne affaire pour les Québécois. À celle qui a donné une assise intellectuelle au rejet de Charlottetown en fustigeant la nature frileuse, défensive et conservatrice des gains du Québec, Rémillard cite articles et alinéas, démontre la qualité technique des verrous qui horripilent tant son interlocutrice. « Il donnait l'impression d'être convaincu, rapporte un autre sceptique qui a eu droit au traitement Rémillard. Jusqu'à preuve du contraire, il faut croire qu'il l'était. »

Il est par conséquent particulièrement désolant d'entendre le ministre — entré en politique pour « achever » l'œuvre que représentait la Constitution de 1982, puis resté, après l'échec de Meech, pour créer une nouvelle association — déclarer en novembre 1992 qu'il ne veut plus s'occuper du dossier constitutionnel. À quoi bon ? dit-il, le développement du Québec ne tient pas à la réforme de sa loi fondamentale. « Jean Lesage a fait toute sa révolution tranquille sans un seul amendement constitutionnel », ajoute-t-il, comme pour proclamer la futilité, l'inutilité, des sept dernières années de son propre combat politique.

Où va Gil Rémillard ? Au moment d'entrer en politique, en 1985, Rémillard avait annoncé qu'il ne quittait l'université que pour « deux mandats », « le temps de refaire le pouvoir politique que le Québec a perdu et de redonner aux jeunes la fierté d'être québécois ». Après l'élection de 1989 et l'échec de Meech, cependant, il n'a plus manifesté la moindre velléité d'abandonner la politique. Bien au contraire. Des militants ont remarqué depuis que, lors des campagnes de financement du parti, il insiste toujours pour rencontrer la direction locale en tête à tête avant de prononcer en public son petit discours. Son état d'esprit ayant encore changé après l'échec de Charlottetown, on l'a entendu s'interroger sur son retour à la vie universitaire. C'était, bien sûr, avant la rechute de Robert Bourassa.

« Je suis en train de faire une réforme constitutionnelle ; je suis en train de faire une réforme du Code civil ; qu'est-ce que je peux demander de mieux ? » disait-il il y a deux ans. Le fauteuil du premier ministre, peut-être. En décembre 1991, des députés libéraux le disaient déjà en campagne, et on pouvait entendre Claude Ryan lâcher en privé à son propos : « Il y en a qui sont pressés. » Des amis, comme Léon Dion et Solange Chaput-Rolland, disent combien Gil Rémillard est reconnaissant et loyal envers Robert Bourassa. Mais si le chef actuel du parti tire sa révérence, la sénatrice ne doute pas un instant de la réaction de son jeune ami. Il a, dit-elle, « des ambitions politiques plus grandes » que de demeurer au poste qu'il occupe en ce moment.

Si c'est le cas, il aura du pain sur la planche. « Le sentiment généralisé chez les vieux de la vieille, ceux qui sont militants de longue date au Parti libéral du Québec, c'est qu'il n'a aucune assise, aucune emprise sur les associations de comté et les gens qui traditionnellement ont une influence dans le choix des délégués à une course au leadership », rapporte un ancien ministre. Sa mise en candidature ne serait pas chose simple, Marc-Yvan Côté, organisateur libéral pour l'est du Québec, n'ayant « pas d'atomes crochus » avec Rémillard, affirme avec diplomatie un organisateur de Jean-Talon.

Aujourd'hui, sa cote est assez bonne dans l'opinion publique, et pas si mauvaise chez les militants. On lui connaît cependant peu d'appuis solides parmi les députés. « Il m'a dit récemment qu'il avait le caucus derrière lui, rapportait un initié au début de 1993. Il sentait peut-être les pointes des couteaux ! »

Si Rémillard décide de faire campagne contre un Daniel Johnson bien branché à Montréal et dans le milieu des affaires et contre une Lise Bacon soutenue par une partie de l'organisation traditionnelle du parti, il faudra bien sûr qu'il trouve l'argent nécessaire. Celui qui est appelé sans préavis à se lancer dans la course au leadership du parti gouvernemental a besoin d'un coffre d'autant mieux garni que ses racines partisanes sont faibles. Aussi Rémillard soigne-t-il ses relations avec deux mécènes potentiels : le président de Quebecor, Pierre Péladeau, qui, en tant que président de l'Orchestre métropolitain, est aussi le patron de Mme Dupont-Rémillard, directrice générale ; et Paul Desmarais, de Power Corporation, qui partage parfois la table du ministre, ou le rencontre à l'occasion durant l'été, l'un logeant à La Malbaie, l'autre à Baie-Saint-Paul. (Desmarais est aussi l'ancien employeur de Daniel Johnson. Ce ne serait cependant pas la première fois que Desmarais mise sur deux chevaux en même temps.) Dans le milieu des affaires, Rémillard peut aussi compter sur l'appui de son partenaire de tennis Claude Beauchamp, avec lequel il a concocté la fameuse formule des « sénateurs gonflables ». À moins que Beauchamp ne convoite lui-même la direction du parti.

Ira ? Ira pas ? Plusieurs de ses anciennes relations, notamment parmi les professeurs de droit, ont perçu chez lui une volonté de se hisser à un très haut dégré. « J'avais l'impression qu'il voulait devenir secrétaire général des Nations unies », affirme son collègue de faculté Henri Brun. Mais l'ambition de Rémillard a une méchante compagne de route, expliquent-ils : la prétention. « Il fait penser à un paon, à quelqu'un qui s'aime et s'admire », dit Daniel Proulx, de l'Université d'Ottawa. L'image que projette Gil Rémillard, celle de l'aristocrate un peu snob, est sans doute à l'origine de ces jugements sévères. « Il se trouve de son goût », résume le péquiste Jean Garon, ancien collègue de faculté de Rémillard à Laval. D'autres, comme Gilles Carle, voient au contraire derrière le masque un homme « un peu timide, de ce type de timidité qui pousse à aller très loin ». « Souvent, dit Chaput-Rolland, les hommes timides prennent des allures altières. C'est un peu le cas de Gil. »

Altier. Un de ses voisins de Baie-Saint-Paul parle de « grand seigneur ». Un de ses amis journalistes du temps de ses études à Ottawa dit du ministre qu'il « marche en haut du pavé ». « C'est un grand coquet », ajoute une universitaire qui l'aime bien. « On a l'air qu'on a », rétorque Rémillard résigné, qui impute sa nature introvertie à cette enfance vécue dans l'hôtel familial, où il « était habitué à vivre avec 50 personnes ». « Ma mère expliquait toujours : " Criez pas, il y a des clients ; pleurez pas, il y a des clients. " » Ces mises en garde peuvent mener à une constante réserve.

Dans la circonscription électorale de Jean-Talon, quand les organisateurs libéraux ont vu arriver cet intellectuel « le nez en l'air », disaient-ils, ils lui ont infligé un traitement de choc : frapper à 5 000 portes, apprendre l'humilité au contact des électeurs. En bon politicien, Rémillard explique : « ce porte-à-porte a été une des plus belles expériences de ma vie » (! ?) Ledit intellectuel a néanmoins protesté que cela faisait un peu beaucoup. Son organisateur Serge Vermette l'a informé d'un sondage qui le plaçait nez à nez avec son adversaire péquiste. « Ça l'a motivé », raconte Vermette qui, avec l'organisateur Pierre Bibeau, avait inventé cette histoire pour piquer son poulain. Rémillard avait été tellement traumatisé par la nouvelle, raconte un ami, que s'il voyait quelqu'un passer devant chez lui, il sortait vite lui serrer la main dans l'espoir d'en faire un électeur de plus.

Aujourd'hui encore, Vermette lui fait parfois « caller » des danses carrées lors de parties de sucres. Au cours d'une soirée organisée dans sa circonscription, apprenant qu'une vieille militante fêtait son anniversaire, Rémillard a même lancé : « Vous allez faire chanter un ministre », avant d'entonner le traditionnel « Bon anniversaire » (au Parti libéral, on ne chante pas « C'est à ton tour »).

Quand on l'a vu travailler pendant une demi-journée avec ses conseillers et ses fonctionnaires, quand on l'a entendu se raconter à minuit, sans cravate, le pied sur une chaise, on cherche vainement en Gil Rémillard le personnage cassant et intraitable que décrivent certains. Vaniteux, certes. Son carnet d'adresses a beau déborder de noms célèbres, il a beau recevoir en moins d'une heure, et en présence de l'auteur, un appel de David Peterson, ex-premier ministre ontarien, et de Robert Badinter, ex-ministre socialiste (sans compter un appel de son fils unique, Nicolas, lui annonçant qu'il vient de manifester contre la guerre du Golfe, ce à quoi le ministre, embarrassé, ne sait pas exactement que répondre), Rémillard en rajoute gratuitement et dit « bien connaître » certains individus qui, eux affirmeront ne pas se souvenir de l'avoir jamais rencontré. Il lui arrive aussi de gonfler ses états de service, ce qui est pourtant inutile quand on a un passé comme le sien.

Parfois, au lieu d'expliquer, il pontifie. Ce qui lui a valu cette remarque d'un ministre francophone d'une autre province : « On en a, nous autres aussi, des livres ! » Il ne semble sincèrement pas se rendre compte du problème. Quand Jean Garon, a insisté, un jour, à l'Assemblée pour s'adresser à lui en tant que « ministre paon-canadien », Rémillard n'a pas saisi le gag. « Pourquoi il répétait toujours " pancanadien " ? a-t-il demandé à la sortie à Jean-Claude Rivest. — Penses-y une seconde, Gil ! *Paon*-canadien. Pas " pan ", *Paon* ! »

La vanité, la mise en scène, l'emportent parfois chez lui sur l'intelligence. Comment expliquer autrement l'empressement du ministre, après qu'il eut salué son interviewer comme un « journaliste méticuleux », à lui raconter deux ou trois bobards dont il est aisé de vérifier l'inexactitude ?

Ce sont ces petits riens, inutiles et agaçants, qui lui donnent un air surfait, lui qui est pourtant, intellectuellement, assez bien fait. « Dans le monde politique, Rémillard a quand même plus de profondeur que la moyenne. » L'hommage vient de la péquiste Louise Harel qui, en tant que critique de

Rémillard dans les dossiers de la Justice, ne lui fait généralement pas de cadeau. L'observation n'en a que plus de poids. Pour Solange Chaput-Rolland : « Gil Rémillard est un des hommes les plus intelligents que je connaisse. » On a entendu ailleurs la même remarque. Ainsi Renée Joyal, spécialiste reconnue du droit familial et du droit du sport, dont l'itinéraire a parfois croisé celui de Rémillard, en dit elle aussi le plus grand bien. Et il y aura toujours son principal legs : le Code civil.

C'est ce décalage entre la valeur — réelle — du ministre et l'enflure qui semble toujours l'accompagner qui avait poussé l'auteur à intituler « L'homme qui se prend pour Gil Rémillard » le portrait publié dans *L'actualité* en mai 1991. Gilles/Guil/Gil ne semble encore tout à fait à l'aise dans sa peau : la coïncidence n'est pas parfaite entre l'homme et l'image qu'il se fait de lui-même. Entre le « gamin » de Baie-Saint-Paul et le « futur secrétaire général de l'ONU », la marche est tellement haute, l'ambition tellement grande, que l'ajustement se fait encore attendre. Ses travers lui seraient facilement pardonnés en France, où chaque dignitaire cultive sa propre légende. Au Québec, on prend ces affectations pour du snobisme. Un défaut que les Québécois détestent entre tous, et dont ils n'ont absous qu'un politicien, pour des raisons que les psycho-historiens devront percer un jour : Pierre Elliott Trudeau.

Trudeau est aussi l'homme du mépris et de l'arrogance. Rien de tel chez Rémillard. Il blague volontiers avec ses collaborateurs et est d'une courtoisie sans faille avec son personnel (un autre héritage de l'hôtel familial, selon Chaput-Rolland). On lui voit même à l'occasion un sourire gamin, amusé, presque gêné. Selon Lise Bissonnette, il arrive encore à Rémillard « d'être émerveillé d'être là, au pouvoir, lui, simple prof d'université ». La remarque est presque identique à celle déjà évoquée de Gilles Carle, sur Rémillard-le-producteur. On touche probablement ici une des clés du personnage qui, vu de près, se révèle assez sympathique.

L'article du magazine a ébranlé le ministre. Il a été particulièrement sonné par les commentaires négatifs de constitutionnalistes et d'anciens collègues d'université, dont certains sont reproduits ici. (« Il ne s'attendait vraiment pas à ça, commente un ami. Cette caricature ! [Serge Chapleau l'avait représenté en paon] Ce titre ! ») Lorsque le péquiste Jacques Brassard cite l'article à l'Assemblée, proposant à la blague d'en reproduire le texte dans le Journal des débats, Rémillard, très digne, rétorque : « Je crois à la liberté de la presse, monsieur le président [de l'Assemblée], et je crois à l'intelligence des lecteurs qui sont capables de faire la distinction entre un portrait et des règlements de comptes. [...] On ne peut pas plaire à tout le monde et même à ses anciens collègues. Qu'est-ce que vous voulez ? »

Ne sachant trop s'il doit réagir publiquement avec plus d'éclat, il demande conseil à Bourassa, qui lui suggère de laisser le temps faire son œuvre.

« L'article a été salutaire, pense un membre de l'opposition qui l'a beaucoup observé. J'ai eu le sentiment que ça l'avait forcé à se ressaisir et à penser à autre chose qu'à son image. Parlons clair : il est moins vaniteux qu'il n'était ! » Avant la parution de l'article, « en commission parlementaire, sur l'Accord du lac Meech, il était vraiment pourri, il ne pensait qu'à la façon dont il allait dire les choses, au point qu'il nuisait au message. Après, à la commission parlementaire sur le Code civil, il a été le porteur d'un message fort, il a été vraiment capable de s'oublier pour le message. Ça, je pense qu'il faut le dire. » Rémillard aurait donc changé, grandi, serait devenu plus humble, donc plus efficace.

« J'ai l'impression que Rémillard modèle son comportement sur Bourassa. Il n'est radical en rien, il ne critique jamais personne devant des tiers », confie un ami. Peut-être. Mais Bourassa, même lorsqu'il esquive les questions, lorsqu'il répond à côté ou nie que deux et deux font quatre, a un point fort : il y a chez lui une part de jeu. Certes, le premier ministre prend souvent un air grave, insiste sur sa « responsabilité ». Mais on sent qu'il ne se prend pas, personnellement, trop au sérieux. Voilà un trait de caractère que Rémillard, s'il est vrai qu'il se modèle sur le premier ministre, a encore imparfaitement saisi.

« Gil est plein d'idées, beaucoup plus qu'on ne le croit, affirme son ami André Patry. Mais comme il est sobre, un peu éteint, on le pense moins intelligent qu'il ne l'est. Il ne donne pas l'impression de la densité qui est la sienne. On dirait qu'il tourne à vide. Mais c'est le contraire. Il pense. Il rumine. »

Rémillard encaisse les critiques avec philosophie. « Un de mes livres préférés, dit-il, ce sont les *Fables* de La Fontaine, surtout " Le meunier, son fils et l'âne ". C'est la fable où on dit qu'on ne peut pas plaire à tout le monde et à son père. » Au jeu du leadership, contrairement au jeu constitutionnel, l'unanimité n'est pas requise.

GÉRALD TREMBLAY

Gérald Tremblay en 1990. (©Canapress.)

IV

L'ANTI-SCEPTIQUE DE QUÉBEC

Outremont dort encore du sommeil du nouveau riche. Mais dans sa voiture de fonction, une Chevrolet Caprice grand confort, le député local et ministre, bien réveillé, parle déjà de magnésium, d'hydrogène liquide et des constructeurs de BMW qu'il veut convaincre d'usiner leurs pièces sur les rives du Saint-Laurent. Dès qu'il aborde ces sujets, son visage s'éclaire, ses yeux sourient.

Gérald Tremblay, chouchou de la concertation québécoise, stratège de Québec inc., n'attend pas l'aube pour être heureux. « Il pète le feu », affirme un témoin attentif et objectif, son fils Georges-Étienne, 9 ans, qui ajoute avec étonnement : « il est content de partir travailler ! »

La fenêtre de la salle de conférences du ministère de l'Industrie, du Commerce et de la Technologie, rue Sherbrooke, donne sur un mont Royal à peine discernable. À 6 h 30, en ce matin du 11 février 1992, Tremblay rencontre Williams Symonds, un journaliste de l'hebdomadaire américain *Business Week* qui prépare, explique-t-il, un article sur « Québec Inc. et les coûts de l'indépendance ». Dans l'heure qui suit, Symonds entendra beaucoup parler du premier sujet, pas du tout du deuxième. L'Américain dira trouver le ministre « crédible et énergique ». Autour de la table, Tremblay est le seul qui ne prend pas de café.

Établi à Toronto depuis un an, Symonds est terriblement mal préparé. Les RÉA, la Caisse de dépôt, le Fonds de solidarité ? Connait pas. Dans un anglais fluide, Tremblay prend le contrôle de l'entrevue, qui se transforme, non pas en monologue, mais en dictée. « La paix industrielle au Québec, c'est incroyable, lance-t-il. Nous avons plus de syndiqués qu'ailleurs, mais moins de jours de grève ! Le Conseil du patronat vient d'obtenir des tribunaux le droit de contester la loi anti-briseurs de grève, mais a décidé de s'abstenir [...] les relations sont si bonnes avec les syndicats... » *Incredible ! Incredible !*, martèle le ministre, qui semble vraiment renversé par ce qu'il raconte.

Tremblay a devant lui des copies plastifiées de ses « grappes industrielles », 13 organigrammes multicolores où fournisseurs, producteurs et chercheurs ont chacun leur place dans le concert de la croissance. « *You know*, aux États-Unis, dit l'Américain, l'expression " stratégie industrielle " est considérée comme obscène. » « Oui, riposte Tremblay, c'est vrai pour l'instant et c'est une grave erreur. Mais, au Québec, nous ne posons plus de questions, nous ne cherchons plus de solutions, car nous les avons. Nous avons notre plan d'action. » Tremblay manipule ses grappes plastifiées avec la fierté d'un jeune père tout ébloui devant sa progéniture.

« Quel rôle le gouvernement doit-il jouer ? Je suis certain que vos lecteurs se posent la question », continue Tremblay, professoral, qui fixe d'un regard insistant le carnet du journaliste. Discipliné, Symonds prend la réponse en note. « Voici mon défi : nous avons 12 % de chômage. Si on considère que le plein emploi c'est 7 % de chômage, pour atteindre cet objectif je dois créer 550 000 emplois d'ici l'an 2000. Il y a 175 000 PME au Québec. Tout ce que j'ai à faire, en tant que catalyseur, c'est de m'assurer que chaque entreprise crée trois emplois ! Comment je m'y prends ? Les grappes ! »

Un discours étonnamment triomphaliste, surtout quand on sait que le paysage économique québécois est jonché de Lavalin et de Coopérants tombés de leurs perchoirs corporatifs ; que l'est de Montréal n'arrive pas à cicatriser la fermeture des Shop Angus ; que les usines de pâtes et papiers multiplient les mises à pied ; que Domtar se dote d'un plan de relance qui a des allures de garde à vue ; que la maladie récessionnaire gangrène le meuble et le textile ; et enfin que le GATT menace l'industrie laitière et les leviers économiques du Québec.

Tremblay ne nie pas l'ampleur de la catastrophe. C'est lui qui, en septembre 1991, a cassé le discours béat du gouvernement sur une récession « pas si grave » ou déjà terminée, en déclarant l'économie québécoise « en état d'urgence ». Mais il dit réussir à tirer le plus bel effet du regroupement des entreprises encore bien portantes avec les grippées et les quelques autres malades, dans ces organigrammes autrement plus joyeux que les courbes de chômage. Ils les a montrées, ces cartes plastifiées, aux investisseurs suisses et allemands, à Davos, au début de 1992. « Ils n'en reviennent pas. » Dans les grappes pharmaceutique et aérospatiale, « je vends les meilleures compagnies au monde et la main-d'œuvre la plus qualifiée, travaillant en concertation. Et ça marche ! » Il fait le total des annonces récentes d'investissements (300 millions de dollars), et en prévoit encore bien d'autres. « Quand vous allez à la guerre, vous ne partez pas avec un tire-pois. Vous partez avec un canon. Maintenant, nous avons un canon. »

L'enthousiasme de Tremblay se déverse sur le visiteur avec un débit proche de celui des chutes du Niagara. Symonds tente vainement d'émerger : « Ce n'est pas ce que je lis dans le *Globe and Mail*. N'y a-t-il pas beaucoup d'instabilité, à cause du contexte constitutionnel ? »

« Instabilité ? réplique Tremblay, sur le ton de celui qui entend ce vocable pour la première fois. Demandez à Merck Frosst qui vient d'investir 70 millions au Québec, demandez aux trois compagnies pharmaceutiques qui ont déménagé leurs sièges sociaux de l'Ontario au Québec ces deux dernières années — B-M Squibb, Marion Merrell Dow et Rhône-Poulenc. D'ailleurs, qui vient de sauver, en Ontario, l'avionnerie De Havilland, le fabricant de wagons UTDC, l'usine de pâtes et papiers de Kapuskasing ? »

« *It's Quebec ?* », tente Symonds. « Oui, le Québec, répond Tremblay triomphant. *It's always Quebec !* »

La poudrerie balaie l'autoroute 20. Le trajet vers Québec est plus laborieux qu'à l'accoutumée. Derrière ses grandes lunettes, sous des cheveux blonds à peine grisonnants malgré ses 49 ans, Gérald Tremblay vit, dit-il, le rêve de ses 15 ans.

Son père Georges-Albert, fonctionnaire fédéral, a établi le réseau des libérations conditionnelles au Québec. En l'absence de maisons de transition, il hébergeait chez lui des détenus en fin de sentence. « Il était un peu missionnaire », précise Michel, l'aîné des quatre fils, qui pense que Gérald a hérité de ce trait. Les ex-détenus gardaient François, le petit dernier, et fabriquaient des meubles ; ils faisaient partie de la vie familiale. « Mon père a beaucoup travaillé, mais il n'a jamais eu le pouvoir de réaliser de grandes choses, modifier des lois, changer la justice », explique Tremblay qui se souvient de la tournée des prisons qu'il faisait parfois avec lui. « Ça m'a toujours marqué et je me suis dit que le meilleur endroit pour changer les choses, c'était la politique. »

Son frère Marcel, organisateur politique libéral, confirme. « Gérald a toujours été très, très programmé. C'est pas compliqué, il a toujours dit : premièrement, il deviendrait avocat ; deuxièmement, il irait à Harvard ; troisièmement, il deviendrait millionnaire ou, en tout cas, à l'aise, puis après, il ferait de la politique. »

Mais Tremblay père détestait la politique, une affaire « sale », disait-il, qui causerait beaucoup de chagrin à son fils Gérald jugé « trop sensible ». Cet homme, profondément choqué qu'on lui ait un jour offert un pot-de-vin pour qu'il libère un détenu, a inculqué à son fils « un sens de l'intégrité et de l'honnêteté poussé à l'extrême ». Le ministre retourne à l'envoyeur, aujourd'hui encore, tout cadeau d'une valeur de plus de 35 dollars qui lui est offert et fuit comme la peste toute espèce de conflit d'intérêts. « Si un jour j'entendais dire que Gérald est devenu corrompu en politique, dit un ancien collègue de travail, Michel Gauthier, je ne le croirais pas. Il est comme Elliot Ness. »

De fait, Gérald Tremblay dégage un air de propreté et d'honnêteté qui ne détonnerait pas dans une pub de *Spic and Span*. On est donc surpris d'apprendre qu'il soit devenu à l'adolescence, selon un de ses amis, « un peu *bum* sur les bords ».

« Fondamentalement, moi, je collectionnais des timbres, j'allais à la messe, j'étais enfant de Marie, sauf que je me suis ramassé à un certain âge, j'avais pas d'amis », raconte-t-il. « Alors je suis tombé dans un groupe beaucoup plus actif, qui aimait prendre une bière. » Le futur journaliste Simon Durivage, qui était du groupe, se souvient qu'avec sa carrure de footballeur, Gérald arrivait à mettre fin à des batailles sans coup férir. « On passait les fins de semaine en *party*. Gérald était toujours là, jusqu'à la fin, mais arrivait quand même premier de classe. Une vraie " bol ", » soupire Durivage, un brin d'admiration dans la voix.

Tremblay admet avoir été « un peu bagarreur ». « J'ai bien profité de ma jeunesse, ce qui me permet d'être équilibré aujourd'hui et de ne pas faire à 49 ans ce que j'ai fait à 20 ans. » Un événement tragique détermine toutefois la suite des choses : Louis Rousseau, un orphelin, un gars « à problèmes », dit-il, qu'il avait pris sous son aile, se tue en voiture après une journée bien arrosée entre copains. « Je n'ai pas retouché à une goutte d'alcool ensuite pendant dix ans », raconte Tremblay, qui est redevenu illico un modèle de sagesse.

Après son cours classique chez les Eudistes, il devient « *reporter* » — on dirait aujourd'hui « analyste financier » — chez Dun & Bradstreet. Le boulot consiste à visiter les entreprises pour dresser ensuite leur état de santé. Tremblay a le secteur de « la guenille », rue Saint-Laurent. On lui a même donné la clé des bureaux — « gros privilège », dit-il — pour qu'il vienne dicter ses rapports le matin à 5 h 30 avant de faire sa tournée. *Reporter* émérite, Tremblay devient vendeur, puis, à vingt-trois ans, vendeur étoile.

« Je me suis dit : Je fais quoi, là ? Je travaille dans un

milieu anglophone. Si je veux améliorer mon sort, faut que je retourne aux études. » Pour que ça se passe en français ? demande l'auteur. « Oui, mais aussi pour un jour assumer des responsabilités beaucoup plus importantes. » Harvard, l'université des Kennedy et des Rockefeller, lui semblait être le meilleur tremplin vers le succès.

Tremblay se donne un « plan de quatre ans » pour se mouler dans le « profil » des candidats acceptés à Harvard. Il lui faut exceller en droit, passer son barreau avec de très hautes notes, multiplier les activités parascolaires. « Il voulait tellement... », dit une amie.

À l'Université d'Ottawa, chacun se souvient de son assiduité. « Il s'assoyait toujours toujours au premier rang, au centre », raconte un ex-étudiant, Louis Bertrand. Le professeur Angers Larouche se rappelle qu'en tant que président de la classe, Tremblay était soucieux de « trouver la meilleure façon de motiver les étudiants à faire leur travail ». Le contraire, dit-il, de la loi du moindre effort. « Il nous disait : " Travaille là-dessus, sinon tu vas couler " », rappelle un autre camarade de classe. « On le surnommait " la Mère supérieure ". » Application précoce de la dynamique de ses futures grappes, le jeune Tremblay voulait que tout le monde s'entraide et gagne, mais dans un climat de forte compétition. « Lorsqu'il obtenait sa note, il faisait le tour pour savoir s'il était premier ou non, raconte un des premiers de classe. Il voulait toujours être premier ; sinon, ça l'insultait un peu. C'était enfantin. »

Les versions divergent sur le système de « prise de notes » développé par certains petits malins. Tremblay était, à l'instar de Louis Bertrand, qui rapporte la chose, membre d'un groupe où chacun devait prendre des notes dans le cours où il réussissait le mieux. Les notes étaient ensuite tapées, photocopiées et distribuées à tous les membres, ainsi qu'à deux « acheteurs » extérieurs — étudiants adultes qui ne pouvaient pas toujours assister au cours — pour une somme d'environ 500 dollars. Tous s'entendent pour dire que Tremblay contribuait au système, mais qu'il n'en touchait aucun bénéfice — pas plus d'ailleurs qu'il n'utilisait les notes des autres.

« J'avais les meilleures notes [de cours] dans tous les cours », précise l'intéressé. Surveillant à la bibliothèque, il lisait et résumait sur fiche chacune des décisions de jurisprudence citées aux cours — une pratique exténuante à laquelle la plupart des étudiants en droit ne s'astreignent que pendant la première semaine de leur première année d'études, le temps de mesurer l'énormité de la tâche. La légende veut que les « supernotes » de Tremblay aient été revendues à son insu aux étudiants des années subséquentes.

Tout le monde à l'Université d'Ottawa sait, à l'époque, que cet étudiant modèle n'a qu'une idée en tête : faire sa maîtrise en administration, son M.B.A. à Harvard. Pourquoi un tel entêtement ? lui demande, entre autres personnes, Guy Ferland, un futur associé. « Je vais à Harvard, parce que c'est la différence entre être ministre et être premier ministre », répondait fièrement Tremblay. « Ce n'était pas une boutade, commente Ferland, car Gérald croit en lui, il croit en sa valeur ».

NEUF HEURES. LE TÉLÉPHONE CELLULAIRE SONNE dans la Caprice noire, le présent fait irruption dans le cours des réminiscences. « Bonjour, monsieur Proulx », dit le ministre à Gilles Proulx, animateur de lignes ouvertes à Radio Mutuel. Quelques phrases de politesse, puis, dans toute la fiction du faux direct, l'entrevue téléphonique proprement dite commence : « Bonjour monsieur Proulx », répète le ministre, qui raconte ensuite sa récente moisson d'investissements. « Est-ce que ce ne sont pas des cataplasmes et du patchage ? », demande Proulx, toujours subtil. Tremblay ne mord qu'à moitié à cet hameçon gros comme une ligne ouverte. Sur ses genoux sont étalées des feuilles de papier à en-tête de l'hôtel *Zum Storchen* (de Munich ou de Zurich... il ne se souvient plus très bien) couvertes de notes prises au cours de sa récente tournée européenne. Il y a inscrit une citation de Jim Lightfoot, un des directeurs de la multinationale britannique Dowty qui en 1990 a installé, à Mirabel, une usine de trains d'atterrissage, et créé 500 emplois.

« Notre usine de Montréal est celle où la productivité et la qualité de la main-d'œuvre sont les meilleures parmi toutes nos usines au monde, dit la citation. Tout ce que vous nous avez dit il y a deux ans sur le climat d'investissement et les structures d'accueil dans votre province s'est confirmé. » Ces paroles de Lightfoot, Tremblay les brandira toute la journée, comme un trophée, une récompense pour le travail accompli, une promesse de retombées encore à venir. « On est content d'entendre ça », conclut Proulx, qui passe à un autre appel.

QUAND IL REÇOIT LA LETTRE DE CONFIRMATION DE SON ADMISSION À HARVARD, le jeune Gérald a deux réactions : l'incrédulité et la panique. Car il est sans le sou, ses frais de scolarité à l'Université d'Ottawa ayant déjà absorbé les fruits de son travail d'été chez Dun & Bradstreet. Le cours accéléré de Harvard coûte, tout compris, 25 000 dollars. De la Société Saint-Jean Baptiste il décroche un « prêt d'honneur » de 2000 dollars. Il va voir Guy Langlois, frais émoulu de Harvard qui vient d'être nommé chef de cabinet d'un jeune premier ministre, Robert Bourassa. Langlois sort, on ne sait d'où, 3500 dollars. Manquent encore 19 500 dollars. Il frappe à la porte de Gaston Bertrand, de la Banque Provinciale, et lui fait un numéro de charme tel qu'avec une simple police d'assurance de 1000 dollars comme garantie, la banque lui en prête 6000. Assez pour partir.

Mais Tremblay, tout juriste qu'il est, mesure l'ampleur de son ignorance en économie, en statistiques, en calcul des probabilités. Pendant son stage d'avocat chez Ogilvy Renault, dans les mois qui précèdent son départ pour Harvard, il suit des cours du soir au collège Ahuntsic. Les fins de semaine, il suit des cours télévisés sur la théorie des ensembles.

À Harvard, c'est toute une tribu québécoise qu'il rencontre : Françoise Bertrand, fille du banquier et future présidente de Radio-Québec, y est installée avec Jean-René Halde, futur président de Culinar. Il y a aussi Raymond Bachand, futur conseiller de René Lévesque — avec qui Tremblay, fédéraliste, débattra de l'avenir du Québec dans un cours —, Pierre

Laurin, futur vice-président de Merrill Lynch Canada et quelques autres. Tremblay y retrouve aussi un ancien voisin de Notre-Dame-de-Grâce, Daniel Johnson, fils de l'autre et futur ministre. Des amitiés durables se forgent sur le beau campus de Cambridge.

Une parenthèse s'impose, ici, sur le couple Tremblay-Johnson. On a beaucoup écrit qu'il s'agissait de « vieux amis ». C'est beaucoup dire. En fait, les deux hommes ont fréquenté le même quartier, le même collège, la même *Business School*. Mais ils n'ont jamais été dans la même classe. Ils se sont beaucoup croisés, peu fréquentés. Malgré ce parcours en parallèle, dira Tremblay en 1991 dans un discours empreint d'émotion, lors d'une soirée en l'honneur de Johnson, « on a toujours été là, l'un pour l'autre, quand ça comptait ». De fait, ils se sont mutuellement donné quelques coups de pouce au cours des années. Quelques coups de coude, aussi.

« C'était pas un mythe, la difficulté d'Harvard », raconte Françoise Bertrand. « Gérald travaillait, dit un ami, comme un malade mental ». Jamais de sortie, jamais de cinéma. « Boston ? Je n'y connaissais rien, dit-il. Je savais comment m'y rendre, c'est tout. » Un mois après son arrivée, son épouse, qui s'était trouvé un emploi de secrétaire, tombe gravement malade. Passe de 135 à 68 livres. Hospitalisation, opération, elle frôle la mort. Tout le rêve de Gérald Tremblay risque de s'écrouler. Faut-il retourner à Montréal ? Abandonner les études ? Et il y a les frais d'hospitalisation qui s'additionnent à la scolarité encore impayée. Tremblay, qui se sent coupable d'avoir entraîné sa femme dans cette aventure, est pris de « la peur de ne pas réussir ». En évoquant cet épisode, sur l'autoroute, vingt ans après, il essuie une larme.

« J'ai été absolument renversée, raconte Françoise Bertrand, de voir pendant plusieurs mois Gérald se lever à 5 heures le matin, étudier, aller à ses cours, aller voir sa femme en fin d'après-midi, revenir à la maison travailler, venir souper chez nous, retourner à l'hôpital voir sa femme, retravailler jusqu'à deux heures du matin. Il ne dormait que trois ou quatre heures par nuit. » Une force de caractère, une persévérance dans l'adversité qui cohabitaient, ajoute-t-elle, « avec son côté petit garçon, car il lui fallait chaque soir son *sundae* ».

Tremblay va voir la direction de la Harvard Business School, expose son problème, déploie ses talents de plaideur. Il ressort — « Incroyable !, Incroyable ! », répète-t-il aujourd'hui — avec un prêt de 18 000 dollars. À la fin de l'année, après cette dure épreuve, il décroche la *First year honors*, mention attribuée aux étudiants de première année (classés dans les 15 % du groupe) qui ont obtenu les meilleures notes. Il répète l'exploit la seconde année en décrochant, cette fois, 11 mentions d'excellence sur 12.

On lui offre des emplois rémunérateurs à New York, mais il veut revenir chez lui. « J'avais une dette morale envers le Québec », explique-t-il. Une dette financière aussi, car il doit maintenant à la banque, de même qu'à Harvard, à l'hôpital et à la SSJB la somme totale de 25 000 dollars (de 1972). À la Caisse de dépôt, on lui offre un salaire annuel de 13 000 dollars qu'il refuse, le jugeant insuffisant. (« Quatorze ans plus tard, je me suis retrouvé au Conseil d'administration de la Caisse, dit-il. Je trouve ça drôle ! ») Chez Dun & Bradstreet, où il pensait gravir les échelons, rien d'intéressant ne se présente. À Québec, le ministre... de l'Industrie et du Commerce, Guy Saint-Pierre, lui offre un emploi à son cabinet. Mais Tremblay tient à rester à Montréal, où il se démène sur trois fronts à la fois : il conçoit un ensemble de services multidisciplinaires pour gens d'affaires, il reprend et agrandit une auberge à Sainte-Adèle et il se fait gérant d'athlètes professionnels.

« J'avais peur des gérants, j'avais toujours refusé d'en embaucher », raconte Yvon Duhamel, champion de courses de motocyclettes et de motoneiges dans les années 70. Quand Tremblay, qui l'aborde par hasard dans le couloir d'un cabinet d'avocats, vient lui « vendre sa salade », il décline l'offre. Mais Tremblay insiste, et lui dit « je peux te faire faire des millions ». À la troisième offensive, Duhamel flanche, mais en prenant soin d'informer son nouveau gérant qu'il ne toucherait une commission que sur les affaires à venir. « J'ai pas fait des millions, mais je dois dire que quand il négociait des contrats de commandite, comme avec Kawasaki en Californie, quand il donnait les chiffres, moi, j'étais gêné. » Aux représentants du constructeur de motos, qui voulaient faire de Duhamel leur porte-étendard, Tremblay demande 200 000 dollars pour un contrat de deux ans, en 1973-1974. « Les Japonais sont pratiquement tombés par terre. Il a fallu aller chercher des aspirines pour les remettre sur pied ! », raconte Duhamel, qui parle probablement au figuré. Tremblay obtient finalement 180 000 dollars. « Moi, j'aurais signé pour 40 000 », dit son client, ravi.

La golfeuse Jocelyne Bourassa et le joueur de hockey Gilbert Perreault sont les deux autres poulains de Tremblay, qui dit aimer représenter « le meilleur athlète québécois dans chaque secteur ». Il gère aussi au Canada les intérêts de Jack Nicklaus et de Gary Player. « J'aurais pu être très riche, raconte Tremblay, j'avais juste à dire oui à Gilles Villeneuve. Mais Yvon Duhamel était mon client, et je ne voulais pas de conflit d'intérêts. »

Le même souci aura raison de la seconde initiative de Tremblay, le cabinet Polyservices, équipe multidisciplinaire (avocat, notaire, assureur et planificateur) censée offrir à sa clientèle des services souples et diversifiés. Mais rapidement, le notaire insiste pour établir des actes, l'avocat pour arbitrer des litiges, l'assureur pour vendre des polices. La symbiose devient cacophonie et le client pigeon. « Gérald croyait beaucoup à son concept », raconte Guy Ferland, pendant un certain temps membre du cabinet d'avocats Tremblay-Ferland, « mais Gérald était un puriste, ajoute-t-il, il voyait que ça créait un conflit d'intérêts ». Tremblay dissout donc le partenariat pour concentrer son énergie sur ses athlètes, et sur une acquisition risquée : l'Auberge champêtre de Sainte-Adèle.

Il décide d'agrandir l'auberge et dirige lui-même les opérations, marteau en main, arrivant de Montréal le soir, couchant parfois dans sa voiture. Son premier mariage ne survivra pas à cette dure période. « C'est ma faute, explique-t-il sans qu'on pose la question, je n'étais pas là. » Considérant la durée sur laquelle s'est étalé cet investissement (1974-1985), l'entrepreneur Tremblay n'a pas accusé de perte, mais l'opération n'a pas été le Klondike attendu. Curieux, tout de même, qu'un diplômé de Harvard se lance dans un secteur aussi imprévisible que l'hôtellerie. « Ça m'a permis de connaître la valeur de l'argent », commente-t-il. « Je n'ai jamais été un bon conseiller pour mes propres affaires. » Les terrains acquis conjointement avec Yvon Duhamel à Sainte-Adèle, puis revendus en 1988, ont cependant été une bonne affaire.

Ayant réussi à rembourser en deux ans les emprunts contractés pour ses études à Harvard, il ajoute pendant quatre ans à son horaire de travail des charges de cours à l'École des hautes études commerciales. C'est, explique-t-il avec son indéniable sincérité de *boy-scout,* sa façon à lui de rendre au Québec le don de 3500 dollars que lui avait consenti le gouvernement Bourassa.

MALGRÉ SES PROBLÈMES DE DÉMARRAGE, Gérald Tremblay, alors âgé de 33 ans, garde toujours en tête son ultime objectif. Son ami français Jean-Michel Schoeller, un proche de Jacques Chirac que Tremblay a rencontré sur le circuit de course professionnelle de Daytona, se souvient d'une visite à Paris, en 1976, et d'une soirée bien arrosée suivie d'une virée en voiture autour de la place de l'Étoile et sur les Champs-Élysées. « Dans la voiture, Gérald m'avait dit, il l'avait presque crié : " Un jour, Jean-Michel, on descendra cette avenue debout, en décapotable. " » Un traitement réservé aux seuls chefs d'État, et encore, pas tous ! C'est tout à fait vrai, confirme Tremblay quand on lui rapporte l'anecdote. « Et j'avais précisé qu'on roulerait en sens inverse du trafic ! » En attendant ce jour béni, il arrive que Schoeller, un temps conseiller du ministre de l'Intérieur, aille cueillir son copain québécois à l'aéroport Charles-de-Gaulle, accompagné de motards de la police pour fendre les embouteillages comme le font les cortèges officiels.

Tremblay rêve, mais n'y est pas encore. Ayant connu lui-même, les difficultés que vivent les entrepreneurs, ayant aussi été témoin des problèmes qu'ont dû affronter quelques athlètes reconvertis dans les affaires, il s'associe en 1977 à un autre de ses amis de Harvard, le brillant Serge Laplante, dans l'implantation d'un nouveau type de service au sein de la firme d'actuariat SOBECO : le redressement d'entreprises. Jusque-là, lorsqu'une compagnie ne pouvait rembourser ses emprunts à une banque, cette dernière « tirait la plogue » et liquidait l'actif de l'entreprise, pour récupérer au moins une partie de la somme prêtée. Cette pratique horrifiait Tremblay et Laplante. « Ils sont partis comme des missionnaires pour convaincre les banquiers de leur donner des mandats », raconte un membre de l'équipe, Philippe Martel. Leur argument : sauver l'entreprise, c'est sauver le prêt dans son intégralité et conserver un client.

La Banque de Montréal consent à confier à Tremblay une cause désespérée, celle de Capital Letter Goods, fabricant d'articles de cuir de l'est de Montréal. Assis dans sa voiture de ministre, Gérald Tremblay donne de mémoire l'adresse exacte et le numéro de téléphone — toujours valable — du lieu de son premier sauvetage.

Quand il frappe à la porte de l'usine, le propriétaire, Sam Rapps, est dubitatif. « Qu'est-ce que vous connaissez dans la fabrication de sacs à main ? », demande-t-il au blanc-bec en cravate. « Je n'y connais rien, répond Tremblay, mais une chose est certaine : c'est vous qui êtes en faillite ! » Tremblay campe pendant six mois dans l'entreprise, négocie des concessions avec le syndicat. Le jour, il alimente la ligne de production, s'assure que le produit fini est emballé et expédié ; le soir, il tient les livres et initiale tous les chèques. La banque ne les honore qu'à cette condition. Capital Letter Goods, aujourd'hui Calego, est devenue depuis le plus gros manufacturier de sacs à main au Canada.

Jean Legault, aujourd'hui professeur de Sciences comptables à l'UQAM, faisait partie de ceux que le futur ministre appelle « les treize complices en salopette ». Sous la direction de Laplante et de Tremblay, ils allaient sauver de la faillite une dizaine d'entreprises en deux ans, avec un taux de succès, se souvient-il, d'environ 50 %. Legault avait participé au sauvetage d'une fabrique de tissus, angle Décarie et Métropolitain. Devant l'usine, le jour de l'arrivée des « complices », un drapeau ornant l'entrée flottait en lambeaux, l'herbe était mauvaise et haute. Autant d'indices d'abandon, de démission. « Gérald a le souci de la présentation et de l'image », dit-il. Il a fait immédiatement remplacer le drapeau, couper le gazon, petits gestes qui disent que la fermeture n'est pas pour demain. Pour frapper l'imagination des employés démotivés, Legault et Tremblay viennent, le week-end, réaménager de leurs bras les bureaux de direction, jusqu'alors répartis sur deux étages — un non-sens. L'escouade des salopettes réorganise et relance l'usine, la faisant passer du rouge au noir, jusqu'à ce qu'elle rembourse au complet le prêt de 10 millions.

« Je l'appelais le missionnaire de la PME », dit Legault. « Gérald, c'est un gars qui part avec une croix. Son travail est une croisade. »

Las ! Une fois revenue aux commandes, la direction de l'usine trébuche de nouveau. Pour de bon. « Ceux-là, on les avait sauvés, dit le ministre sur un ton qu'on lui connaît peu et qui exprime la futilité des choses. On les avait sauvés, puis ils se sont coulés eux-mêmes... »

Grâce à SOBECO, Tremblay acquiert notoriété et visibilité. En 1980, *Le Devoir* lui consacre un long article agrémenté, sur la même page, de deux photos de Tremblay — de lui seul. Profil de droite, profil de gauche. À l'Association des M.B.A. du Québec, il prononce une longue diatribe où il accuse banquiers, comptables, vérificateurs, avocats, fiscalistes et gouvernements de faire l'autruche face aux fermetures d'entreprises. « Être complices d'une faillite, c'est beaucoup plus grave que la faillite elle-même », tonne-t-il à l'endroit de ceux qui, aux beaux jours de l'entreprise, « ont accepté sans gêne leurs salaires, leurs frais financiers et leurs honoraires », mais qui se défilent quand l'orage menace.

« La médiocrité vous guette ! », lance-t-il avec insistance — l'idée revient dix-sept fois dans le texte — au parterre d'administrateurs. « Bien des gens ont accepté la médiocrité ; bien des gens fuient leurs responsabilités. » Apercevant la copie de ce vieux discours dans le dossier de l'auteur, le ministre ne peut réprimer un commentaire. « Tout ce que je fais aujourd'hui, c'est écrit mot à mot là-dedans. Quand je parle du rôle des organismes gouvernementaux, des comptables agréés et des états financiers à moderniser, des banquiers et des plans d'affaires que les entreprises doivent produire... J'ai dit tout ça il y a plus de dix ans. De façon peut-être un peu trop directe. Incroyable ! Ils pourront pas me dire que j'ai pas été conséquent. »

Son partenaire Serge Laplante est à bord de l'avion de Québecair qui s'écrase le 29 mars 1979. « Je me rappelle très nettement notre groupe de Harvard, en retrait, à la réception après les funérailles, raconte Françoise Bertrand. Moi, qui suis très émotive, j'ai senti les gars plus secoués que moi. On était tous jeunes, privilégiés d'avoir déjà franchi plusieurs étapes, mais ce décès nous renvoyait à la notion du temps qui passe très rapidement. Si on allait faire une différence autour de nous, si on avait des objectifs, il fallait agir aujourd'hui, parce que la vie est fragile. »

Tremblay ressent comme les autres ce sentiment d'urgence. Et il veut, à SOBECO, avancer, prendre plus de place. Mais Laplante arrondissait les angles entre la fougue de Tremblay et la gestion tranquille du bureau d'actuaires. Lui parti, le choc des cultures devient intenable. « Il y en avait qui commençaient à être nerveux. Si on manquait notre coup ? » Plus les « complices en salopette » sont visibles, plus le risque de l'échec pèse sur le reste de la compagnie. « Dans une organisation, Gérald déplace beaucoup d'air et je pense qu'il était un peu menaçant », explique Legault. Les actuaires du bureau, prudents, posés, « nous voyaient comme des écureuils en train de courir dans des cages circulaires, dit Tremblay. Il n'y avait plus de complicité, plus de défi non plus. J'ai quitté sans savoir si j'aurais un emploi ou non. »

Mais il a une idée en tête. Peu avant, il avait dit au *Devoir :* « Il nous reste juste une porte de sortie : faire de la politique. Mais étant donné ce qu'on est, ce ne sera pas de la politique comme aujourd'hui. » Laquelle, alors ? Il parle d'un « plan quinquennal de développement économique », centré sur les « quatre ou cinq secteurs importants à développer et à promouvoir ». Déjà, ça sent le raisin.

En 1981, il devient membre de la Commission politique du Parti libéral et fait ses premières armes comme agent officiel de son frère Marcel, candidat dans Saint-Jacques contre l'indélogeable péquiste, Claude Charron. « On essayait juste de sauver son dépôt », explique Gérald. Il fait du porte-à-porte, sonne la cloche dans les rues du quartier pour appeler les électeurs à venir entendre, depuis leurs balcons, le boniment du candidat. Il s'amuse bien. Jusqu'à ce que tout à la fin de la campagne, quelqu'un suggère de diffuser un tract évoquant l'homosexualité du ministre Charron.

« J'étais totalement en désaccord avec ça ! raconte-t-il. J'ai dit à Marcel : " Je vais te balancer tes livres, mais on arrête là. " Je ne suis pas retourné jusqu'au soir de l'élection... Il y a eu un froid, dit-il finalement, la gorge serrée. Il y a eu un froid. » Un peu déçu de ce premier voyage politique, Tremblay rentre dans ses terres, à l'Auberge champêtre de Sainte-Adèle.

« DANS MON BUREAU DE COMTÉ ? Qu'est-ce qu'ils font là, la FTQ ? » Aux abords du pont de Québec, Gérald Tremblay a sa secrétaire au téléphone. Elle s'inquiète du retard du minisre occasionné par la tempête. Voilà pourquoi le TGV Québec-Montréal jouit de puissants appuis : tous les ministres, tous les lobbyistes et tous les journalistes en profiteront. « Ils occupent ? Pourquoi ? (*Silence*) Dites-leur de prendre rendez-vous, je vais leur parler. »

« Ils veulent me sensibiliser au projet de loi 185 sur le travail au noir », explique-t-il ensuite à l'auteur. Aucune inquiétude dans la voix. L'occupation de locaux n'est plus ce qu'elle était. Seulement un message de plus, une technique de pression autorisée, presque attendue.

« Où en étions-nous ? demande-t-il.

— Aux Caisses d'entraide économique.

— Ah ! une des plus belles expériences de ma vie !
— Vraiment ? »

En 1981, le réseau des soixante-seize Caisses d'entraide économique est en péril. Créé en 1960 par Jacques Gagnon, un entrepreneur d'Alma, choqué de n'avoir pu trouver alors dans tout Montréal un banquier disposé à lui accorder un prêt, le réseau d'entraide régionale avait essaimé au point de compter en ce début des années quatre-vingt 285 000 membres lui confiant 1,25 milliard de dollars d'épargnes. Mais une structure financière déficiente, de mauvais placements et, dans certains cas, des conflits d'intérêts s'étaient combinés pour provoquer une crise majeure. En mai 1981, une série de reportages du réseau TVA met le feu aux poudres : les membres réclament massivement leurs dépôts qui, apprennent-ils avec effroi, ne sont pas assurés par la Régie de l'assurance-dépôts.

À la Fédération des caisses, Marcel Côté, vice-président de l'organisme et futur conseiller de Robert Bourassa et de Brian Mulroney, contacte Tremblay. « Gérald a la poigne pour ramasser ça et nous passer à travers la crise », dit-il au président de la Fédération, Justin Dugal. Un autre consultant est embauché pour ses compétences financières : Gérald Lacoste, ancien président de la Commission des valeurs mobilières et, à ce titre, auteur d'un rapport critiquant la gestion des caisses d'entraide.

L'ancien missionnaire des PME se convertit cette fois à l'Entraide, dans laquelle il voit un outil de développement régional irremplaçable. « Les liquider, dit Tremblay, ç'aurait été catastrophique. »

À une assemblée de plusieurs centaines d'administrateurs de caisses, à Québec, Tremblay tient lieu de bougie d'allumage. Une fois les présentations faites, il prend le micro, et se dirige vers le centre de la salle, où il déclare : « Écoutez, moi je fais partie de l'équipe, je suis venu pour assurer la réussite de l'Entraide. Là, vous me voyez debout, et je vais rester debout jusqu'à temps que ce soit fait. » Spontanément, raconte un témoin, les membres de l'assistance se lèvent tous, et c'est debout que tout l'auditoire entend le reste du credo de Tremblay, qu'ils applaudissent longuement à la fin. Un moment magique.

Gérald Tremblay et Gérald Lacoste — on les appelait « les deux Géraux » — concoctent un plan de relance qui prévoit transformer le quart des épargnes en actions ouvertes à un type de RÉA, et le reste constituant des dépôts à terme protégés par l'assurance-dépôts. Le remboursement des dépôts ne pourrait cependant se faire qu'à mesure que les prêts consentis par les caisses aux entreprises seraient remboursés. Bref, les épargnants verraient leurs avoirs gelés — dans certains cas pour cinq ans.

Les deux Géraux convainquent le ministre des Finances, Jacques Parizeau, d'adopter leur plan qui suppose que l'État se porte garant d'un milliard de dollars de dépôts. Parizeau impose une condition : que la majorité requise pour l'adoption du plan dans chaque caisse soit de 75 % des membres. Les deux Géraux contestent. Pourquoi pas 66 % comme dans la loi des compagnies ? Non, répond Parizeau, « si ça prend 75 % pour liquider une caisse, ça prend aussi 75 % pour changer la nature de l'institution ». Heureux, tout de même, que les paramètres de leur plan soient acceptés par le gouvernement, confiants de réussir, les deux Géraux partent en croisade.

Sur le terrain, la tâche est parfois rude. Dans son hebdomadaire économique *Finance*, Jacques Forget fustige ce plan de relance où « les épargnants [sont] bernés et l'opinion publique trompée ». Dans une assemblée à Jonquière, un dirigeant local de la CSN, Henri Vachon, interrompt Tremblay dans un de ses discours inspirés sur l'entrepreneurship en lançant : « Arrête de faire ton curé, pis donne-nous donc notre argent ! »

En commission parlementaire, à Québec, Tremblay doit aussi répondre aux questions particulièrement pointues du nouveau critique financier du Parti libéral, le député Daniel Johnson qui vient de quitter Power Corporation après huit ans de service. (Un conseiller influent de Johnson soutient que les caisses d'entraide sont une arnaque pour piquer l'argent des épargnants.) Après lui avoir fait subir un difficile interrogatoire, le député appelle tout de même sa vieille connaissance pour lui souhaiter bonne chance dans son entreprise.

Tremblay bénéficie au moins de l'appui de l'autre hebdomadaire économique, *Les Affaires*, et de son éditorialiste Claude Beauchamp. (En décembre 1990, le ministre Tremblay nommera Beauchamp à la présidence des « brigades économiques » vouées au sauvetage de PME en crise. Renvoi d'ascenseur ?)

Dans l'entourage de Parizeau, certains mettent en doute la réussite du plan de relance. « Mon opinion, explique André Délisle, alors sous-ministre adjoint, c'est qu'il y avait plus de chances que ça se termine par une liquidation ordonnée. » Autour de lui, ajoute-t-il, « bien des gens pensaient que la fibre du mouvement d'Entraide était rompue » et que la confiance des membres, essentielle à la relance, avait disparu. D'où l'insistance du ministère pour des rapports détaillés — caisse par caisse, prêt par prêt — comme Lacoste, pourtant expert, en avait rarement vus. Si le plan échouait, la vente de faillite allait se faire sans trop de douleurs pour la bourse gouvernementale, alors en crise.

Le 23 décembre 1981, enterrés sous leurs paperasses, les Géraux, occupés à écrire tous ces rapports dans une chambre d'hôtel de Québec, reçoivent un appel. C'est Hugo, fils de Lacoste. « Papa, penses-tu qu'on va te voir à Noël ? »

Le vote est prévu pour le 14 février suivant. Mais, à la fin janvier, les derniers arbitrages ne sont toujours pas rendus sur quelques caisses dont la situation est particulièrement difficile. Jacques Parizeau convie ses adjoints et les Géraux (en tout une dizaine de personnes) à souper dans un petit salon du Café parlementaire à Québec.

Si on s'en tient aux chiffres, les dépôts des membres de ces caisses devraient être gelés pendant plus de cinq ans, à un taux d'intérêt inférieur de moitié à celui du marché. « Il fallait que je vende ça aux membres, moi ! », s'écrie Tremblay. « Ils nous demandaient la lune, rétorque un ancien adjoint de Parizeau, et on ne voulait pas la leur donner, la lune. »

Dans le petit salon, il manque une chaise quand Tremblay arrive. On lui en coince une juste à côté — mais alors là tout juste — du ministre. Le repas se déroule bien, jusqu'à ce qu'on aborde l'épineux sujet. « Quelqu'un a une calculatrice ? », demande Parizeau, qui veut prouver à son voisin de table que les chiffres sont têtus, et qu'il ne peut faire mieux. Tremblay comprend le calcul, mais il demande un effort financier au grand argentier québécois.

« Monsieur Parizeau, c'est pas des mathématiques qu'on fait là, on travaille à la réussite d'une institution financière ! » Parizeau pose sa calculatrice, la discussion reprend son cours. Tremblay ne lâche pas. Bientôt, Parizeau se remet à calculer des taux d'intérêt. « Je m'excuse encore une fois, reprend un Tremblay peut-être un peu véhément à quelques pouces de la moustache ministérielle, mais c'est pas le temps pour les mathématiques ! » Parizeau se lève, fait le tour de la tablée plongée dans un soudain silence. Avant de franchir le seuil, dans une phrase théâtrale, il clôt la discussion : « Monsieur Tremblay, la moutarde me monte au nez. Que Dieu vous protège ! »

Malgré ce revers, les Géraux pensent que leur plan triomphera. Deux jours avant le vote, un sondage interne donne 65 des 76 caisses favorables au plan, c'est-à-dire passant chacune la barre des 75 % nécessaires à la ratification. C'est compter sans le Mouvement Desjardins. Des négociations avaient eu lieu entre les caisses, l'État et Desjardins, mais l'insistance de ce dernier à « avaler » les caisses d'entraide, plutôt que de les laisser survivre en tant qu'entité distincte au sein du Mouvement, avait fait dérailler les pourparlers. On croyait le dossier fermé jusqu'à ce que, quelques jours avant le vote, le Mouvement annonce la « fusion » d'une caisse d'entraide de Beauce avec la caisse populaire locale. La veille du vote, dans tous les quotidiens, des pages de publicité de Desjardins appellent les membres de l'Entraide à rejeter le plan de relance pour accepter plutôt une hypothétique offre d'achat de Desjardins.

Entre l'assurance de dépôts gelés par les Géraux pour plusieurs années et la possibilité — pour ne pas dire l'illusion — de remboursements rapides de Desjardins, beaucoup de membres choisissent la seconde option. Assez du moins, pour que, le soir du vote, 49 caisses sur 74 ne passent pas la barre des 75 %. En fait, le plan des Géraux obtient, en moyenne, 60 % des votes. C'est encore trop peu. Le constat d'échec est patent. Au quartier général des caisses à Alma, les visages sont longs et humides.

Dans les jours qui suivent, Parizeau déplace son courroux sur Desjardins qui a, dit-il, « une obligation morale » de présenter des offres chiffrées à chacune des caisses. La Commission des valeurs mobilières juge d'ailleurs sévèrement le recours aux publicités à la veille du vote. Gérald Lacoste propose de battre le fer quand il est encore chaud et de procéder rapidement à un second vote. Pas question ! fait savoir Parizeau, qui veut forcer les caisses restantes à choisir, sur un même bulletin de vote, le plan des Géraux ou l'offre, enfin chiffrée, de Desjardins. Gérald Tremblay rejette l'idée d'une telle confrontation entre Desjardins et l'Entraide. « On a travaillé assez fort pour reconstruire les caisses d'entraide, c'est certainement pas pour essayer de nuire à la crédibilité d'une autre institution. » Il propose plutôt un protocole d'entente entre les deux, puis une prudente période de transition qui mènerait à une intégration de l'Entraide dans Desjardins.

Mais Parizeau rallie le président de l'Entraide, Justin Dugal, à sa position. Au conseil d'administration à Alma, quelques jours après le premier vote, les Géraux défendent encore leur point de vue, mais en vain. Tous deux sortent de leur poche leur lettre de démission, la déposent sur la table à la surprise générale, et prennent le premier avion pour Montréal.

« Pour nous, explique Lacoste, c'était clair qu'à partir du moment où le gouvernement prenait en charge d'organiser le deuxième vote, c'était comme si on avait évacué notre rôle. Il n'y avait pas de place pour deux *boss*. » Même son de cloche du côté d'un membre de l'ancien bureau de Parizeau : « Tremblay ? On l'a éliminé du portrait ! »

Lors du second vote, en mai 1982, le plan des Géraux écrasera pourtant littéralement les offres de Desjardins, à 39 caisses contre 9. Après une période de turbulences, le réseau d'Entraide, intégré partiellement au groupe Les Coopérants, partiellement au groupe La Laurentienne, retrouvera sa crédibilité, sinon son panache d'antan. (Ironie du sort : au moment d'écrire ces lignes, le Mouvement Desjardins tente d'avaler La Laurentienne. Dans cette bouchée, il y a bon nombre d'ex-Caisses d'entraide.)

Tremblay sort blessé et profondément découragé de son expérience d'Alma. « C'était comme une déprime », raconte son frère Marcel. « Ça a pris quelques mois pour se rebâtir physiquement », dit Lacoste, qui s'est lui-même offert six mois de repos. Tremblay compense d'abord en faisant du jogging. Tous les matins, de cinq heures à huit heures. Sur la montagne, partout. Il se replie sur l'Auberge Champêtre. Avec Suzanne, sa seconde épouse, il lance les boutiques de parfumerie Dans un jardin — cinq au total. Un franc succès. Et sa femme met au monde des jumeaux, qui emplissent ses nuits. (Son fils Georges-Étienne l'appellera « le ministre de la discipline ». Renchérissant, sa fille Marie-Laurence le trouvera « tannant ».)

Mais Tremblay reste insatisfait. « Les parfumeries, c'était bien beau, mais c'était pas ma vie. J'avais pas de défi. Ça cadrait pas du tout avec ce que je voulais faire. » À l'automne 1983, il est l'un des deux finalistes pour le poste de président du nouveau Fonds de solidarité de la FTQ, une aventure qui l'emballe. Mais on lui préférera Claude Blanchet, mieux connu des cadres syndicaux encore réticents devant cette entreprise à saveur par trop capitaliste.

Tremblay songe sérieusement, cette fois, à — quoi d'autre ? — la politique. « Après l'Entraide, on se voyait souvent, dit Lacoste, et Gérald disait : " Vraiment, le pouvoir, c'est pas dans l'entreprise qu'on l'a. C'est vraiment au gouvernement. Faut être en politique. " »

En 1983, lors de la course au leadership libéral, il appuie Daniel Johnson dans Outremont — mais sur le mode mineur. On ne le verra pas au congrès au leadership d'octobre. En 1984, il est tenté par les élections fédérales, mais il n'a pas de relations dans ce monde-là et personne ne lui tend de perche.

Il va plutôt rencontrer John Parisella, puis Pierre Bibeau, membres de l'*establishment* libéral provincial, pour faire savoir qu'il est prêt à sauter dans l'arène. Il rencontre aussi Bourassa, qui est soucieux de recruter des candidats bien au fait de l'économie pour une élection à venir. Tremblay obtient la bénédiction du chef.

OÙ SE PRÉSENTER ? La circonscription de Rousseau, où se trouve son auberge, semble tout indiquée. Cinq mois avant l'assemblée d'investiture, Tremblay met sa campagne en branle. Il frappe à toutes les portes, sans négliger celles des chalets de ses amis d'Outremont dans les Laurentides. Loin de promettre une pluie de bonbons, son slogan est un appel à l'effort : « Un vote pour Tremblay, c'est un vote pour relever des défis et assumer des responsabilités », dit le mot d'ordre dans une formule qui manque singulièrement de punch. Quand la course se corse, tous ses amis viennent lui donner un coup de main : Gérald Lacoste, le Français Schoeller, Jean Charest de l'ex-Polyservices, Daniel Johnson — même Sam Rapps, de l'usine de sacs à main.

Mais la compétition est féroce. Son principal rival, le maire de Sainte-Anne-des-Plaines, Robert Thérien, compte d'importants appuis régionaux. Pierre Bibeau, l'organisateur du parti, qui fait tout ce qu'il peut pour Tremblay, décide de tenir l'assemblée d'investiture à Sainte-Adèle. « Pour favoriser un peu Gérald », avoue-t-il.

La salle de la polyvalente est trop petite pour les quelque 2600 participants qui se présentent en début d'après-midi, en ce dimanche de mars 1985. Il fait chaud, ça fume, c'est long. Tremblay porte lui-même dans les escaliers la civière d'un paraplégique qui lui a promis son vote.

Au premier tour de scrutin, qui se termine à 17 heures, Thérien mène sur Tremblay avec 182 voix, mais deux autres aspirants à l'investiture participent à la course et il n'obtient pas la majorité absolue. Schoeller, rageur — « la logistique, c'était nul », peste-t-il encore — intervient auprès d'un troisième aspirant, Raymond Prud'homme, pour qu'il se rallie à

Tremblay. Il y consent, mais trop tard. Son nom est encore sur le bulletin de vote pour le second tour, et ses partisans n'entendent pas tous la consigne. À la fin de l'interminable second tour, à 18 h 30, Thérien devance toujours Tremblay de 42 voix, mais il lui manque trois voix pour obtenir la majorité absolue.

Fatigués, mal assis, pressés, des partisans commencent à partir. « Gérald, on t'aime, mais il faut s'en aller », disent ses amis qui, entre autres raisons, doivent rentrer à Montréal. Tous ces déserteurs (plus de 140) sont autant de votes perdus pour Tremblay, autant de chances évanouies de toucher au but. Avant le troisième tour, Thérien perd aussi des joueurs — moins de la moitié cependant, car il a une arme secrète : les autobus.

« C'est pas compliqué, raconte Marcel Tremblay, chargé de l'organisation de la campagne de son frère. Thérien a pris tout son monde, il les a mis dans des autobus et les a amenés à Sainte-Adèle. Puis là, il a enlevé les clés et a dit : " On va partir quand j'aurai gagné. " Les gens des chalets, qui étaient pour Gérald, ont voté une fois, deux fois, mais après : Bonjour ! »

Tremblay aussi en avait des autobus, répond Thérien, aujourd'hui député d'arrière-ban à Québec, « mais ils étaient vides ! C'est pas pour rien que ça fait quatre élections que je gagne. » Tremblay, expliquent Thérien et plusieurs autres participants, a été battu parce que l'organisation rivale était la meilleure, c'est tout. Et de suggérer que Tremblay a été puni par où il a péché. Si les vacanciers de fin de semaine étaient si pressés de retourner à Montréal en fin d'après-midi, d'où tenaient-ils leur droit de voter à cette assemblée de Rousseau ? « Ces gens n'avaient pas le droit de voter là. Ils avaient des cartes du parti de Montréal et de Rousseau », dit Thérien.

Battu, Gérald est furieux. La porte d'entrée en politique dont il rêve depuis dix ans vient subitement de se refermer sur son nez. Cette histoire d'autobus, il en parle à tout le monde. « Il pensait que les gens allaient voter pour le gars qui a les idées les plus justes et les plus vraies, raconte Philippe Surreau, une connaissance qui, comme plusieurs autres, entend sa complainte. Il s'est rendu compte qu'il fallait aussi s'arranger pour être élu. »

Il veut se plaindre, et entame la rédaction d'une lettre à Bourassa, mais ses amis le calment. Le lendemain de la défaite, il va voir Fernand Lalonde, au Parti libéral : « Bon, lui dit-il, j'ai perdu celui-là, mais c'est quoi, l'autre ? » L'autre ? Tremblay veut remettre ça, dans une autre circonscription. L'élection générale n'est pas encore déclenchée. Il pose une condition : « Je ne veux plus revivre une autre convention. » Il veut être couronné, pas élu.

Il y a une possibilité : Anjou, dans l'est de Montréal. Pas d'assemblée d'investiture en vue, mais un os, tout de même : Anjou est la circonscription du premier ministre sortant, Pierre Marc Johnson. Avec un bon candidat, une forte campagne, les libéraux peuvent l'arracher. « Pierre Marc Johnson ? répond Tremblay. On a été élevés ensemble ! Je ne me présente pas contre Pierre Marc Johnson. » L'élection de 1985 — et la victoire libérale — se fait sans lui. Il rate le train du pouvoir.

Comme au lendemain de l'échec des caisses d'entraide, Tremblay broie du noir. Il est, dit Schoeller qui l'emmène se reposer en France, « à la ramasse, K.-O. Et ça l'a tenu au ventre pendant des années. » « Il n'a pas la défaite facile », confirme Lacoste.

« Gérald est un humaniste béat », affirme Schoeller, qui a vu son copain dans moult transactions, y compris celle que Tremblay a conclue avec un parfumeur français qui a vilainement truandé le futur ministre. « Il ne voit pas toute la perversité qu'il peut y avoir dans ce monde. La malhonnêteté, les intérêts, les appétits de pouvoir. »

LA VOITURE DE FONCTION DE L'HUMANISTE BÉAT pénètre dans le stationnement de l'immeuble du ministère, place d'Youville, dans le Vieux-Québec. Avec plus d'une heure de retard sur l'horaire, Tremblay doit expédier en quarante-cinq minutes une réunion avec les cadres supérieurs de son ministère (une vingtaine en tout) qui devait durer deux heures.

Son attaché politique, Erik Ryan — lointain parent de l'autre —, résume l'état d'un dossier d'investissement qui ne semble pas avancer très vite. « Je ne te vois pas sourire, lui dit son patron. Ça, ça m'énerve. » Dans une autre affaire, on tente de faire un montage financier : « J'en ai parlé avec Blanchet [du Fonds de solidarité], on verra jusqu'où ils vont aller, dit Tremblay. Sinon, il faudra demander à la Caisse de dépôt. » Le ministre s'inquiète des retombées du projet Hibernia et du dossier des bouteilles recyclables de la SAQ. Puis la discussion porte sur l'organisation des grappes industrielles, une stratégie alors vieille de trois mois à peine. « La demande d'information est incroyable, rapporte un cadre. Tout le monde veut savoir comment ça va marcher. »

Bonne question en effet. Tremblay lit les listes de membres de « tables de concertation » qu'on lui a présentées. Il manque un tel, un tel et un tel, dit-il. (L'auteur est admis dans la salle à la condition de taire les détails.) Vous avez demandé des tables de 15 personnes, lui rappellent ses fonctionnaires, alors qu'il y a plus de 30 bons candidats, surtout dans des grappes fragmentées comme le textile. Que diront les exclus ? Tremblay ne veut pas que ces tables, qui doivent former la structure centrale de ses grappes chéries, soient surchargées de présidents d'association. Il veut des leaders, des gens qui ont réfléchi sur leur entreprise, sur leur secteur. Pas des porte-parole. Des décideurs.

Autour de lui, on se gratte la tête. Car il y a d'autres problèmes. Comment faire cohabiter dans une même grappe ceux du vêtement et ceux du textile, ou ceux de l'industrie pharmaceutique et ceux des produits naturels ? « Ce n'est pas du tout la même dynamique », explique Ryan.

Bien que le ministre soit pressé et décidé, son attitude générale laisse croire qu'il est ouvert à la contradiction et aux questions. Il s'impatiente un peu quand le propos devient trop technocratique, pas assez pratique. « Bon, alors, qu'est-ce qu'on décide ? » dit-il.

Ces tables, sait-il seulement quelle sera leur fonction ? Il propose d'envoyer à l'avance aux participants le plan d'action de la grappe suggéré par le ministère. Le sous-ministre Jacques Brind'Amour, « monsieur Grappes », est réticent. « Il faut les laisser concevoir leur propre plan d'action. Si on leur envoie ça tout cuit, ça peut les démobiliser. » Le débat est laissé en suspens. « Toutes les ficelles ne sont pas attachées », comme le veut une phrase à la mode dans la bureaucratie québécoise.

Tremblay montre ensuite un tableau sur l'investissement en recherche et développement au Québec qui, selon ces chiffres, dépasserait tous les pronostics. « C'est vrai, ça ? » Pas sûr, rétorquent les cadres. « Moi j'y crois, à ça, dit Tremblay, tout sourire. Je *veux* ça ! »

Le ministre devait participer à une réunion du Conseil du trésor, que préside Daniel Johnson, mais il fait savoir qu'il n'aura pas le temps. Il faut repartir, car c'est le premier jour de sa « tournée régionale » sur les grappes.

À L'EXTÉRIEUR, LA NEIGE A CESSÉ. Mais une lumière blafarde enveloppe la capitale. Dans la voiture, le ministre parle de mars 1986, et de l'appel de Daniel Johnson — qui, lui, avait accédé au Conseil des ministres — au portefeuille de l'Industrie et du Commerce. Johnson propose à Tremblay la présidence de la Société de Développement industriel (SDI), organisme créé par Bourassa Ier et qui, depuis 1970, saupoudre les entreprises québécoises de subventions de toutes sortes. Comme Johnson, Tremblay ne prise guère ce rôle de père Noël de l'économie, qui déresponsabilise les entrepreneurs et fausse le jeu de la concurrence. Il ne veut pas seulement diriger cet organisme, il veut, littéralement, le dé-ranger. Enfin, pense-t-il, un défi à sa mesure.

Mais l'affaire n'est pas dans le sac. La candidature de Tremblay rencontre des poches de résistance au sommet de l'appareil libéral, séquelles de son précédent échec dans la circonscription de Rousseau, explique Marcel Côté, alors membre de l'entourage du premier ministre : « Les organisateurs du parti avaient trouvé que Gérald poussait fort, demandait toutes sortes de choses spéciales, pas comme les autres, ne respectait pas nécessairement la hiérarchie. Le comté de Gérald, ça avait été compliqué. »

« J'arrive pas à le faire passer », dit Daniel Johnson à Marcel Côté au début de 1986. Ce dernier intercède en faveur de Tremblay auprès de proches de Bourassa. « Gérald avait la réputation de quelqu'un qui travaillait mal en équipe », dit Côté, qui ajoute : « C'est vrai qu'il peut être très intense, un peu absolutiste, avec ses partenaires. La première fois qu'on le rencontre, il peut faire peur. Même Bourassa, au début, n'a pas dit du premier coup que c'était une bonne nomination. » Mais les efforts combinés de Johnson et de Côté, les bonnes dispositions de Mario Bertrand, chef de cabinet du premier ministre, font passer Tremblay. Ils ne le regretteront pas.

À la SDI, Tremblay fait tout simplement la révolution. Finies les subventions, explique-t-il aux 2700 chefs d'entreprise qu'il va rencontrer en région. Les gens d'affaires qui frappent à sa porte ne partent plus avec un chèque, mais avec une dette, une obligation d'investir personnellement, de convaincre une banque de se mouiller, et avec un « plan d'affaires ». La SDI étant une institution de dernier recours, elle perçoit désormais un intérêt plus élevé que les banques, et des frais de gestion. Bref, le père Noël devient rigoureux, pointilleux. « Gérald, il demande toujours quelque chose en échange, explique Marcel Côté, lui-même grand partisan de cette technique. Ça fait partie de sa vision, de sa moralité. Gérald, il donne pas de cadeau. »

À l'intérieur de la Société, le branle-bas de combat est général. Tremblay ne vire personne, mais « joue à la chaise musicale », explique-t-il, et déplace presque tous ses 180 cadres. « Je leur ai donné des nouveaux défis. » La machine grince. Certains fonctionnaires craignent de perdre leur emploi : qui peut jurer que les entreprises en voudront, de ces prêts ? Elles en voudront, du moins certaines d'entre elles, car la nouvelle formule agira comme un utile tamis des demandes d'aide. « Quand on leur a expliqué le nouveau programme, raconte Jean Laveaux, un cadre de la SDI, certaines entreprises ont répondu : “ Savez-vous ? On va se débrouiller tout seuls ! ” »

Tremblay crée à la Société une petite unité de redressement d'entreprises, mais sa tentative d'introduire chez ses subordonnés la rémunération au mérite (un de ses dadas) se heurte à une vive résistance. « Disons qu'il n'y avait pas beaucoup de chauds partisans », explique Laveaux. « Il n'est pas question qu'on travaille aux pièces », grogne, plus crûment, un analyste.

Si la SDI prête au lieu de donner, on la remboursera, forcément. Tremblay lance donc deux objectifs : l'autofinancement de la SDI, les remboursements devant couvrir les dépenses ; et la constitution, à terme, d'un fonds renouvelable de plus d'un milliard de dollars. Il y a cependant un ou deux trucs à ce montage. « L'autofinancement » ne tient pas compte de la masse salariale, ni des dépenses courantes, payées par l'État* .

Tremblay ne nie pas l'existence de ces entorses à l'autofinancement. « La situation idéale », dit-il, serait une SDI autonome, avec un bon coussin de capitalisation : 150 millions, au bas mot. Mais, comme « la mission de la SDI, c'est d'avoir du cœur » — elle n'insistera pas pour se faire rembourser un prêt si ça met une entreprise en faillite, par exemple — il ne faudra jamais s'attendre à ce qu'elle opère froidement, dans un unique souci de rentabilité, comme font les banques à charte.

---

* De plus, à côté du fonds général de la SDI, le gouvernement donne des mandats spéciaux à la Société, qui ressemblent souvent à de bonnes vieilles subventions. Dans tous ces cas, l'argent provient du Conseil du trésor, pas du fonds renouvelable. Si l'argent est perdu, le Trésor paie. Mais s'il est remboursé, il va à la SDI. Un beau coup de pouce à l'autofinancement, et au fonds renouvelable ! De même, les 140 millions de dollars investis pendant la crise de 1990-1992 dans le «Plan Relance PME» de la SDI, qui vise à sauver le maximum d'entreprises menacées par la récession, sont comptabilisés dans un budget à part. En 1992, le successeur de Tremblay à la direction de la Société, Gabriel Savard, dira que 50 % de ces prêts spéciaux sont probablement irrécupérables, tant le risque est élevé.

Malgré ces petits tours de passe-passe comptables, le fait est, explique Michel Décary, responsable québécois de la Fédération canadienne de l'entreprise indépendante, que la SDI coûte beaucoup moins cher à l'État qu'auparavant et que, grâce au roulement des sommes, les budgets affectés à l'aide aux entreprises n'ont pas été réduits. « Il y a eu des progrès très marqués, ajoute-t-il. Les entreprises ont dû mieux préparer leurs projets et se responsabiliser. » « Il n'y a pas de doute que la SDI a fait un travail éducatif important », ajoute Marcel Côté. Son cabinet-conseil, SECOR, représente parfois auprès de la SDI des hommes d'affaires qui ont recours aux programmes de la Société, mais qui rechignent à se plier à ses exigences de rigueur et de transparence.

Au bureau du premier ministre, le Tremblay de la SDI fait un tabac. Après tout, il concrétise dans son agence la philosophie libérale ambiante et il fait économiser des sous à l'État.

« Bourassa n'a de respect que pour les gens rigoureux, intelligents et honnêtes, explique son ancien chef de cabinet, Mario Bertrand. Les autres, il les tolère. La force de l'influence de Tremblay ne tient qu'à ces qualités, qu'il a démontrées », ajoute Bertrand, citant les dossiers de la privatisation de Donohue, ceux de Domtar et de Marine Industries.

En 1988, Tremblay monte voir Bourassa, lui demande un peu plus de travail. Il se retrouve au Conseil d'administration de la Caisse de dépôt et à celui d'Hydro-Québec. Un membre du conseil se souvient de ses réticences dans le dossier de Grande-Baleine. Tremblay trouvait que les Hydroquébécois mesuraient mal l'importance des éléments autochtones et environnementaux du dossier.

Son étoile monte et son nom apparaît de plus en plus sur les listes de candidats à la présidence de sociétés importantes, telles la Société générale de financement, Hydro-Québec et la Caisse de dépôt. Mais Bourassa sent que les ministres Paul Gobeil, Pierre MacDonald et Pierre Fortier, titulaires des dossiers économiques, vont tirer leur révérence à l'élection de 1989. Il préfère donc, explique un adjoint, garder Tremblay en réserve pour l'élection.

À 13 H 10, LE TOUT-QUÉBEC ÉCONOMIQUE est venu entendre le ministre Tremblay dans un pavillon de l'université Laval. « La région métropolitaine de Québec détient une masse critique de 12 500 spécialistes des sciences naturelles, du génie et de la mathématique », leur dit-il, devant une carte géante de la grappe des technologies de l'information. Et il promet que Québec sera choyée dans la création d'emplois dans la « domotique », c'est-à-dire les « maisons intelligentes ». D'ici l'an 2000, il prévoit 32 400 emplois nouveaux dans ce secteur. Pas 32 300, pas 32 500, mais exactement 32 400 !

Le but de la visite est de motiver les entrepreneurs locaux à s'approprier, dans leur région, la stratégie des grappes. Le ministre parle, présente un vidéo bien léché quoique assez général. Tremblay, qui l'a vu plusieurs fois, reste debout pendant toute la présentation, comme hypnotisé par ces images d'industries de pointe et de travailleurs compétents. Puis il répond à quelques questions.

Un élu de Saint-Augustin se plaint que les centres de recherche ont peu de retombées en termes d'emplois locaux. Tremblay lui relance la balle : « J'ai hâte de la lire votre politique, lui dit-il, pour maximiser les retombées. C'est votre stratégie régionale. Vous devez la faire. J'ai bien hâte de la lire ! » Les participants sont un peu désarçonnés par cette approche. « Moi, au gouvernement, je suis un catalyseur. Je vais vous talonner pour que vous vous entendiez. On va répéter, répéter, répéter la même chose. » On le croit.

Un responsable du Centre de commerce mondial demande si les documents sur les grappes, dont Tremblay vante l'impact sur les investisseurs étrangers, pourraient être disponibles en anglais. Il n'a pas aussitôt terminé sa phrase qu'un employé du ministère lui remet la pochette anglaise qu'il réclame. « Je vous remercie, dit-il, c'est un service exceptionnel ! »

Les réponses de Tremblay sont longues, et, pour un ministre qui se dit à l'écoute, il ne répond, à la suite d'une présentation de plus d'une heure, qu'à une demi-douzaine de questions tout au plus. Ses réponses forment une sorte de *crescendo*. Il annonce d'abord que « le Québec est le seul gouvernement en Amérique du Nord qui ose afficher sa politique industrielle ». Sans doute. Il ajoute que « les grappes industrielles sont un exemple dans le monde ». Affirmation acceptable, puisque le gourou des grappes lui-même, Michael Porter, dit avoir « une extrêmement haute opinion de ce que M. Tremblay réalise au Québec ». Mais pourquoi s'arrêter en si bon chemin ? Il déclare finalement haut et fort que « les yeux du monde sont présentement sur le Québec ». « Je le dis sans exagération ! » ajoute-t-il. Hum !

Il aborde spontanément la question de Norsk Hydro et celle des taxes punitives que des tribunaux américains lui imposent [la scène se déroule avant qu'Hydro-Québec ait pour l'essentiel gain de cause dans cette affaire]. « Si les Américains pensent que le Québec va leur donner accès à ses richesses naturelles, que le Mexique va leur donner accès à sa main-d'œuvre, mais qu'ils vont nous empêcher de faire des produits à valeur ajoutée au Québec et de les leur exporter, alors ça devient totalement inacceptable. On va se battre : c'est l'avenir économique du Québec qui est en jeu. »

Il est 15 h 20. Depuis le matin, le ministre Tremblay n'a rien mangé. « Dans des journées comme ça, il oublie, tout simplement », explique son attaché de presse. Le reste de l'après-midi se déroule dans un blitz de visites d'usines. À Biogénie, qui décontamine les sols, le président Benoît Cyr s'ajoute à la liste des 2000 chefs d'entreprise québécois qui ont signé la « charte de la qualité totale ». Tremblay en veut 20 000. Derrière le concept se profilent essentiellement deux vieilles maximes : « Tout ce qui mérite d'être fait mérite d'être bien fait », et « Le client a toujours raison. » Tremblay estime que le travail mal fait, mal adapté aux besoins du client coûte chaque année 14 milliards de dollars à l'économie québécoise. Il va jusqu'à dire que l'application au secteur public québécois du concept du service « parfait, du premier coup, à tout coup, partout » pourrait faire économiser 10 milliards de dollars par an à l'État, soit plus du quart de son budget total. « Avec ça, fini le déficit », dit-il. Cette théorie est loin de recevoir l'adhésion de l'opposition parlementaire — Parizeau a plusieurs fois tenté, sans succès, de lui faire dire, à l'Assemblée comment on réaliserait ce miracle — et des représentants syndicaux. « Dix milliards ? s'étonne Jean-Louis Harguindeguy, président du Syndicat des fonctionnaires provinciaux. C'est astronomique ! Pour moi, il a des zéros en trop. » Même lorsque ses conseillers lui disent que la somme est un peu lourde, Tremblay fait le calcul devant eux — et devant l'auteur — affichant une certitude sans appel.

Un jour où Tremblay tentait de vendre son concept aux industriels de l'aérospatiale, on lui a répondu : « Nous, la qualité totale, si on ne l'appliquait pas, on fermerait boutique. Mais vous, dans votre ministère, le faites-vous ? » Mis au défi, Tremblay lance deux jours plus tard un programme de formation de ses fonctionnaires. Les résultats ? Selon un client privilégié, Michel Décary de la Fédération des petites entreprises, ils sont palpables. « Récemment, on a posé une série de questions complexes sur des programmes d'aide de la SDI et du ministère de l'Industrie. En moins de trois semaines, on a obtenu des réponses détaillées et des hauts fonctionnaires nous ont appelés pour en discuter. Au ministère des Finances, du Revenu ou de l'Environnement, il aurait fallu trois ou quatre mois. » Une cinquantaine d'entreprises membres de la Fédération ont eu recours aux programmes de la SDI et du ministère en 1991, précise Décary. « Ils se disent satisfaits de la rapidité de la réponse et du fait qu'ils ont la chance de s'exprimer. La majorité des autres programmes essaient de vous éliminer. Eux, tentent de trouver une façon de vous intégrer dans leurs programmes. »

Tous les sons de cloche ne sont pas aussi élogieux. En 1992, à Sherbrooke, un groupe d'hommes d'affaires se plaindra de la lenteur des services de la SDI et de son ministère de tutelle. « Au moins, les fonctionnaires étaient venus écouter ce qu'on avait à dire », soupire un participant.

Tremblay se trouve parfois nez à nez avec des mécontents. Dans sa tournée, cet après-midi-là à Québec, le responsable d'une entreprise « en incubation » du Centre régional de développement d'entreprises de Québec prend le ministre à part : « J'ai fait une demande d'aide à la recherche, un programme qui est censé aller vite, et ça fait trois mois que ça débloque pas, lui dit-il. Je parle à un fonctionnaire, il est en vacances. Quand il revient, il est fatigué d'avoir été en vacances. » Tremblay écoute, étonné et contrit. « Ça a pas d'allure ! » dit-il, puis il demande à un attaché de revoir le dossier. « Ça va se régler », promet-il.

À la porte voisine, chez Précitech, petite entreprise de fabrication de produits à base de poudre de métal, l'accueil est plus chaleureux. Le chèque de 32 millions est arrivé. « Sans vous, on n'aurait pas pu », dit l'un des dirigeants au ministre. « Prouvez-nous qu'on a fait le bon pari », riposte Tremblay. Un autre heureux récipiendaire d'aide le salue : « Félicitations pour votre programme ! » Tremblay est perplexe. « Votre programme d'aide aux entreprises », reprend l'autre. Ah, oui ! Merci !

À 16 h, l'atmosphère se détend d'un coup quand le président du Parc technologique, Marcel Aubut, également patron de l'équipe de hockey de Québec, reçoit le ministre dans sa salle de conférences. « Bravo pour votre organisation, vous êtes exactement à l'heure prévue », dit Aubut. « On est mieux organisés que les Nordiques ! », réplique Tremblay, taquin.

Aubut expose à Tremblay ses plans d'expansion du Parc, qui s'étalent jusqu'en 1994. Pointant le ministre du doigt, il dit : « Il va être encore là (en 1994), ou premier ministre ! » Le Massachusetts Institute of Technology a récemment classé quinzième le Parc technologique de Québec au palmarès mondial de ce type d'installations. « Je veux essayer de monter dans les cinq premiers, promet Aubut. Ça va être plus facile que pour les Nordiques ! »

La retraite politique de Pierre Fortier, député-ministre d'Outremont, en 1989, est un don du ciel pour Tremblay. « Un comté rêvé », soupire-t-il, dans la voiture qui le ramène à ses bureaux. Avant de plonger pour de bon dans l'arène, il consulte ses amis qui le mettent en garde contre les exigences de l'appareil politique. « Va pas là, tu es trop rigide, trop entier », dit l'un d'eux. « Je vais apprendre à devenir flexible », répond-il.

Il prend même conseil auprès de l'ex-premier ministre Pierre Marc Johnson. « Quand on a été dirigeant comme toi à la SDI, une entreprise d'une certaine envergure, lui dit Johnson, dis-toi qu'en entrant en politique, tu trouveras dur de ne pas être numéro un. » Plusieurs, comme Raymond Bachand, son condisciple à Harvard, l'avertissent de l'énorme investissement de temps qu'exige la charge de ministre. « Il n'y en a pas beaucoup dont les couples ont résisté un ou deux mandats », avertit Bachand, qui a connu les années Lévesque. Tremblay prend la résolution de consacrer, sauf exception, tous ses week-ends à sa famille. Promesse tenue. Peut-être, entre autres raisons, parce qu'Outremont est moins friande de réunions de Club optimiste et de visites de l'Âge d'or que la plupart des autres circonscriptions.

Quand Pierre Péladeau lui offre un emploi important à Quebecor en 1989, dans un salon du Club Saint-Denis à Montréal, Tremblay décline l'offre, décidé à faire enfin le saut en politique. Mais pas n'importe comment.

« C'est vrai qu'il agit avec la candeur du missionnaire, un petit côté presque ingénu, dit Mario Bertrand, alors bras droit de Bourassa. Mais, seul à seul, quand on a discuté du rôle qu'il allait jouer au gouvernement s'il était élu, Gérald avait déposé son manteau de missionnaire au vestiaire. [...] Généralement, un candidat qui arrive en politique se réjouit de savoir qu'il existe une possibilité d'accéder au Conseil des ministres. Mais pour Tremblay, ce n'était pas suffisant. Il voulait savoir *quel* ministère. Quand je me suis permis d'être plus précis, il s'est permis d'être lui-même plus précis dans ses exigences quant aux responsabilités qui devaient lui incomber, quant à la latitude dont il devait disposer pour constituer son équipe et son propre cabinet. Ce n'était pas l'attitude d'un chrétien qui arrive en terre sainte et qui bénit le sol. »

Mais l'élection, toute outremontaise qu'elle soit, n'est pas dans la poche. En 1989, le nouveau Parti Égalité, qui y forme une organisation locale préliminaire, entend présenter un candidat susceptible d'attirer les votes anglophones et juifs de la circonscription — suffisamment, en tout cas, pour enlever à Tremblay sa marge de victoire (2700 votes) sur l'adversaire péquiste. Mais il se gagne un allié de poids : Morton Brownstein, l'homme d'affaires qui est arrivé à convaincre la Cour suprême d'invalider les dispositions de la loi 101 concernant l'affichage public.

En plus d'être ébloui par les projets économiques du candidat libéral, Brownstein se dit convaincu, après ses rencontres avec Tremblay, que ce dernier est « philosophiquement opposé à la loi 178 ». Il intervient auprès de Robert Libman, alors chef du Parti Égalité, pour le convaincre de ne présenter aucun candidat à Outremont. « Nous avons pris une bonne décision », reconnaîtra Libman en entrevue au début de 1992, car Tremblay a apporté « une grande contribution au Québec », et il se montre toujours ouvert et disponible aux membres du Parti Égalité qui ont des requêtes à lui présenter. « Je crois d'ailleurs, ajoutera Libman, que Tremblay est le prochain chef du Parti libéral ».

Depuis, le ministre soigne sa clientèle juive, par exemple dans le dossier de la production locale de produits kascher. « M. Tremblay représente et défend de façon exemplaire les préoccupations juives au sein du gouvernement », affirme Jack Jedwab, du Congrès juif canadien. Quand on aborde avec lui la question linguistique, Tremblay dit, avec prudence, comprendre que ses interlocuteurs « aient tiré la conclusion » qu'il était « philosophiquement opposé » à la loi 178.

« En tout cas, vous ne l'avez pas défendue devant eux ?

— Non, ça c'est clair, répond-il. C'est clair. »

Il n'aura donc aucun mal à appuyer en 1993 le projet de loi 86.

En campagne dans Outremont en 1989, il est « hyperactif », dit un organisateur libéral, « toujours prêt à en prendre ». On lui demande, à vingt-quatre heures d'avis, de participer à une conférence de presse avec Bourassa sur un nouveau programme d'aide aux « projets moteurs » de l'économie. Au grand étonnement du premier ministre et de ses adjoints, il défend avec la plus vive énergie un programme dont il ignorait tout la veille. Il annonce même qu'il en découlera une forte chute du chômage structurel. « Il a donné un bon *show*, commente un organisateur libéral présent, mais heureusement que personne dans la salle ne pouvait poser de questions très pointues ».

Son élection, le 25 septembre, est « le summum ! », affirme son frère Marcel. Bourassa étant parti à Miami concocter son cabinet, Tremblay téléphone régulièrement à Mario Bertrand. Il voulait s'assurer, raconte le chef de cabinet du premier ministre, « que la campagne ne m'avait pas trop fatigué, et que je me rappelais très bien le sens des conversations que nous avions eues ». « Si tu veux que je fasse une bonne job, disait Tremblay, il faut que j'aie la main libre là-dessus ». Il voulait le ministère de l'Industrie et du Commerce, tout en étant responsable de la technologie — ce qu'il a obtenu — et du développement économique régional — ce qu'on lui a refusé.

Assermenté le 11 octobre, Tremblay est enfin arrivé. Il envoie un télégramme à son ancien complice Jean Legault : « Je suis toujours un missionnaire de la PME. »

LA VOITURE DE FONCTION DU MINISTRE est maintenant garée au sous-sol du ministère. Le chauffeur fait les cent pas dans le stationnement, grillant une cigarette.

« Racontez-moi comment ça s'est passé, votre apprentissage de ministre.

— Faudrait que je dise que j'ai eu de la misère, ou quoi ? »

Son premier dossier, tout au moins, lui donne — à l'époque et pour longtemps — du fil à retordre : les heures d'affaires, l'ouverture des commerces le dimanche. Le sujet divise l'opinion publique en deux parties presque égales, opposant gros détaillants et petits commerçants, villes et campagnes, syndicats et patronat. Deux ministres, déjà, s'y sont cassé les dents.

Tremblay lit, écoute pendant deux cent vingt heures, en commission parlementaire, les arguments des uns et des autres. Il est impressionné. Mais trouve le processus long, lourd. « On l'entendait dans les corridors, raconte un lobbyiste : " Faut s'en sortir, j'ai pas que ça à faire ", disait-il. »

Il pense d'abord à une libéralisation complète des heures d'ouverture, puis se ravise, car c'est plus que ce que le client demande. Finalement, certain de bien posséder son dossier, il présente un projet assez libéral : 84 heures d'ouverture hebdomadaire, dont les soirs de semaine et le dimanche. Dans un premier temps, sûr que le Cabinet adoptera le projet, il l'annonce en conférence de presse. Mais le sol politique se dérobe sous ses pieds.

« Tremblay avait une longue habitude des gens d'affaires et des conseils d'administration, raconte Mario Bertrand, présent aux réunions ministérielles, et il s'attendait à être un membre important d'un grand conseil d'administration d'une trentaine de membres. » Je suis le ministre des gens d'affaires, leur a-t-il dit en substance, j'ai le savoir-faire. J'ai donc la solution. « On ne devrait même pas en discuter », affirmait-il, rapporte une autre source. Le Conseil des ministres n'a toutefois rien du conseil d'administration. Avoir raison ne suffit pas. Il faut créer une coalition, bâtir un consensus politique, casser le moins de pots possible.

« Je l'ai vu, dans les heures d'affaires, quitter le Conseil des ministres complètement bouleversé, raconte encore un témoin, parce que les gens ne s'étaient pas rendus à son opinion d'expert. »

Tremblay met de l'eau dans son vin, consulte le caucus des députés où se trouve souvent la clé des coalitions gagnantes. Il passe de 84 à 75 heures d'ouverture, puis à 72 heures. « Il a fait certains compromis, mais il est arrivé à ses fins, dit la ministre Lise Bacon. Il a fait adopter le dossier, ce que d'autres n'avaient pas réussi à faire avant lui. C'est sa détermination qui explique ça. »

À cause de ce contexte particulièrement difficile, explique John Parisella qui a remplacé Bertrand comme chef de cabinet de Bourassa, la question des heures d'affaires « était probablement le meilleur dossier qu'il pouvait avoir en début de carrière ». Content d'avoir fait adopter son projet avant la fin de sa première session parlementaire, le 22 juin 1990, Tremblay refusera longtemps de discuter avec les lobbyistes en quête d'une autre bouchée de libéralisation, les Québécois ayant digéré, selon eux, la première réforme. « J'ai tenu le fort comme un bon soldat, dit le ministre, j'ai fait mon effort de guerre. »

Il veut la paix ; on ne lui laisse qu'une trêve. À la fin de 1992, le gouvernement, endeuillé par la défaite référendaire, fait semblant de relancer l'économie en adoptant deux nouvelles mesures, jetées en pâture à l'opinion : l'implantation de casinos et l'ouverture des commerces le dimanche. La seconde initiative, improvisée, achoppe d'abord sur un écueil de procédure à l'Assemblée nationale, avant Noël. Rageant d'avoir dû rouvrir ce dossier — on est tenté de dire « cette plaie » — Tremblay vacille, doit faire marche arrière. Et quand l'Assemblée l'adopte finalement, au début de 1993, il doit faire face à une révolte de petits commerçants du Saguenay et de Gaspésie.

En 1990, Tremblay ne pouvait imaginer de telles avanies.

Libéré temporairement du dossier du dimanche, il éteint les feux qui se multiplient devant lui. Pour le chantier naval de Marine, un dossier désastreux que son prédécesseur Daniel Johnson n'a pas su traiter de façon particulièrement brillante, Tremblay réussit, avec plusieurs autres, dans une opération très complexe, à soutirer 267 millions au fédéral. Comment ? En montant contre Ottawa un bluff terrible : sans cet argent, le chantier de Marine fera faillite, fait-il comprendre. La procédure est d'ailleurs déjà engagée. Québec y perdra, par le biais de la SGF, un investissement de 40 millions de dollars. Mais, Marine fermé, trois frégates commandées par Ottawa manqueront à l'appel. Et le ministère fédéral de la Défense devra payer plus cher pour relancer leur construction que les

267 millions réclamés par Québec. Quelques jours avant la déclaration de faillite, Ottawa signe.

En cours de sauvetage, Tremblay fait signer un nouveau contrat de travail prolongé au syndicat. Il répète l'exploit aux usines Atlas, de Tracy, et fait du « contrat social » patrons-syndiqués un thème central de ses réformes. Contre la récession, il pompe 140 millions dans le « plan relance PME » de la SDI et, presque chaque jour à l'Assemblée, répète pour les auditeurs le numéro de téléphone spécial, 1-800-461-AIDE, que les députés, mi-complices, mi-railleurs, reprennent en chœur avec lui. Quelque 8500 entreprises en difficulté composent le numéro.

Dans le dossier constitutionnel, il intervient peu. Mais lorsque, en septembre 1991, Ottawa inclut dans ses premières offres une proposition d'union économique qui menace d'imposer au Québec la volonté économique de la majorité des provinces, Tremblay proteste. « Toutes les objections qui sont éventuellement sorties publiquement, il les avait exprimées à l'interne au départ », dit Jean-Claude Rivest, conseiller constitutionnel de Bourassa.

Sa principale contribution publique au débat aura été de s'interposer, à la fin de novembre 1991, entre le ministre québécois Gil Rémillard et le ministre fédéral Benoît Bouchard, pris dans un duel verbal sur l'éventuelle tenue d'un référendum pancanadien. L'engueulade se déroule pendant une conférence de presse visant pourtant à célébrer la belle entente canado-québécoise sur le développement régional. « Entretemps, vivons la réalité quotidienne. La population du Québec demande tous les jours qu'on parle d'économie », intervient Tremblay, coupant la parole à un journaliste qui tente de relancer un des autres ministres sur l'épineuse question référendaire. Vaine manœuvre de diversion, car le duel Bouchard-Rémillard reprend aussitôt après son intervention.

« Je ne sais pas pourquoi les journaux écrivent que je suis un fédéraliste convaincu », disait Tremblay à l'auteur au début de 1992. « Je ne sais même plus ce que ça veut dire. » Il a approuvé le rapport Allaire et souhaitait alors de bonnes offres fédérales. Mais, à part cela ? « Je ne sais pas. Il faudra que je calcule ce que ça signifie, les coûts de transition [à la souveraineté] et tout. J'ai amassé de la documentation, je vais prendre une semaine pour lire ça et me faire une idée. Ce qu'il faut, c'est un environnement favorable au développement économique du Québec. » « Gérald a toujours vu l'appartenance du Québec au Canada comme une stratégie, un bon calcul, dit un ami. Pas une fin en soi. »

Il n'aura pas vraiment à se poser ce problème, et il suivra le Parti libéral dans son virage en épingle à cheveux à son congrès d'août 1992. Tremblay confie alors qu'il trouve, comme plusieurs collègues, que les gains du Québec à Charlottetown sont peu impressionnants, mais il ajoute : « On n'a pas le choix, on reverra dans cinq ou dix ans. » Le discours qu'il prononce ensuite à l'Assemblée nationale pour appuyer l'Accord est par ailleurs remarquable par la discrétion affichée sur cette question ! Pour le ministre, Québec détient déjà les leviers de son développement et l'entente ne l'empêchera pas d'aller de l'avant. Autrement dit, la voiture qu'on nous propose est excellente, car elle ne nous empêche ni de prendre le train, ou l'avion, ou l'autobus, ni de marcher.

Son commentaire, le soir de la défaite référendaire, est l'exemple parfait de la réaction atypique. Au micro de Radio-Canada, Tremblay, ministre d'un gouvernement qui vient de prendre une terrible raclée politique, jubile. « Mon premier sentiment, c'est un sentiment de joie, dit-il, parce que, demain, on parle d'économie ! » Véritable Charles Trenet de la politique québécoise, il ajoute : « Dans ce sens-là, c'est une bonne nouvelle ! » (Il ne sait pas encore que « parler d'économie » signifie rouvrir le dossier des heures d'affaires.) La Constitution, on le voit, n'est pas son truc. Depuis l'été 1991, la crise économique québécoise le rend nerveux. Écrasement symbolique, cet été-là : Lavalin. Avec son cousin Yves Bérubé, l'ex-ministre péquiste passé chez Lavalin, Tremblay esquisse un plan de sauvetage de l'entreprise par la société SNC. Mais tout le secteur manufacturier est à la dérive. « Ça faisait un certain temps déjà que Gérald disait : " Ça va mal, et ça ira pas mieux.

Disons-le ! ", raconte son ami Jean-René Halde. Il trouvait dur d'être dans un environnement où tout le monde autour de lui disait : " Voyons, tiens ça mort, on va s'arranger. " »

Tremblay passe cet été-là à lire, entre autres ouvrages, les bouquins de Michael Porter et de Robert Reich, autre économiste de Harvard — devenu depuis secrétaire au Travail de Bill Clinton — et décide de frapper deux coups : un premier pour faire le constat de la catastrophe, un second pour indiquer les moyens de s'en sortir.

IL PRÉPARE UN DISCOURS SUR « L'ÉTAT D'URGENCE » de l'économie, qu'il envoie à plusieurs ministres, et à Bourassa avec qui il s'entretiendra à la fin août, pendant deux heures, sur le toit du *bunker,* où le premier ministre a fait installer une table de jardin et, depuis sa première bataille contre le cancer, un parasol.

« C'était la première fois qu'on s'assoyait comme il faut, sauf pour les heures d'affaires », raconte Tremblay. « J'ai beaucoup parlé. Je lui ai demandé : " Vous êtes d'accord, là ? Vous avez tout vu, là ? C'est grave ! Bon, alors je le fais. " » Bourassa ne demande aucune modification au texte.

Le 10 septembre, devant des conseillers en relations industrielles, le propos est dur : si on suit la tendance, dit Tremblay, « nous nous résignons à gérer des crises de plus en plus fréquentes et graves en assistant, comme des spectateurs impuissants, à l'appauvrissement de notre société ». Il fustige la baisse de compétitivité, l'augmentation du chômage, l'absence de main-d'œuvre qualifiée, de travailleurs payés au mérite. « Il est de plus en plus difficile, voire impossible, d'assurer une qualité de vie à la collectivité lorsque près de 30 % de la population ne contribue plus à l'effort public. Le problème est devenu collectif, la solution doit l'être aussi. »

La réaction de la salle, et de la presse, est presque unanime. « En somme, écrit notamment Gilles Lesage dans *Le Devoir,* le ministre tient un discours qui devrait être, au premier chef, celui du premier ministre et de l'ensemble de ses collègues. Mais peu d'entre eux se commettent aussi publiquement. »

Jacques Parizeau ne participe pas à cet éloge. « Dénoncer avec beaucoup de brio ce qui n'a pas marché jusque-là, et puis se faire applaudir pour ça, je vous dirai que c'est pas banal. Ça, vraiment, je dois dire qu'il m'a impressionné, confie-t-il à l'auteur quelques mois plus tard. Moi [à la place de Bourassa] je serais devenu enragé de voir quelqu'un qui s'occupe d'un dossier économique comme ça, et qui m'arrive après quelques années pour dire : “ Vous savez pas ce que j'ai découvert ? L'économie du Québec est en état d'urgence ! ” »

Ce n'est que le premier élément de la « méthode Tremblay », qu'il énonce, sur demande, dans cet ordre : agiter, éduquer, organiser, puis responsabiliser et décentraliser. Une semaine après « l'agitation » du discours sur l'état d'urgence, le ministre « éduque » en présentant à huis clos à 70 représentants patronaux et syndicaux réunis par le Conseil du patronat l'ébauche de son plan des grappes.

Michel Décary était présent : « C'était la première fois de ma vie que j'ai vu le monde syndical et patronal être unanime et dire : “ C'est un leader, enfin quelqu'un qui semble savoir où il s'en va. ” »

Ce n'est pas tellement l'idée des grappes qui frappe l'imagination de l'auditoire, mais l'existence, en soi, d'un projet, la simple présentation d'un outil.

« La misère économique est responsable du changement de climat. Les gens disent : “ Il faut se serrer les coudes car on s'en va dans la dèche ”, explique Bernard Landry, du Parti québécois. Alors il y en a un qui dit : “ On va faire quelque chose ”, et c'est presque un devoir moral de ne pas dire le contraire. Il y a une autocensure, presque, de notre part. On aurait pu descendre ça en flammes. Franchement ! Il n'y a rien là-dedans. » Tremblay récolte aussi le fruit de la concertation construite par neuf ans de pouvoir péquiste, affirme encore Landry, qui cache mal un brin de jalousie. « Le climat a beaucoup changé. Si Fernand Daoust, de la FTQ, s'est extasié devant les grappes, qu'est-ce que ça aurait été s'il avait été dans la même disposition au temps de notre document de stratégie, *Bâtir le Québec* ? Il nous aurait élevé des églises ! »

Le gouvernement Bourassa n'est cependant pas unanimement gagné par l'enthousiasme des Michel Décary, Fernand Daoust, Ghislain Dufour, Richard Le Hir, Gérald Larose et compagnie. Car ces grappes, que Tremblay a l'audace de présenter aux leaders économiques avant même qu'elles aient été adoptées par le gouvernement — forçant délibérément, il l'avoue, la main de ses collègues — peuvent-elles vraiment porter l'appellation contrôlée « Parti libéral » ?

Il y a eu un débat de fond, raconte un proche de Bourassa. « Est-ce qu'avec ça, on reniait ce qu'on avait fait avant ? », se demandait-on. Le gouvernement avait vogué sur la vague libérale, non interventionniste : privatisations, réduction du déficit, accent mis sur l'hydroélectricité. L'État devait-il maintenant devenir le grand chef d'orchestre de l'économie ?

Dans une version préliminaire des grappes, Tremblay laissait entendre que l'État pourrait aller jusqu'à choisir des procédés, des produits prometteurs, pour cibler son action — proposition qui a soulevé l'opposition de quelques ministres, notamment celui du Tourisme, André Vallerand, et le président du Conseil du trésor, Daniel Johnson. Claude Ryan, lui aussi, avait exprimé son scepticisme.

Vallerand, rapporte un collègue, était partisan du « libéralisme absolu », l'État devant laisser le marché s'occuper de la croissance, quitte à intervenir pour donner un coup de pouce fiscal. Le ministre du Tourisme s'objectait aussi à ce que Tremblay réunisse en grappe les industries touristiques. (Il a changé d'avis depuis.) Daniel Johnson s'associe à cette critique : il voit dans les grappes, dit un ami, « du corporatisme ».

« Je ne suis pas un interventionniste absolu, rétorque Tremblay, mais je regarde le libéralisme absolu et je constate que ça ne nous a pas donné grand-chose au cours des années. » Il tempère tout de même, dans ses textes, l'ampleur du rôle de l'État dans les grappes et réinsère le primat de « l'approche entreprise », centrale à l'orthodoxie du parti.

Daniel Johnson n'est pas au bout de ses arguments. « Il trouvait que beaucoup de son approche donnait à Tremblay des fonctions de coordination qui n'étaient pas les siennes », dit le témoin d'une de ces discussions. Car les grappes embrassent 15 ministères. Bourassa ne devrait-il pas prendre à son compte, et annoncer lui-même une orientation aussi fondamentale ? Johnson intervient auprès de Bourassa pour qu'il prenne les rênes de l'affaire, Tremblay en accepte le principe. « C'est mal connaître Bourassa », dit un ministre. Car il n'en demande pas tant. Il se limitera d'ailleurs à faire acte de présence lors du dévoilement public de la stratégie* ainsi qu'à livrer un discours remarquable par son manque d'enthousiasme.

Politiquement, ces grappes ne sont-elles pas risquées ? Au début, Tremblay prévoyait assortir l'organigramme de chaque grappe d'un plan d'action et d'un objectif de création d'emplois précis. Au total, en huit ans : 200 000 emplois nouveaux. Que se passera-t-il si on rate l'objectif ? lui demande-t-on. Tremblay obtempère, et retire ses chiffres.

Entre Johnson et Tremblay, il y a bien sûr, en filigrane, la question de leur avenir politique, l'un et l'autre figurant sur la liste des candidats à la direction du parti. À l'Industrie, Tremblay tente de dire oui à tout le monde, de donner un coup de main à chaque occasion, ce qui joue en sa faveur, même si les interventions ne sont pas toutes couronnées de succès. Johnson, au Conseil du trésor, est au contraire obligé, comme on l'a vu, de dire non à presque tout le monde. Il n'y a pas de commune mesure, non plus, entre l'accueil enthousiaste réservé à l'origine à la stratégie des grappes de Tremblay et la réception polie, mais froide, faite à la stratégie de relance du grand Montréal de Johnson.

Un sondage Léger et Léger réalisé auprès de 174 économistes québécois et publié en mai 1992 dans *Les Affaires* constitue un indicateur très partiel mais intéressant de leur performance respective — ou du moins de la perception de

---

* Vallerand et Johnson ont décliné nos demandes d'entrevue sur cette question. Vallerand a fait savoir, par un porte-parole, qu'il ne s'était «nullement opposé» au projet de Tremblay.

leur performance. Notés sur une échelle de 10, Tremblay obtient la meilleure note (6), suivi de Johnson (5), de Bourassa (4,5), puis de Gérard D. Levesque, ministre des Finances (4). (Au séminaire, où la note de passage était de 60 %, seul Tremblay aurait obtenu la note de passage !) Lorsqu'on demande aux économistes ce qu'ils pensent de la stratégie des grappes, 93 % déclarent y être favorables — ce qui est énorme.

« Globalement, résume un membre du bureau de Bourassa au sujet du débat interne sur la proposition Tremblay, on a convenu que l'orientation des grappes était dans le continuum de ce qu'on avait fait auparavant — seulement, un cran au-dessus. C'est une plus grande implication du gouvernement dans l'économie, sans revenir à l'autre extrême interventionniste du PQ. » Certains voient aussi dans cette stratégie une façon de mieux gérer les demandes, de plus en plus pressantes, d'entreprises en difficulté comme Noranda, Malenfant et compagnie. « Il fallait sortir de cette situation où tout le monde cogne à la porte de l'État, après avoir mal géré leur entreprise. » Tremblay propose une méthode.

Bourassa ayant tranché — pour la stratégie, c'est oui —, il reste l'épineux problème du choix du moment. À la mi-octobre 1991, Tremblay est pressé de l'annoncer. Mais au Conseil des ministres, on lui demande d'attendre qu'André Bourbeau ait mis la dernière main à son projet, connexe, de formation professionnelle et que Daniel Johnson ait achevé la mise au point du projet de relance de Montréal pour procéder à des annonces en cascade. Tremblay résiste, il est pressé. « Le chômage est inacceptable, il faut bouger. » Le débat s'envenime. À ce stade final du projet, un ministre demande : « Qu'est-ce que ça va donner, les grappes industrielles ? On annonce quoi de plus, là ? » Il prend sérieusement Tremblay à rebrousse-poil ! « Que vous vouliez prendre un mois ou deux de plus, j'ai pas de problème avec ça, répond-il. Mais si vous me dites qu'on a un gros problème de fond entre l'interventionnisme absolu et le libéralisme absolu, moi j'ai juste à prendre des vacances un certain temps. »

Le lendemain, le missionnaire de la PME manque à l'appel. Pour la première fois depuis... qui sait quand ? De son chalet de Saint-Hippolyte, il parle à Bourassa, et à quelques ministres. « Énervez-vous pas avec ça, là, je reviens. » La saute d'humeur est brève et mémorable. Tremblay attendra le 2 décembre pour annoncer son plan.

L'intensité, le sentiment d'urgence manifestés par Tremblay dans ce débat ne sont pas feints. Impossible de le débrancher même en petit comité. « Ce n'est pas un ami reposant », dit Jean-René Halde, président de Culinar, qui rapporte un échange qu'il a eu avec Tremblay, à l'occasion d'un dîner chez le ministre à la mi-janvier 1992.

« Ça va mal, mais je pense qu'on a les bonnes solutions à long terme, dit Tremblay. Ça nous prend des solutions à court terme. As-tu une idée ?

— On pourrait regarder du côté [d'un report] de la taxe de vente du Québec, suggère Halde.

— Oui. *Fine !* On l'a déjà en note celle-là. En as-tu une autre ?

— Attends, j'y ai pas trop pensé.

— Écoute *ben,* là, rétorque Tremblay, si des gars comme toi n'ont pas d'idée, comment on va en avoir, des idées ? Ça fait 10 personnes que je vois : tout le monde chiale ! Mais il n'y en a pas un sacrifice qui est capable de trouver une idée qui a de l'allure !

— Relaxe !... Relaxe ! On va y penser ! »

Sur l'instant, Tremblay a gagné politiquement. « C'est un des ministres qui donnent de l'élan au gouvernement », affirme John Parisella. Au caucus, Tremblay a marqué des points. « Les députés sont débinés du fait que M. Bourassa [immergé dans la Constitution] semble détaché de l'aspect politique, qu'il ne leur donne pas beaucoup de raisons de se sentir confiants. Tremblay, lui, le fait. Ils l'applaudissent », dit un initié. Au sommet cependant, dit un proche du premier ministre, avec l'épisode des grappes, Tremblay « a tiré l'élastique de la patience assez loin, par rapport à ses collègues, par rapport à l'entourage du premier ministre. Il a fallu qu'il hausse le ton, qu'il menace. Tu gagnes pas en politique l'adhésion de tes collègues avec ce genre de choses. »

La stratégie des grappes ne remodèle pas vraiment l'économie. Elle canalise les énergies dans une même direction et favorise le tissage de réseaux. Si l'idée n'est pas neuve et si elle est un peu floue, on a rarement vu l'État et ses partenaires s'entendre aussi rapidement sur une orientation.

Les chefs d'entreprise ne se font pas prier pour souligner, dans plusieurs dossiers, le rôle de Tremblay dans telle ou telle négociation, tel ou tel rapprochement. Tremblay est « l'un de ceux qui a vraiment fait la différence », racontait Bob Moran, directeur de l'usine GM à Sainte-Thérèse. Le ministre aurait fait comprendre au syndicat local que la survie de l'usine dépendait de son ouverture au changement. Yves Landry, président de Chrysler Canada, est un autre de ses fans. « J'ai dit [au ministre fédéral Michael] Wilson que le Québec était en train de prendre beaucoup d'avance sur le reste du Canada avec les grappes de Tremblay et les projets de formation de la main-d'œuvre de Bourbeau », confie-t-il.

L'engouement suscité lors de l'annonce de la stratégie a cependant fait place, deux ans plus tard, à un mélange d'incrédulité et de dérision, même chez les libéraux. « Nous avons développé des solutions. Mais les partenaires tardent à agir », déplorait Tremblay lui-même, en mai 1992 à Saint-Hyacinthe dans un discours qu'il disait « important ». Dans la « méthode Tremblay » (agiter, éduquer, organiser, responsabiliser, décentraliser) c'est le quatrième canon — la responsabilisation — qui se serait enrayé. L'élan du ministre semble se briser sur les rivalités entre individus et entre entreprises, et sur le refus du changement. « Nous pourrions avancer très rapidement si les personnes, au lieu d'être plus ambitieuses d'accumuler des richesses, étaient aussi ambitieuses de réaliser des choses pour le Québec », ajoutait-il dans un assaut contre « l'individualisme » et l'inaction à la base. Le ministre s'interrogeait, dans une phrase qui pouvait s'appliquer partout, y compris autour de lui : « Au-delà du discours, agissons-nous ? »

C'est dire à quel point un bilan économique des grappes, ou tout au moins un premier rapport d'étape, reste à faire. Il est difficile à plus de la moitié de l'année 1993, d'en apprécier les retombées, sauf peut-être dans le secteur pharmaceutique, où la méthode Tremblay a fait du Québec un aimant capable de déplacer des usines entières de Toronto à Montréal. « L'Ontario n'a aucune politique d'ensemble pour l'industrie pharmaceutique, alors qu'au Québec le ministre de l'Industrie est très actif à la promouvoir », déclarait en mars 1992 au *Toronto Star* l'un des vice-présidents de Marion Merrell Dow, Gary Handelsman. Il menaçait de déplacer 200 emplois de l'Ontario au Québec, où l'entreprise jugeait « que le climat d'investissement est meilleur ». La tendance a suffi, en tout cas, à affoler le *Globe and Mail,* qui sonnait l'alarme en première page au début de 1993.

La revue *Commerce* donnait une idée de l'état de balbutiement de la stratégie quinze mois après son lancement, en février 1993. Certaines tables de concertation de grappes, dont celles de l'industrie pharmaceutique et celles des technologies de l'information, avaient dépassé le stade des cinq rencontres. Par contre, dans la sidérurgie et la foresterie, « l'initiative a échoué », disait la revue, les protagonistes se bornant essentiellement à réclamer une baisse des tarifs d'électricité. « Quelques idées concrètes, comme le groupement d'achats dans la sous-grappe de la plasturgie, un bulletin d'information dans celle de l'équipement de production, de transport et de distribution d'énergie électrique, ont dû être remises à plus tard, le temps de régler des problèmes plus pressants — notamment en matière de financement, voire de survie du secteur », précisait la revue.

Autour de plusieurs tables de concertation, des entrepreneurs hésitent à échanger des idées ou des informations avec leurs compétiteurs. D'autres veulent transformer la concertation en opération de lobbying. D'autres encore s'opposent, par principe, à la présence de l'État. Un membre de la grappe aéronautique confie que la proposition de Tremblay d'introduire des conventions collectives de cinq ans a été tout simplement rejetée : « Nous avons nos propres contraintes, ça ne nous intéressait pas. »

Le responsable d'une table de concertation avouait à *Commerce* qu'il « aurait aimé accoucher de directives percutantes » dans son secteur, plutôt que de vagues consensus. Mais, pour l'instant, « c'est le mieux que nous puissions faire. De toute façon, il ne faut pas s'attendre à voir de résultats avant quatre ans. » Un délai raisonnable quand il s'agit de jauger l'impact d'une stratégie industrielle.

Contrairement à Daniel Johnson, Gérald Tremblay fait le pari qu'en tirant sur les fleurs, on peut les faire pousser plus vite. Impatient de nature, il doit se rendre à l'évidence : il ne peut tirer que tout doucement, ne les faire pousser qu'un tout petit peu plus vite. Et il ne peut transformer magiquement et rapidement d'éternels rivaux en joyeux partenaires.

Ces difficultés d'allumage ne découragent pas le missionnaire Tremblay. De retour à Davos, où il représente Robert Bourassa, en février 1993, il vante les mérites de sa stratégie à l'Ontarien Bob Rae et au premier ministre de la Colombie-Britannique, Mike Harcourt, présents à la réunion annuelle des « grosses légumes » économiques et politiques en Suisse. Ces deux néo-démocrates lui prêtent une oreille plus amicale que ne le fait Daniel Johnson, mais peut-être ne sont-ils que plus polis. Tremblay aurait voulu convaincre aussi le gouvernement fédéral d'adopter son approche. Si Ottawa se rebiffe, suggère-t-il dans les couloirs des hôtels de la station de ski suisse, il proposera aux provinces de travailler ensemble pour accroître la compétitivité. Si les grappes n'ont pas permis, du moins pour l'instant, d'accroître les exportations québécoises, pourquoi ne pas tenter, simplement, d'exporter les grappes elles-mêmes ? Au début de l'été 1993, en conférence de presse, Ghislain Dufour exprime des réserves sur la stratégie des grappes. Le Québec n'a pas les moyens de s'en payer 13, dit-il (dans des termes que le président de la CSN, Gérald Larose, reprendra presque mot pour mot à la mi-septembre 1993). En période de questions, à l'Assemblée, l'opposition péquiste fond sur le ministre, qui a préparé une réponse tout en détours où il veut parler de ce qui marche, plutôt que de ce qui ne marche pas. Une fois, deux fois, trois fois, le président de l'Assemblée le prie de répondre directement à la question. Il quittera le salon bleu peu après, heurté et amer. Sa stratégie atteint ce jour le fond du baril de l'opinion. « Je sais que je me suis lancé là-dedans en kamikaze », confie-t-il à la mi-juillet, parlant de l'ensemble de son « opération grappes ».

C'est mi-résigné mi-combattant qu'il explique alors vouloir relancer le débat de la croissance sur de nouvelles bases : celle du partage du travail et celle de la lutte au décrochage. Pour la première fois, dit-il, il a reçu le mandat clair, signé du premier ministre, de préparer des mesures de relance de l'économie et de l'emploi qu'il devait déposer en octobre 1993. « Pour la première fois de ma vie, j'ai mis une proposition sur la table du conseil, puis je me suis reculé, et j'ai écouté les deux tendances [les interventionnistes et les anti-interventionnistes] s'exprimer », ajoute-il sur le ton de celui qui a perdu la flamme des débuts. « J'ai dit au premier ministre, " vous ferez les arbitrages à la fin, moi je n'ai pas de temps à perdre. " »

18 H 30. TREMBLAY RENCONTRE, en privé, le président d'Ultramar, Jean Gaulin. Comme le ministre ne manifeste toujours aucune intention de prendre une bouchée à un quelconque moment de la journée, l'auteur en profite pour avaler un sandwich. De retour dans le bureau ministériel, il trouve Tremblay en état d'excitation moyenne.

« Je veux pas lire dans un article, moi, qu'il y a de l'ingérence politique à la SDI », dit-il à son chef de cabinet, Bernard Labrecque, le sommant d'appeler tous les membres de son personnel pour savoir si quelqu'un, quelque part, se serait permis de faire quelque intervention malvenue. Le ministre lui-même affirme qu'il ne communique qu'avec le président de la SDI et son adjoint. « S'il pose la question, ajoute-t-il en montrant l'auteur du regard, c'est qu'il sait quelque chose qu'on ne sait pas. Il faut le trouver. Ce serait grave. »

L'accusation, grave en effet, est formulée dans un texte interne du syndicat des professionnels de la SDI, dont l'auteur a copie. On y lit que les responsables de portefeuille, qui doivent juger de la qualité d'une demande de prêt, « doivent subir, durant le processus d'évaluation des risques d'un projet, des pressions venant de ministres et de députés, de membres du cabinet du ministre de l'Industrie, de membres du comité exécutif et du conseil d'administration de la SDI ». Inutile d'en citer davantage, car ces affirmations sont sans fondement. Le document émane d'un syndiqué particulièrement tapageur, qui n'a d'ailleurs pu rallier à sa position qu'une minorité de ses compères. Écrit et coulé par pure malveillance, le document n'a jamais été approuvé par une instance syndicale, explique dans les jours qui suivent le président du Syndicat des professionnels, Daniel Giroux. L'anecdote est racontée ici pour illustrer comment naissent les petites vacheries dans la vie politique et administrative, et comment Tremblay réagit, en toute transparence, au péril qu'il voit poindre. Ce qui ne signifie pas que la SDI et le ministre soient blancs comme neige, mais simplement qu'ils doivent être supposés tels jusqu'à preuve du contraire.

Tremblay n'est pas au bout de ses frustrations. À 20 heures, il doit se rendre à une commission parlementaire d'une tristesse à faire pleurer tous les sièges vides de l'assistance. On y examine des modifications à apporter à la Loi sur les sociétés de placement dans l'entreprise québécoise. L'opposition péquiste, menée par Jacques Léonard, ne s'y oppose pas sur le fond, mais ralentit le débat, qui déjà avance à pas de tortue.

« Monsieur Léonard, se plaint Tremblay une heure et demie plus tard, ça fait cinq fois que je réponds à votre question. L'information que vous me demandez, je ne l'ai pas aujourd'hui. Je vais la trouver, et vous la donner demain. »

À 22 h 15, on touche à la fin de ce long jour de février 1992. Dans un salon du *bunker,* Tremblay et l'auteur discutent de grappes et des objections formulées à leur endroit par l'économiste Jane Jacobs. Le ministre écoute avec un intérêt réel, puis narre avec un plaisir gamin la petite victoire qu'il vient d'arracher dans un dossier d'investissement. Mais on entend quelqu'un venir...

« Encore au travail ! », lance Robert Bourassa en guise d'introduction, en entrant dans la pièce d'un pas détendu, vêtu d'une chemise bleue sous un chandail assorti.

La convocation même de cette rencontre est significative. Tremblay et Bourassa n'avaient pas convenu de se réunir, n'avaient pas de dossier particulier à traiter avec le ministre. Le rendez-vous a été pris à l'initiative du premier ministre, quand il a appris que l'auteur préparait un portrait de Tremblay. Un signal ?

« Je rencontrais Fernand Daoust tout à l'heure, raconte Bourassa. Ils sont évidemment tous en admiration devant Gérald. Mais ils sont critiqués par leurs amis péquistes. » Pas par tous. La veille à Québec, Pierre Marc Johnson est venu dire qu'il « trouve sympathiques les grappes industrielles », pour autant qu'on n'en plante pas « un champ complet ». Une mise en garde cependant : « Avant de faire les vendanges, ça prend souvent plus d'un mandat ! »

Alors, monsieur le premier ministre, ce discours sur l'état d'urgence ? « Je n'avais aucune objection, au contraire. Quand le chômage est en haut de 10 %, c'est un état d'urgence. » Et la saute d'humeur du ministre ? « Il voulait prendre un peu d'air pour quarante-huit heures. Faut pas dramatiser. » De toute façon, dit-il pendant que le ministre sourit dans son fauteuil, « Monsieur Tremblay aurait été le premier déçu que son projet soit adopté en cinq minutes. Il aurait dit : " Finalement, ils ne se donnent même pas la peine d'en parler ! " »

La discussion se déroule, on le voit, sur le mode ironique. Qu'en est-il du risque politique de pécher par optimisme en mettant de l'avant ces grappes ? Les Québécois ne demanderont-ils pas des comptes, dans quatre ans, si l'emploi n'a pas progressé ? « Quatre ans en politique, c'est long. C'est très, très, très, long, dit Bourassa. Moi-même, j'ai prédit 100 000 emplois en 1970, mais, voyez ! je suis encore ici en 1992. »

En 1992, oui. Mais en 1993 ? Et en 1994 ? Jusqu'au déclenchement de la course au leadership, il était inutile de soulever la question avec Gérald Tremblay. Même quand des amis proches voulaient lui en parler, lui offrir leur aide, il disait : « Arrêtez ! non ! C'est pas un sujet de discussion », rapporte l'un d'eux. Tous ses proches qui osent une opinion, cependant, sont formels : Gérald Tremblay aime être numéro un, ne serait-ce que pour mieux accomplir sa mission.

Selon les organisateurs libéraux contactés, Tremblay n'a pas, du moins jusqu'à l'été 1993, préparé de campagne, aligné de « poteaux ». Quoiqu'on l'ait vu, aux congrès des jeunes libéraux, se fondre à la foule des futurs leaders. Et presque chaque lundi matin depuis 1991, il a petit-déjeuné avec une quinzaine de convives de sa circonscription d'Outremont (singulier carrefour du pouvoir économique, intellectuel et politique), ce qui a contribué à étendre son « rayonnement ». S'agiter de façon plus visible aurait été superflu. Son action politique en tant que ministre a été son meilleur atout. Dans le parti, en région, dans les entreprises, chacune de ses interventions positives a posé une brique de la campagne à venir.

C'est d'ailleurs en misant sur ses grappes qu'il a tenté de s'imposer dans l'opinion. En avril 1993, il a lancé deux livres sur son concept de stratégie industrielle : un atlas et un essai, auxquels il prête son nom et les ressources de son ministère, mais non sa plume. Un livre qu'il a vendu, publicisé, de région en région, rencontrant l'élite et, quand la chose fut possible, la direction locale du parti. Quelle heureuse coïncidence que cette publication, en pleine pré-campagne au leadership !

« Il est jeune, il a des enfants, un chien, une bonne éducation, il est intelligent, charismatique, parfaitement bilingue, il circule partout, il est disponible, indépendant de fortune », disait Mario Bertrand en 1992. « Ce sont des critères importants quand tu veux devenir premier ministre. Et il le veut, même s'il le nie. »

Mais Bertrand et plusieurs autres ajoutaient un gros bémol à cette gamme de qualités : la fragilité de Tremblay face aux critiques. « Il n'a pas vraiment eu l'occasion de s'enfarger », du moins pas publiquement, explique un responsable du parti. Mais ça pourrait faire mal.

« Gérald est très sincère, très dévoué — jusqu'à l'os ! — dit un ancien ministre libéral, mais au point de vue du sens politique, il a encore des croûtes à manger. » Puis il y a sa voix... Cette « voix de soufflet, [qui] ne pardonne pas », commente un animateur de radio dont l'organe n'émet que des graves. Quand Tremblay s'emballe, quand il s'énerve — comme lors d'un débat pré-référendaire enlevé contre Bernard Landry à l'émission *Le Point* — sa voix grimpe de deux tons, prend une intonation geignarde qui vient renforcer l'image boy-scout du ministre.

« Je courais, je courais, je courais, mais j'ai frappé un mur au trente-sixième kilomètre », racontait un jour Tremblay, parlant du marathon de Montréal de 1984. Il aurait pu battre son propre record, mais son trop grand empressement lui a ravi sa victoire.

Cette fois, Tremblay semble penser que le temps lui est favorable. « Il a l'intelligence de ceux qui savent qu'ils ont des choses à apprendre et que ça prend du temps », pense un ancien ministre péquiste. Lors de la course au leadership, certains estiment que « Gérald devrait sauter un tour », prendre de l'expérience, et de la couenne.

Mais l'histoire, dit-on, ne repasse pas les plats. Tremblay peut penser qu'il n'est pas prêt, mais aura-t-il une autre occasion avant cinq ou dix ans ? Si quelqu'un de sa génération, comme Johnson, occupe le fauteuil du leader, comment pourra-t-il, après ce long délai, apparaître comme un homme neuf ?

La tentation pourrait être forte, aussi, de se lancer dans la course pour faire au moins acte de présence. Signaler son intérêt. Se faire davantage connaître du public (en novembre 1992, une proportion de 61 % des Québécois disaient ne pas connaître son nom).

Tremblay, quoi qu'il en soit, est certain d'avoir tout son avenir devant lui. « Je ne sais pas ce que vous allez écrire, dit-il à l'auteur avant de lui donner congé, je n'ai encore presque rien fait. »

Deuxième partie

LA COURSE

Feindre d'ignorer ce qu'on sait, de savoir tout ce qu'on ignore ; d'entendre ce qu'on ne comprend pas, de ne pas ouïr ce qu'on entend ; surtout de pouvoir au-delà de ses forces ; avoir souvent pour grand secret de cacher qu'il n'y en a point ; s'enfermer pour tailler des plumes, et paraître profond, quand on n'est, comme on dit, que vide et creux ; jouer bien ou mal un personnage, répandre des espions et pensionner des traîtres ; amollir des cachets, intercepter des lettres ; et tâcher d'ennoblir la pauvreté des moyens par l'importance des objets : voilà toute la politique, ou je meure !

Beaumarchais, *Le Mariage de Figaro*

V

LE SURVENANT

« Des candidats au leadership, il y en a quatre ou cinq probables, et une dizaine de possibles », énoncait à l'été 1993, entre deux bouchées de salade de homard, un organisateur libéral, vétéran de trois de ces courses. Pourquoi tant de choix ? Parce qu'aucun candidat ne semble susciter dans l'électorat un engouement tel qu'il puisse dissuader les ambitieux. Personne dont on puisse dire qu'il (ou elle) est imbattable, exceptionnel(le), béni(e) des dieux, de la conjoncture ou des militants.

Il n'y a pas non plus, à l'extérieur du parti, de figure forte qu'on voudrait à tout prix conscrire, comme ce fut le cas d'un Mario Cuomo aux États-Unis ou, pour rester dans nos terres, d'un Claude Ryan en 1977.

La faiblesse relative des Bacon, Johnson et Tremblay dans les sondages pendant les mois précédant la course ouvre la porte à tous les scénarios. Au moment d'aller sous presse, à la fin de septembre 1993, plusieurs autres noms circulent dans les milieux libéraux. Celui de Pierre Paradis, ministre de l'Environnement, déjà candidat en 1983, soulève plus de curiosité que d'enthousiasme. Celui de Claude Béland, du Mouvement Desjardins, a souvent été mentionné dans les coulisses du conseil général libéral, tenu au début de 1993, malgré les allégeances souverainistes de l'intéressé. Guy Saint-Pierre, l'ex-ministre, prononce des discours qui ont toutes les allures d'un programme électoral. Claude Beauchamp, qui fut journaliste d'affaires avant de brasser des affaires en journalisme, disait à l'hiver de 1993 « réfléchir sérieusement » à son avenir, municipal, provincial ou fédéral. Yves Fortier, l'ex-ambassadeur, aime que son nom circule. Et Michel Bélanger, de la commission qui portait son nom, présente le profil du sage qui pourrait sauver la situation, presque à contrecœur.

Vont-ils vraiment se présenter ? Difficile à dire. Même s'ils ne se lancent pas dans la course, ils font partie de l'écurie politique québécoise des années 1990. Absents à la ligne de départ, ils feront leur apparition dans les virages, ou dans d'autres tournois. Par conséquent, il est bon d'en savoir un peu plus sur leurs forces et leurs faiblesses.

Nom, prénom : Paradis, Pierre.
Naissance : 16 juillet 1950, à Bedford.
Profession actuelle : Ministre de l'Environnement.
Derniers bons coups : Sa nomination au poste de leader parlementaire après le référendum, qui lui permet de soigner ses relations avec le caucus, notamment rural. Il a aussi été blanchi de toutes les accusations voulant qu'il se soit fait payer une résidence par la compagnie Laidlaw, spécialisée dans l'élimination des déchets dangereux.
Dernière tuile : Son incapacité à faire décoller son grand projet : la création d'une agence québécoise de protection de l'environnement, indépendante de l'État.
Ambition : Devenir premier ministre du Québec.
Antécédents politiques : En 1979, il est recruté par Rodrigue Biron qui l'invite à faire partie du bureau de direction de l'Union nationale. Mais lorsque Biron prend position pour le Oui en mai 1980, Paradis lui retourne sa carte. « Tout ce que je savais, c'est que je n'étais pas péquiste », dit-il. Il fait ensuite campagne pour le Non (sa circonscription de Brome-Missisquoi a voté « non » à 78 %). Six mois plus tard, à la faveur d'une partielle, Paradis est élu, à 29 ans, député libéral. Au

sein du parti, il est considéré comme un fédéraliste orthodoxe. En septembre 1981, il a voté à contrecœur la résolution contre le rapatriement unilatéral de la Constitution, proposée par le PQ mais appuyée par Claude Ryan. Neuf de ses collègues libéraux ont voté contre cette résolution. Au début de 1984, Brian Mulroney l'invite à se porter candidat conservateur pour l'élection qui s'annonce. Paradis hésite, puis décline. Au moment de l'élection de 1989, il pense quitter la politique. « Il a fallu le supplier pour qu'il se représente », commente un proche de Bourassa.

Expérience : Pour payer ses études de droit à l'Université d'Ottawa, Paradis a « ramassé du crottin de cheval, " pogné des poulets ", fait la drave en Ontario, peint des clôtures, fabriqué des fermetures éclair à la chaîne et nettoyé la rivière aux Brochets [...]. Son premier bureau d'avocat, il l'a installé au sous-sol de la maison de ses parents, à Bedford, à côté de la salle de lessive », raconte Micheline Lachance dans le portrait qu'elle a tracé du ministre dans *L'actualité*.

Il se fait d'abord connaître à titre de représentant d'un groupe de producteurs de porcs et d'œufs des Cantons de l'Est qui s'opposent aux programmes gouvernementaux de stabilisation et de contingentement de la production, sous le slogan « Non à l'agriculture communiste ! » Le groupe se montre parfois très agressif, au point de lancer un jour un porcelet vivant dans une fenêtre du Parlement de Québec (l'animal en est mort).

Sur cette lancée, Paradis devient député de son coin de campagne estrienne en 1980, puis participe, à 33 ans, à la course à la succession de Claude Ryan. Il veut devenir, explique-t-il, « le René Lévesque libéral », un personnage phare qui rallierait les libéraux. « Je pensais gagner », dira-t-il encore, cinq ans plus tard. Il fait campagne sur le thème des droits et libertés, promet le rétablissement de l'affichage bilingue et indique qu'il aurait voté contre la loi 22 parce qu'elle retirait aux parents le libre choix de l'école pour leurs enfants. Il arrive deuxième, très loin derrière Bourassa. Sa base politique est essentiellement rurale et anglophone.

Titulaire après l'élection de novembre 1985, du portefeuille des Affaires sociales, il embauche 150 « boubou-macoutes » qui enquêtent — avec un peu trop de zèle parfois — sur les fraudeurs, et institue la première version d'une réforme de l'aide sociale qui incite les bénéficiaires à retourner au travail ou à suivre une formation, sous peine de diminution d'allocations. Dossier explosif. Les assistés sociaux forment le groupe SCRAP Paradis (Solidaires contre la réforme à Paradis), mais il tient bon.

Paradis assume aussi la fonction de ministre du Travail (dans le caucus libéral, la rumeur veut alors que Bourassa surcharge Paradis de travail pour le pousser à l'échec). Il doit intervenir dans la grève des cols bleus de Montréal en mars 1986, puis dans celle des transports en commun, en avril 1987. Il négocie en outre avec l'Ontario, en même temps qu'il essaie de l'obtenir du Québec, le dégel du salaire minimum, et fait en sorte que les chantiers de construction embauchent davantage de jeunes travailleurs.

En 1988, Bourassa le mute brièvement aux Affaires municipales, puis, après l'élection de 1989, à l'Environnement. Là, pour reprendre une expression de Hedrick Smith, auteur de *The Power Game,* Paradis utilise la technique du *« porcupine power »* (pouvoir du porc-épic). Stratégie selon laquelle l'homme insupportable et irascible finit par obtenir ce qu'il veut de ses partenaires ou rivaux, ceux-ci calculant en dernier recours qu'il est plus simple de céder que d'affronter indéfiniment le trouble-fête.

Paradis critique son ministère, ses fonctionnaires, l'insuffisance de son budget et le refus du gouvernement de lui verser les 50 millions supplémentaires promis pendant la campagne électorale. Il serre aussi les freins dans le dossier Grande-Baleine et multiplie les acrobaties dans un autre dossier favori du premier ministre : le projet Soligaz, évalué d'abord de façon fort critique par le Bureau d'audiences publiques sur l'environnement, puis de façon plus louangeuse par l'expert Bernard Coupal, avant d'être modifié puis évalué de nouveau.

Mais Paradis a perdu plusieurs batailles et avalé quelques couleuvres : notamment lorsque l'Assemblée vote des exemptions aux normes environnementales pour telle aluminerie, et lorsque l'État décide, en été 1992, d'envoyer un chèque de huit millions de dollars au pollueur Tioxide (qui se joue du ministre depuis des années et qui décide, en février 1993, de déménager sa boutique polluante en Louisiane plutôt que de nettoyer son blason au Québec).

La volonté du ministre de réévaluer et d'étendre le champ du processus d'évaluation environnementale des grands projets se heurte à une forte résistance au sein du Conseil des ministres. Elle finit par aboutir à un projet de loi qui fait de lui un bien petit géant vert. Échec personnel pour Paradis : alors que seul le ministre de l'Environnement avait le droit de déclarer « frivole » une demande d'audiences publiques pour un projet industriel — pouvoir discrétionnaire considérable — la nouvelle loi transfère ce pouvoir au Conseil des ministres, donc au premier ministre. En décembre 1992, ce texte est adopté à la va-vite, sous le coup de la guillotine parlementaire en fin de session.

Programme : S'il est fidèle à ses opinions de 1983, il proposera une politique nataliste plus vigoureuse, assurera la primauté de la charte québécoise des droits sur toutes les lois (après l'abolition de la clause nonobstant) et réduira le nombre de tribunaux administratifs. On peut prévoir aussi un resserrement de la politique d'aide sociale.

Atouts : A démontré, pendant la course de 1983, une grande habileté à monter une organisation électorale motivée et relativement efficace. Est le seul candidat qui peut prétendre représenter les régions, la majorité des autres candidats étant montréalais.

Handicaps : Il a fini par s'aliéner les assistés sociaux, sans pour autant se faire aimer des travailleurs ; par mécontenter les milieux d'affaires, sans pour autant être applaudi par les écologistes. Sa présence dans la course pourrait aussi obliger les autres candidats à prendre une position beaucoup plus pro-anglophone que ne le commande l'intérêt électoral du parti.

Déclaration la plus étrange : Informé qu'avant l'entrée en vigueur de la loi 22, une proportion de 46 % des écoliers montréalais allaient à l'école anglaise, il affirme : « L'école n'est pas nécessairement un instrument d'assimilation. »
Bon à savoir : Pendant la crise gouvernementale péquiste de 1985, il s'est vanté du fait que lui et ses collègues libéraux écoutaient des conversations entre différents ministres, captées par téléphone cellulaire.

Nom, prénom : Saint-Pierre, Guy.
Naissance : 3 août 1934, à Windsor Mills.
Profession actuelle : Depuis 1989, président et chef de la direction au Groupe d'ingénierie SNC.
Dernier bon coup : A présidé au redressement de SNC de 1989 à 1991 et lui a fait avaler, en 1991, sa concurrente Lavalin, en difficulté.
Dernière tuile : Son ex-rival Bernard Lamarre, président de Lavalin, entré dans la bergerie SNC au moment de la fusion, a reconstitué ses réseaux, et gruge ainsi le pouvoir de Saint-Pierre.
Ambition : Hésite entre la retraite et la fonction de premier ministre du Québec.
Antécédents politiques : Sans racines à l'intérieur du Parti libéral avant l'élection de 1970 : « Je n'avais même pas ma carte de membre du Parti libéral, je n'avais jamais assisté à une assemblée politique », confie-t-il. À l'invitation de Bourassa, qu'il avait croisé à Oxford, dans leurs années de jeunesse, sans s'en être fait un ami, il se présente et se fait élire en 1970. Ministre de l'Éducation, puis de l'Industrie et du Commerce, Saint-Pierre entre en conflit avec l'homme fort du régime, Paul Desrochers, conseiller de Bourassa et répartiteur du patronage libéral. La dissension est d'abord idéologique. À l'Industrie, Saint-Pierre découvre que le Québec dispose de l'épargne nécessaire « pour penser à des formules de croissance qui lui soient propres, faisant appel à l'État-moteur ». Or, Bourassa et Desrochers sont dans leur phase pro-multinationales et n'ont rien à faire de l'embryon de nationalisme économique que

Saint-Pierre veut développer. La crise éclate lorsque Desrochers, profitant de l'absence de Saint-Pierre, accorde à la multinationale Bechtel la gérance des travaux de la Baie James.

La frustration de Saint-Pierre est telle qu'en avril 1973, *Le Soleil* rapporte que le ministre envisage rien de moins qu'un *putsch* au sein du parti « parce que, explique le journal, le premier ministre Bourassa lui semble incapable de se soustraire à l'influence envahissante de Desrochers ». Ne trouvant cependant que peu d'appuis dans le parti et au Cabinet, Saint-Pierre fait marche arrière.

En 1976, pendant le conflit des gens de l'air, au cours duquel Ottawa donne raison à ceux qui jugent le français « dangereux pour la sécurité », Saint-Pierre fait un pas de plus dans son cheminement nationaliste : il explique que les récentes réactions « racistes » aux demandes légitimes du Québec en matière de langue le poussent à souhaiter « tirer une ligne sur le Saint-Laurent — de sorte que le Canada se situera de Vancouver à Ottawa ». Outre l'incongruité géographique de l'affirmation (il voulait dire l'Outaouais), certains ont affirmé que cette déclaration, reprise ensuite par le président du Parti libéral, Ben Payeur, a contribué à légitimer l'option péquiste et ainsi, contribué à la défaite libérale de novembre 1976. En avril 1978, Saint-Pierre, revenu en terre fédéraliste, préside le congrès au leadership du parti qui consacre la victoire de Ryan. On le retrouve au comité du Non au référendum de 1980.

Pendant la course au leadership de 1983, après avoir insisté lourdement sur « l'erreur » que constitue le retour de Robert Bourassa et avoir signifié à celui-ci qu'il a fait son temps, Saint-Pierre appuie Daniel Johnson.

Ces passes d'armes avec le premier ministre expliquent peut-être pourquoi, au moment de la fusion SNC-Lavalin en été 1991, Saint-Pierre dit qu'il est, selon ses propres termes, allé voir Bourassa quand l'entente a été terminée pour s'assurer qu'il n'allait pas y opposer son veto.

Après Meech, Saint-Pierre, devenu pilier des grands lobbies patronaux pancanadiens, se mue en rempart du fédéralisme, qu'il préférerait « plus fonctionnel », notamment dans son intégration économique, et plus attentif au caractère distinctif du Québec qu'il ne définit cependant qu'en fonction de la culture. Mais contrairement aux allairistes, il rejette toute idée d'ultimatum, préférant le Canada, même celui de 1982, à la souveraineté. (Dans un discours de novembre 1991, il dénonce encore avec force « l'erreur historique » que constituerait la souveraineté, tout en ajoutant qu'en cas de victoire de l'idée indépendantiste : « je donnerais le meilleur de moi-même pour contribuer au succès de l'aventure. »)

Il est aussi cofondateur du groupe Économie et Constitution, très utile à Bourassa. Mais il sonne une note discordante en avril 1992 lorsqu'il affirme : « J'aimerais mieux que le Québec indique, plus clairement peut-être qu'on le sent dans le moment, ce qu'on recherche dans le processus constitutionnel. » Il rectifie le tir en septembre 1992, au moment de l'Entente de Charlottetown, en affirmant que « personne n'était mieux placé que Robert Bourassa pour négocier une telle entente ». « Tous connaissent, ajoute-t-il, la préoccupation constante du chef du gouvernement de préserver la force économique du Québec. » Saint-Pierre défend ensuite publiquement l'Accord, notamment dans les débats avec l'ex-ministre péquiste Yves Bérubé, son employé à SNC.

Expérience : Pensionnaire, puis élève de l'armée, il se voit général. Onze ans plus tard, il quitte les Forces (il était stationné au camp Gagetown, au Nouveau-Brunswick), fait des études de génie qui le mènent à Londres, où il décroche une maîtrise, puis travaille comme ingénieur au bureau montréalais d'un compétiteur torontois de SNC, avant de se lancer en politique en 1970.

Après la défaite de 1976, il devient l'adjoint du président de la brasserie Labatt et est nommé président des Minoteries Ogilvy, président de l'Association des manufacturiers Canadiens et membre du Business Council on National Issues, le superlobby patronal canadien qui a servi de *brain trust* aux politiques économiques du parti conservateur.

Programme : Dans deux discours prononcés en février 1993, Saint-Pierre pose les jalons d'un futur programme électoral, dont les principales composantes suivent.

Privatisations :

• « Remettre la gestion des autoroutes entre les mains d'entreprises privées, comme c'est le cas dans plusieurs pays d'Europe. »

• « Privatisation salutaire » pour « les services d'approvisionnement en eau potable et le traitement des eaux usées ».

• « Une deuxième phase de privatisations semble s'imposer, qui porterait non seulement sur les sociétés d'État, mais également sur les services offerts par le gouvernement. »

• Privatisation d'« une partie de l'administration du parc immobilier scolaire ».

Éducation :

• « Envisager un retour à un plus grand nombre d'écoles privées aux niveaux primaire et secondaire. »

• Pour lutter contre le décrochage, « offrir, après le secondaire trois, un diplôme d'État permettant de vérifier les connaissances des étudiants », de « boucler la boucle » des apprentissages de base, de dépister les décrocheurs potentiels et d'« offrir une reconnaissance tangible, un premier diplôme qui constitue un encouragement à aller plus loin ».

• « Création d'un véritable système de tutorat » au secondaire.

• Mise sur pied d'un « système de bourses tenant compte de la réussite individuelle » pour réduire les besoins financiers des étudiants, dont 68 % travaillent à temps partiel.

Formation de la main-d'œuvre :

• Extension des avantages fiscaux aux entreprises pour qu'elles y consacrent entre 2 et 3 % de leurs revenus. Dégrèvement aussi pour les investissements de recherche, de développement et de prospection de marchés à l'exportation. Au total, 10 % des revenus des entreprises seraient exonérés.

• Fusion possible des ministères de la Main-d'œuvre et de l'Éducation.

Aide sociale :

• « Guichet unique » pour les chômeurs et assistés en recherche d'emploi ou de formation (vieille idée). Intéressé par l'idée d'un « service civil obligatoire » pour « redonner un peu de confiance et de motivation à la majorité des 400 000 assistés sociaux du Québec dont plusieurs souhaitent travailler ».

Déclaration la plus saugrenue : « Je suis surpris du nombre de gens qui rejettent l'Accord [de Charlottetown] avant, apparemment, de l'avoir lu. » (Déclaration prononcée le 24 septembre 1992.) Saint-Pierre, lui, défend l'Accord deux semaines avant de pouvoir en lire les textes juridiques non encore complétés.

Bon à savoir : Père arpenteur, mère américaine, le jeune Saint-Pierre a été saxophoniste-vedette dans des fanfares locales. En 1976, il refuse une offre de Bernard Lamarre qui veut de lui chez Lavalin. Jardinier amateur : il peut s'adonner à ce hobby pendant quatorze heures d'affilée dans son chalet des Cantons de l'Est. Passé la cinquantaine, il s'est mis à la planche à voile.

Nom, prénom : Beauchamp, Claude.

Naissance : 9 juillet 1939, à Montréal.

Profession actuelle : Semi-rentier, à la recherche d'une fonction politique.

Dernier bon coup : Avoir vendu, au début de 1993, avec un important profit, une partie de ses actions du Groupe Transcontinental.

Dernière tuile : Avoir appris, en lisant le chapitre VIII de ce livre, que, parmi le peu de Québécois qui le connaissent, la plupart ne lui font pas confiance pour diriger un parti.

Ambition : Par ordre de priorité et en tenant compte des offres qu'on pourrait lui faire, il aimerait être en position de pouvoir au fédéral (ministre important), ou à Montréal (maire) ou à Québec (ministre important ou premier ministre). Au moment d'écrire ces lignes, la deuxième option semble avoir une longueur d'avance.

Antécédents politiques : Correspondant parlementaire à

Québec pendant les années 60, il est un des rares journalistes à jouer au golf avec les députés et ministres libéraux ou unionistes du temps. L'UN l'approche pour qu'il soit candidat ; il refuse. Au tournant des années 70, il dirige les pages politiques et économiques de *La Presse*. Selon Ghislain Dufour, Beauchamp « a fait une seule erreur dans sa carrière : il a voté “ oui ” en 1980 ». Quelques-uns de ses anciens collègues journalistes se rappellent l'avoir entendu tenir des propos indépendantistes dans les années 70, et s'afficher comme nationaliste au début des années 80. Depuis, Beauchamp compense en fustigeant le nationalisme, qu'il dit « sanguin » : « Le projet nationaliste est par essence intolérant, porteur d'exclusion à sa base même. »

Depuis dix ans, Bourassa l'a approché à quelques reprises pour l'intégrer à son équipe. Mais jusqu'à la dernière négociation constitutionnelle, Beauchamp n'était pas un fan du premier ministre. Plus récemment, dit un proche, il a été frappé par la contribution de Bourassa dans ce dossier. Beauchamp a d'ailleurs servi d'émissaire québécois pendant les dernières tractations constitutionnelles.

On sait Beauchamp proche de certains ministres libéraux. Il a appuyé Gérald Tremblay dans sa réforme des caisses d'entraide et il joue au tennis avec Gil Rémillard. Il se dit plus intéressé toutefois à la politique fédérale que provinciale, car il juge que c'est à Ottawa que se gèrent les vrais dossiers. Il aurait longuement hésité à se joindre à l'équipe de Jean Chrétien aux prochaines élections générales, et y aurait finalement renoncé, par respect pour Brian Mulroney dont il a aussi apprécié les efforts pour ramener le Québec dans le giron constitutionnel.

Expérience : Il fait une brève apparition en médecine, avant d'obtenir une Licence en droit, puis d'étudier l'économie aux HEC. Cette préparation lui ouvre les portes du journalisme économique : on lui confie la direction de l'information de l'hebdo *Les Affaires*. Il devient plus tard chef du bureau parlementaire de *La Presse* puis dirige les pages économiques du journal de 1971-1974. Il devient porte-parole du front commun syndical de *La Presse,* pendant le dur lock-out de l'automne 1971. (Une manifestation d'appui aux grévistes regroupant 10 000 marcheurs débouchera sur un affrontement violent avec la police. Bilan : une manifestante tuée et près de 200 blessés.) Avant le lock-out, par solidarité avec les typographes déjà en grève, le syndicat des journalistes produit pendant quelques mois le quotidien, tout en conviant les divers organismes à le boycotter (en ne l'avertissant pas de leurs conférences de presse, par exemple). La Fédération professionnelle des journalistes du Québec (FPJQ), dont Beauchamp est alors le président, dénonce cette manœuvre qui nuit à la qualité de l'information. Pendant le lock-out, Beauchamp dirige *Le Quotidien populaire,* journal alternatif publié par les journalistes en grève.

À la table des négociations, Beauchamp obtient la quasi-reddition de l'adversaire patronal. D'abord il rejette le rapport, plutôt favorable aux journalistes, du médiateur Michel Roy. Puis il obtient des conditions encore meilleures. L'avocat embauché par *La Presse* pour négocier coûte que coûte la fin du conflit s'appelle Brian Mulroney.

Beauchamp contribue ensuite à la survie de la FPJQ, menacée par la défection de certains groupes de journalistes, dont ceux du *Soleil,* en faveur de la Fédération des Communications, nouvelle composante syndicale CSN.

Fort de cette expérience, Beauchamp devient en 1974 rédacteur en chef et éditeur adjoint au quotidien de Québec, que vient de racheter Jacques Francœur. À son arrivée il connaît des rapports tendus avec les journalistes du *Soleil,* la rumeur voulant que lui, ou son adjoint, Claude Masson, lui aussi un ancien de *La Presse,* ait affirmé : « On va leur montrer, aux gars de Québec, comment ça se fait un journal. » Beauchamp a pour mandat de serrer les boulons d'une salle de rédaction plutôt molle et au fonctionnement anarchique. Quand vient le temps de renouveler la convention collective à l'été 1977, le syndicat réclame une réduction du droit de gérance ; la grève éclate. Elle durera onze mois. *Le Soleil* décide de publier son propre journal alternatif, dans d'autres locaux, en couvrant ses pages d'annonces et d'articles d'intérêt général. Le syndicat invite les lecteurs à boycotter la feuille, en venant jeter leurs copies du « faux » *Soleil* dans un stationnement devant les bureaux du journal qui se transforme bientôt en une montagne de papiers. La publication du *Soleil* cesse après quelques semaines. Après onze mois de grève, le syndicat manquant de fonds pour poursuivre le conflit, les grévistes finissent par accepter la plupart des conditions de l'employeur. Bref, Beauchamp aura connu deux grèves, des deux côtés de la table, et sera sorti vainqueur à chaque fois.

En 1980, année où il quitte *Le Soleil,* il achète, avec l'imprimeur Rémi Marcoux, l'hebdomadaire *Les Affaires,* dont il prend la direction. Il fait passer de moins de 25 000 à plus de 85 000 le tirage payant en misant sur la mode des RÉA et de l'entrepreneurship — un exploit dans un petit marché comme le Québec. Marcoux, président et propriétaire du Groupe Transcontinental (GTC), rachète la part de Beauchamp dans *Les Affaires,* en échange d'actions de GTC, et lui offre la direction des publications québécoises du groupe. Marcoux acquiert plusieurs autres journaux et revues, dont Beauchamp orchestre la gestion avec plus ou moins de succès. L'achat, en 1983, de la revue *Commerce,* alors propriété de la chambre de commerce de Montréal, est une bonne opération — ce qui n'est pas le cas toutefois du rachat de l'hebdomadaire *Finance,* que Beauchamp doit fermer. De même, la tentative de lancement d'un hebdo économique anglophone, *This Week in Business,* est un coûteux échec. L'achat des Éditions du Feu vert, qui publie entre autres revues et journaux *Le Bel Âge* et *Décormag,* permet une saine diversification des publications du groupe. Au tournant des années 90, Marcoux veut poursuivre cette stratégie d'achats, mais Beauchamp s'en désintéresse peu à peu. Il quitte donc ses fonctions, tout en continuant de siéger au conseil d'administration de l'entreprise.

Programme : Inconnu et probablement inexistant. « Il n'est pas très généreux avec ses idées, il couvre toujours ses arrières », dit quelqu'un qui l'a côtoyé pendant une décennie.

Pourrait être libéral ou conservateur, son seul souci étant de ne pas se retrouver sur les banquettes de l'opposition.

Déclarations les plus contradictoires : Toutes ses déclarations sur la Constitution :

- Les offres fédérales de septembre 1991, que Bourassa mettra trois mois à déclarer « inacceptables », il les aime énormément, et fait resssortir le fait que « la proposition fédérale a le grand mérite de mettre sur la table le cœur du débat, soit l'union économique canadienne ». Mais la formule pourrait limer les pouvoirs québécois, ce dont Beauchamp se rend compte deux mois plus tard. Il dira alors à Ottawa que ce « n'est pas le moment d'avoir ce débat » sur l'union économique. Bref, pas touche au « coeur du débat » ! « Nous ne voulons pas que les provinces soient mises dans une position où elles doivent constamment combattre les lois fédérales », dit-il encore, dans la première des très nombreuses pirouettes qui semblent lui servir de pensée constitutionnelle.
- Que dit-il, en mars 1992, du rapport Beaudoin-Dobbie, représentatif, selon Bourassa, d'un « fédéralisme dominateur » ? Beauchamp trépigne de joie : le texte est « très positif ». Une « considérable amélioration » sur Meech. Tout va bien, et tout ira encore mieux : « Je suis convaincu que le rapport va être bonifié [en faveur du Québec], les Québécois vont être surpris. »
- Ils sont effectivement très surpris, avec l'accord du Canada anglais le 7 juillet. « Le pire est arrivé », affirme alors Claude Castonguay. Nenni, répond Beauchamp, tout sourire : l'entente est « extrêmement positive », dit-il, y compris le sénat égal. « Le Canada anglais a fait ses devoirs », s'enfonce-t-il le 8 juillet. Beauchamp doit recevoir quelques coups de téléphone, car, six jours plus tard, il juge cette même entente « inacceptable » et « sûrement pas adéquate », notamment en ce qui concerne le Sénat.
- Bouquet final : son affirmation du 26 août 1992 sur l'inutilité du référendum, avant même la conclusion des négociations de Charlottetown. « Les chefs politiques M. Mulroney et M. Bourassa ont été élus deux fois sur la base

de ce programme électoral, celui de renouveler la Constitution canadienne. C'est fait. Ils ont le mandat et la légitimité pour procéder. Dans les circonstances, le référendum n'est pas indiqué. » Au moment où il tient ces propos, le rapport Allaire, le rapport Bélanger-Campeau, la loi 150 et un million de pétitionnaires québécois ont réclamé la tenue d'un référendum.
Atouts : Dans *La Presse*, Gérald LeBlanc l'a surnommé « l'Alain Delon de la politique ». Il est bon communicateur — quand le message est crédible. Il a plusieurs alliés, notamment Roger D. Landry de *La Presse*. Un cadre qui a travaillé à ses côtés signale que Beauchamp est capable de déployer une énergie considérable.
Handicaps : Alain Delon est un piètre politicien. « Monsieur Constitution » ne s'est pas mué en « Monsieur Crédibilité ». Prendrait très mal aussi le fait de se retrouver dans l'opposition. Et y serait moins performant.
Bon à savoir : Ne fume pas, ne boit pas. *Yuppie* avant la lettre, toujours tiré à quatre épingles. A fait un passage à Harvard en 1987, à 48 ans. Des amis le disent agressif (notamment au hockey), à la fois timide et intransigeant, toujours sûr de lui. Dans le *Who's Who* canadien 1991, à la rubrique « loisirs », on trouve le mot « *gold* » (or). On peut penser que l'auteur a voulu écrire « golf ». Mais est-ce vraiment une coquille ?

Nom, prénom : Béland, Claude.
Naissance : 25 janvier 1932, à Outremont.
Profession actuelle : Président du Mouvement Desjardins.
Dernier bon coup : A annoncé en 1993 d'importants profits pour le Mouvement — troisièmes meilleurs résultats de son histoire — en pleine période de récession.
Dernières tuiles : A cru à Raymond Malenfant, et se retrouve avec quelques hôtels sur les bras ; a «tiré la plogue » un peu vite sur l'agence immobilière Le Permanent.
Ambition : Être un acteur important de la vie politique québécoise.
Antécédents politiques : A déjà formé un gouvernement au

sein duquel figurait Bourassa : étudiant au Collège Brébeuf, Béland était « président de la république des as » et Bourassa agissait comme « ministre de la balle molle ». Longtemps, leur relation pouvait se résumer par cette anecdote : « Le premier ministre me dit l'autre jour : " Claude, il faut que je te voie, il faut que tu me donnes des conseils. " Je lui réponds : " Je t'en ai déjà donné, mais tu ne les suis pas. " Il me dit : " C'est pour ça qu'il faut que tu m'en donnes d'autres ". » Mais depuis que Béland est souverainiste, les appels de Bourassa se font rares et certains responsables libéraux ne lui pardonnent pas d'avoir émis des doutes sur l'utilité du projet Grande-Baleine.

Béland fut de la première vague des porte-parole du milieu des affaires à se prononcer pour la souveraineté, avant que ne meure l'Accord du lac Meech. S'il n'a jamais dévié de cette voie, il a toutefois envoyé des signaux clairs, sinon brutaux, pour indiquer qu'il se dissociait du Parti québécois. Membre de la commission Bélanger-Campeau, il a déclaré après la conclusion de ses travaux avoir découvert « l'esprit tordu des politiciens », notamment de ceux du Parti québécois, pour qui « ce n'est pas la souveraineté qui prime, c'est le pouvoir ».

Il s'est prononcé pour le Non pendant la campagne référendaire de 1992, sans toutefois multiplier ses apparitions. Depuis, il a fait partie du groupe de réflexion mis sur pied par Jean Allaire, le leader des libéraux pour le Non pendant le référendum.

Expérience : Enfant d'Outremont. Son père, commerçant en matériel électronique, a fondé la caisse populaire locale et était déjà très actif dans le Mouvement. Pendant ses études, Béland fils occupe plusieurs fonctions à la Caisse. Devenu avocat (Licence de l'Université de Montréal avec « grande distinction » et « prix du Doyen »), il est à même de voir à quel point les petits créanciers sont malmenés en cas de faillite, ce qui l'amènera à s'intéresser de près au mouvement coopératif. Sa grande œuvre aura été d'organiser, de renflouer et de fédérer au début des années 60 les « caisses de groupe », dont les services s'adressent aux employés de grandes compagnies comme Bell, le CN, etc. Ces caisses d'épargne, qui étaient membres de la Credit Union League ne fonctionnaient qu'en anglais. Lorsque leurs membres, en majorité francophones, se mettent à réclamer un peu de français dans les opérations, la direction de la League le prend mal, ce qui conduit à une scission. En quelques étapes, Béland arrive à réunir toutes les caisses québécoises de la League et à les intégrer au réseau Desjardins. Aventure au cours de laquelle il croise un jeune redresseur d'entreprises : Gérald Tremblay.

Pendant les années 70, il s'occupe d'édition, notamment à la présidence des Éditions du Jour. Il enseigne aussi le droit, en particulier le droit des coopératives, et est administrateur de diverses compagnies, dont celle de son père, jusqu'en 1985.

Entré au Mouvement Desjardins en y greffant sa fédération de caisses d'épargne en 1979, il grimpe les échelons du Mouvement jusqu'à ce que son président, Raymond Blais, le prenne comme adjoint en 1986, le désignant ainsi comme dauphin. Il prend la relève en janvier 1987, pour un mandat de sept ans. Sous sa présidence, on voit tripler le capital du Mouvement, ce qui lui permet d'affronter avec beaucoup plus d'aisance la récession de 1991-1992 que celle de 1981-1982. Il instaure aussi dans les 1300 caisses « l'assurance directe » qui permet aux clients de s'assurer sans passer par un courtier. Il fait entrer Desjardins dans le monde des valeurs mobilières. Parmi les institutions financières canadiennes, Desjardins présente un bilan remarquablement sain, notamment parce qu'elle n'a fait de prêt ni aux frères Reichman ni aux frères Bronfman.

De ce perchoir coopératif, Béland fait une tribune, qui lui permet d'intervenir dans les grands débats, comme au Forum de l'emploi, organisme de partenariat visant, comme son nom l'indique, la création d'emplois.

Tout se passe bien jusqu'à ce que l'Accord du lac Meech chancelle et que Béland décide d'appuyer publiquement l'idée de souveraineté. Il commet une première bourde en faisant circuler parmi les administrateurs des caisses un sondage précédé d'un exposé des orientations du président — infraction aux règles de base de tout sondage. Bref, les réponses y sont suggérées avant que les questions ne soient posées, technique d'autant plus malhabile qu'il était presque certain que, laissés à eux-mêmes, les administrateurs auraient largement endossé la position souverainiste, ce que le sondage bidon indique (85 % pour), mais de façon moins crédible. Cette gaffe donne des arguments anti-Béland à des administrateurs de caisses montréalaises et à des membres du conseil d'administration nettement moins souverainistes que leur chef. Béland perdra aussi un peu de son panache quand il avouera que ses prises de position politiques ont mécontenté des partenaires économiques ontariens du Mouvement et qu'il a personnellement reçu des menaces — allégations plausibles, mais qu'il ne peut ou ne veut prouver.

Les résultats financiers de Desjardins redorent son blason, malgré l'insuccès de son programme d'achat-chez-nous Qualité-Québec et la mauvaise publicité causée par la mise en faillite de l'agence immobilière Le Permanent. L'acquisition, en cours, de l'essentiel des actifs du groupe La Laurentienne a ébranlé la cote de crédit de Desjardins, mais a montré la puissance du Mouvement.

Programme : Béland, c'est le capitalisme à visage humain. « En soumettant nos sociétés aux impératifs de la croissance économique [...], l'homme s'enferme dans un individualisme grandissant, luttant contre l'essence même de sa nature d'être social », affirme-t-il en juillet 1990, dans un discours où il dénonce l'accroissement du fossé entre riches et pauvres. Il s'en prend aussi aux « canons étroits de la doctrine économique : la lutte pour la vie, le profit à tout prix, l'exploitation à outrance des richesses naturelles, l'enrichissement de quelques privilégiés, le chômage et la pauvreté des autres. »

Atout : Il est la seule figure de l'élite économique québécoise à tenir un tel discours social, combinaison qui pourrait lui permettre de rallier différentes clientèles électorales.

Handicaps : Les professions de foi souverainistes de Béland rendent hautement problématique son entrée dans l'Église libérale. Il faudrait que l'homme, ou le parti, change de dogme. Lorsqu'il dit : « J'aurais de la misère avec le jeu poli-

tique. Je suis un démocrate, et la solidarité ministérielle, ce n'est pas nécessairement de la démocratie », il faut sans doute le croire quoique cette solidarité est plus facile à vivre lorsqu'on occupe la place du chef.
Déclaration la plus imprudente : Elle fut prononcée le 27 mars 1991, à la clôture des travaux de Bélanger-Campeau : « Moi, je pense qu'au mois de novembre 1992 on aura fait un référendum sur la souveraineté et qu'il sera gagné. »
Bon à savoir : Sans l'intervention de son père, Claude Béland serait peut-être devenu jésuite. On sent chez lui ce côté spiritualiste : son discours n'est pas celui d'un banquier froidement calculateur, mais celui d'un directeur de pastorale qui aurait réussi en affaires. C'est à la fois déconcertant et rafraîchissant.

Nom, prénom : Fortier, Yves.
Naissance : 11 septembre 1935, à Québec.
Profession actuelle : Avocat chargé par Robert Bourassa de négocier avec les Cris des aménagements à la Convention de la Baie James.
Dernier bon coup : A fait circuler son nom pour toutes les positions prestigieuses, leadership libéral, conservateur, etc.
Dernière tuile : S'est fait retirer sa chronique très peu lue dans *La Presse.*
Ambition : Considérable. « Il ne se contenterait pas de jouer les seconds violons », dit son ami Bernard Roy.
Antécédents politiques : A épousé une des filles de la grande famille conservatrice Eaton, de Toronto, et a évolué dans les cercles d'avocats libéraux de Montréal. Bon ami de Pierre Trudeau, il s'est aussi lié d'amitié avec Brian Mulroney, son collègue de bureau chez Ogilvy Renault.
Expérience : Après des études en administration à l'Université de Montréal puis en droit à McGill, et en littérature à Oxford (c'est un Rhodes Scholar), l'avocat, éminent spécialiste du commerce international, mène une brillante carrière à Montréal. De 1973 à 1980, il défend avec succès une des compagnies accusées de conspiration dans le « procès du sucre »,

puis devient procureur du fédéral dans les grandes commissions d'enquête sur la concentration dans la presse (recommandations ambitieuses, peu d'effets pratiques) et sur les criminels de guerre (progrès considérables). Actif dans les associations de juristes — il deviendra président du Barreau canadien en 1982. Fortier est aussi membre du conseil d'administration de plusieurs entreprises, telle la Banque Royale.

En 1988, il est nommé par Mulroney ambassadeur canadien aux Nations Unies, où il représente le Canada jusqu'en 1992. Le mandat canadien de deux ans au Conseil de sécurité, entre 1988 et 1990, lui donne l'occasion de jouer un rôle notable pendant la guerre du Golfe.

Président d'Ogilvy Renault depuis 1992, il a dirigé l'équipe canadienne dans les négociations relatives au conflit des pêches avec Saint-Pierre-et-Miquelon.

Président du comité canadien du Oui pendant le référendum d'octobre 1992, il a viré les personnes qui avaient décidé que seul le mot *Yes* serait utilisé sur les affiches du comité. Il n'a cependant pas réussi à s'imposer comme joueur de premier plan pendant la campagne référendaire.

Programme : Inconnu.

Atouts : Tout le monde l'aime. « C'est le genre de personne qui n'a jamais d'ennemis », dit un haut fonctionnaire de l'ONU. Il a un réseau de contacts impeccable et pourrait facilement financer une campagne.

Handicaps : C'est un grand sensible. « Je ne sais pas si j'aurais la carapace assez dure pour prendre les critiques, la calomnie, la médisance en même temps que les bons côtés » de la politique, avouait-il au début de 1993.

Déclaration la moins diplomatique : Pendant la crise du Golfe, en janvier 1991, il dit, lors d'une conférence devant des hommes d'affaires : « Je pense que l'Union soviétique pourrait faire une contribution au problème. Ils connaissent Bagdad, ils ont quelques agents du KGB, je pense qu'ils pourraient éliminer Saddam Hussein. »

Bon à savoir : A refusé de se porter candidat quand Trudeau, puis Turner, le lui ont demandé. En 1987, il refusait un siège à la Cour suprême.

Nom, prénom : Bélanger, Michel.
Naissance : 10 septembre 1929, à Lévis.
Profession actuelle : Président des produits forestiers CP.
Dernier bon coup : A quitté la présidence de la Banque nationale avant qu'elle ne connaisse ses difficultés actuelles.
Dernière tuile : A mal préparé la BN à ses difficultés actuelles.
Ambition : Indéfinissable.
Antécédents politiques : Son grand-père maternel était député libéral et son père travaillait à *L'Action catholique*, pro-duplessiste, ce qui a peut-être vacciné Bélanger fils contre l'action politique partisane. Mandarin de Jean Lesage au début de la Révolution tranquille, sous-ministre de René Lévesque pendant la nationalisation de l'électricité, il reste à Québec suffisamment longtemps pour travailler sous le gouvernement Bourassa jusqu'en 1973. Après la défaite libérale de 1976, son nom circule comme candidat possible à la direction du Parti. Il s'associe à la campagne pour le Non en 1980. En 1986, il est un des auteurs du « Comité des sages » qui recommande au gouvernement Bourassa le démantèlement d'une centaine d'organismes étatiques, de façon à dégager 100 millions de dollars d'économie budgétaire. Après avoir joué d'ambivalence à la Commission sur l'avenir politique et constitutionnel du Québec (il déclare, par exemple, que « la souveraineté-association, c'est du fédéralisme »), puis après avoir proposé, avec Campeau, la tenue d'un référendum sur la souveraineté en 1991, lequel n'aurait pris effet qu'en 1993 en l'absence d'offres fédérales valables, il se range finalement dans le camp du Oui en 1992. Il apparaît d'ailleurs dans l'une des publicités en faveur du Oui pendant la campagne référendaire.
Expérience : Après des études en économie à l'université Laval et à McGill, Bélanger devient fonctionnaire au ministère fédéral des Finances en 1954 (en même temps que Lesage), puis rentre à Québec en 1960 pour faire partie de la petite équipe qui conçoit et met en œuvre plusieurs des réformes de

la Révolution tranquille. Il restera au ministère sous Lesage, Johnson, Bertrand et Bourassa (au poste de secrétaire au Trésor), avant de quitter ses fonctions en 1973 pour devenir le premier président francophone de la Bourse de Montréal.

En 1976, il est nommé président de la Banque provinciale, qu'il fusionne avec la Banque canadienne nationale en 1979 pour créer l'actuelle Banque nationale. À la tête de la BN, Bélanger, comme tous les autres banquiers occidentaux, doit traverser la crise provoquée par les prêts imprudents consentis aux pays du tiers monde, frôle la rupture de paiement et force la BN, comme beaucoup d'autres institutions financières, à essuyer d'importantes pertes. Il acquiert également la compagnie de courtage Lévesque Beaubien menacée en 1988 de passer aux mains d'anglophones. A coprésidé la commission Bélanger-Campeau sur l'avenir du Québec — exercice dont il est sorti grandi.

Programme : A évoqué les bénéfices que le Trésor québécois pourrait tirer d'une privatisation d'Hydro-Québec. A signé le rapport néo-libéral précité, du « Comité des sages ». Pour le reste, les politiques de Bélanger seraient, comme lui, imprévisibles.

Atout : Son ambiguïté constitutionnelle combinée à son attachement pour le Québec. Deux citations : « Le problème n'est pas de savoir si la souveraineté est faisable, mais si elle vaut la peine d'être faite » et « Je suis un homme libre qui a vécu par, du et au Québec ».

Handicap : Selon quelqu'un qui l'a beaucoup fréquenté, Bélanger aborde toute proposition nouvelle avec les mots : « C'est fou comme de la marde, c'est con comme la lune ! »

Déclaration la plus controversée : Au sujet des élucubrations anti-francophones de Mordecai Richler, il affirme à la *Gazette* qu'« on ne peut pas dire que Richler est un étranger, mais on peut dire qu'il ne fait pas partie [du Québec] ». (En version originale : « *he doesn't belong* ».)

Déclaration la plus bizarre : Dans un texte de septembre 1992, où il explique fort éloquemment son appui à l'Entente de Charlottetown, il affirme : « Pour certains, un renouvelle-

ment en profondeur implique un transfert important de pouvoirs vers le Québec, et vers les autres provinces, si elles le veulent. Je ne suis pas de ceux-là, et je ne l'ai jamais été. » Il avait bien caché son jeu, car dans les conclusions du rapport Bélanger-Campeau, qu'il avait signé dix-huit mois plus tôt, on lit : « La Commission constate l'étendue et la profondeur du consensus qui a été exprimé devant elle à l'effet que l'état actuel des choses est rejeté, sans équivoque, par la population du Québec [... qui] veut voir le Québec récupérer des compétences dans tous les secteurs, qu'ils soient du domaine économique, social et culturel. » Il faut ça, dit en substance la commission — sans que Bélanger y mette le moindre bémol — ou la souveraineté.
Bon à savoir : A expliqué qu'il était volontaire pour travailler à Ottawa en 1954, parce qu'il avait l'impression qu'Ottawa était une ville française, et Montréal une ville anglaise.

À ces cinq candidats présumés, il faut ajouter quelques autres noms. Certains rêvent toujours de recruter la nouvelle vedette politique québécoise : Jean Charest. C'est maintenant fort improbable car il ne pourrait entrer en course qu'après l'élection fédérale du 25 octobre 1993, donc six semaines après le début de la campagne. Cela dit, en politique il ne faut jurer de rien. Du rêve, d'autres sont passés au mirage pour discuter d'une surprenante et problématique candidature, celle de Pierre Marc Johnson. Vous avez dit « bizarre » ? « Si deux ministres appelaient Roger D. Landry, ça ne me surprendrait pas qu'il fasse le saut », dit un organisateur libéral. Ça fait longtemps que l'éditeur de *La Presse* — et père de Youppi — est tenté par la politique. Mais il y a toujours résisté. Serge Saucier, le crédible supercomptable de Raymond Chabot Martin Paré, pourrait, lui aussi, faire figure de nouveau visage intelligent, peut-être moins toutefois, que Charles Sirois, le *Wunderkind* de la téléphonie, dont certains libéraux prononcent le nom comme une incantation, mais qui préfère probablement rester en place et faire son dixième milliard avant la fin du siècle. Paul Gobeil, l'ex-ministre et superépicier, tangue entre l'idée de ne plus toucher à la politique, celle de venir soutenir son amie Lise Bacon et celle de diriger lui-même la baraque. Il pourrait devenir le vrai joker de la course.

Si vraiment les candidats à la succession se multipliaient, d'autres membres de la députation libérale pourraient être tentés de faire campagne, eux aussi, histoire de faire, tout au moins, de la figuration, de jouer sur un échiquier bondé. Quand on évoque cette possibilité, des noms de femmes émergent dans la conversation : Liza Frulla, qui a réussi à sauver son Conseil des Arts de la frénésie des restrictions budgétaires de Johnson. Frulla est une amie et ancienne employée, chez Labatt, de Mario Bertrand, l'ex-chef de cabinet de Bourassa. Bertrand joue très fort les *kingmakers* (ou *queen* ?) dans le grand jeu de la succession. Un scénario évoqué devant l'auteur par un haut dirigeant du parti veut que Bertrand incite Frulla à se présenter pour pouvoir monnayer ses voix à un second tour de scrutin. (C'est aussi Bertrand qui avait fait quelques approches en direction de Pierre Marc Johnson, au printemps 1993, histoire de tâter le terrain.) Lucienne Robillard, qui s'est bien débrouillée dans le dossier des cégeps, pourrait être tentée de se présenter au leadership, la campagne étant une excellente occasion pour elle de muscler son image publique et de mieux asseoir son pouvoir dans Chambly, où la péquiste Louise Beaudoin, qui travaille le terrain depuis 1991, constitue une réelle menace. Choyée par les médias, Beaudoin a quelques tours dans son sac : à l'été 1992, puis en 1993, elle a promené Michel Rocard dans des assemblées de cuisine à Chambly. Difficile pour Robillard de faire mieux !

Enfin, au nombre des aspirants inattendus, des « intéressants », de la génération Clinton, pourraient figurer le ministre Lawrence Cannon, qui fait très moderne ; Jean-Pierre Bélisle, député de Mille-Isles, grande gueule et auteur d'un livre contre la souveraineté ; le député d'Oxford Robert Benoît, ex-président du Parti, bien connu dans les réseaux libéraux régionaux et l'un des héritiers de la fortune du Groupe d'assurances Commerce. Un de ces deux-là, affirme un vétéran, pourrait bénéficier d'un « effet Sheila Copps », c'est-à-dire s'imposer dans l'opinion publique à la faveur d'une vague de changement et de renouveau. Il faut absolument terminer cette liste en y ajoutant le nom d'Yvon Picotte, ministre de l'Agriculture. Mi-jovialiste mi-créditiste, Picotte a l'énergie, la détermination et le doigté politique d'un bœuf de labour. Il a lancé à la fin août 1993 un ouvrage (*Se transformer pour transformer le Québec,* publié chez Quebecor) : selon l'accueil que le public lui réservera, et selon son aptitude à lever les fonds nécessaires, il décidera s'il brigue ou non l'investiture libérale. Avec lui dans la course, le spectacle gagnerait en saveur ce qu'il perdrait en hauteur.

VI

EMBÛCHES, OBSTACLES, *DIRTY TRICKS*

« Va-t-y avoir des problê-ê-ê-mes ! »

Quand, pour la première fois, ils se mêleront à la foule, les candidats et candidates devraient tous, avant de serrer la main à l'un, d'embrasser le bébé de l'autre, ruminer cette phrase que prononça Daniel Johnson père après que le général de Gaulle eut lancé, depuis le balcon de l'hôtel de ville de Montréal, quatre petits mots en forme de bombe diplomatique.

Car plusieurs épreuves attendent nos candidats. D'abord, les écueils nombreux et débilitants de la course. Puis la tâche considérable de former une coalition gagnante pour les prochaines élections.

Une course au leadership à l'intérieur d'un parti au pouvoir distribue de façon particulière les avantages et les inconvénients chez les joueurs. Les membres du Conseil des ministres se trouvent favorisés d'office, étant à même de contrôler un budget, d'organiser leurs itinéraires en fonction de la campagne, de prononcer des discours à saveur électorale, de briller en Chambre ou en Commission parlementaire, de provoquer des événements. Sans compter que pour tout cela ils touchent un salaire, voyagent avec chauffeur aux frais de l'État, disposent d'un attaché de presse et de plusieurs attachés politiques rémunérés, disponibles et souvent ambitieux, bref, de tout ce qu'il faut pour créer, en vingt-quatre heures, le noyau d'une campagne.

C'est le cas de nos prétendants. Contre ces piliers du gouvernement, Goliaths de l'appareil, d'autres candidats ont certes, pour se défendre, mieux que des lance-pierres. Mais guère mieux. Prenons le cas de Guy Saint-Pierre. Bien qu'il soit président du géant de l'ingénierie SNC-Lavalin et qu'il dispose des services d'une grande entreprise, y compris ceux de l'attaché de presse, Saint-Pierre peut difficilement puiser à même les sous de l'entreprise pour financer sa campagne. Il ne peut pas se promener sans raison de Chibougamau à Sainte-Marie-de-Beauce. Ni provoquer l'ennemi péquiste tous les jours à l'Assemblée nationale. Ni surtout annoncer l'ouverture d'un foyer pour vieillards ou le lancement d'un programme d'aide à l'enfance. En un mot : il lui est presque impossible de « faire la nouvelle ».

Une contrainte, cependant, limite l'action des candidats, « internes » comme « externes ». Le Parti libéral est au pouvoir depuis près de huit ans. Il n'est donc pas question qu'il fasse campagne sur le thème « Huit ans, ça suffit ! » ou « Pour en finir avec le gâchis ! ». Plus subtil, mais plus frustrant encore, il est malaisé de promettre d'engager l'État sur une voie qui diverge de la politique en cours. Par exemple, si Daniel Johnson s'avisait de promettre une réforme de l'enseignement supérieur, il ne pourrait s'engager à abolir les cégeps, puisque le gouvernement a déjà exclu cette option. De même, si Guy Saint-Pierre adoptait ce programme, il se ferait immédiatement une ennemie, la ministre de l'Éducation qui, en plus de toutes ses qualités, contrôle 24 délégués au congrès.

AH ! LES DÉLÉGUÉS ! TOUT EST LÀ ! « Un congrès au leadership, c'est comme le concours pour la reine du Carnaval, explique Jean Lapierre, ex-député libéral fédéral. C'est pas la plus belle qui gagne, c'est celle qui vend le plus de chandelles. » Les chandelles, ce sont les membres des délégations qui représentent chacune des circonscriptions au congrès. « Un leadership, c'est 24 délégués par comté qu'il faut aller chercher dans les 125 comtés. *It's a numbers game,* précise un des principaux organisateurs libéraux. Il faut que tu aies 24 délégués dans 50 % des comtés, plus un. »

Lorsque le parti — libéral, en ce cas — est dans l'opposition, les candidats au leadership ont plus de latitude. La majorité des circonscriptions étant représentées à l'Assemblée par le parti au pouvoir, la plupart des associations libérales locales ne sont « contrôlées » ni par un député libéral qui a des loyautés et des intérêts à défendre, ni, *a fortiori,* par un ministre qui a ses propres ambitions. On dit de ces circonscriptions qu'elles sont « orphelines ». L'aspirant-leader peut donc aller vendre sa salade de circonscription en circonscription, s'attachant à convaincre et à recruter des militants, qui devront élire les précieux délégués. Ce cas de figure est plus propice aux Survenants de la politique.

Mais lorsque le Parti libéral, comme maintenant, est au pouvoir, la marge de manœuvre se rétrécit considérablement. Les candidats doivent d'abord s'assurer de l'appui d'un maximum de députés libéraux. Roitelets de leurs associations locales, ces députés « livrent » généralement, d'un coup, le groupe de 24 délégués de leur circonscription (on dit « la *slate* ») au candidat au leadership de son choix. (Sauf rarissimes exceptions, les *slates* ne sont pas divisibles. Dans cette joute où on parle beaucoup anglais, c'est *« winner takes all »*. Il arrive cependant que le député soit d'une telle incompétence qu'il se fasse voler sa *slate* par un camp adverse — comme on l'a vu pendant la course conservatrice au printemps 1993.)

D'où, là encore, la longueur d'avance dont jouissent les ministres, ceux, du moins, qui ont su profiter de leur pouvoir pour gagner la reconnaissance ou le respect — ou les deux à la fois — d'un plus grand nombre de membres du caucus.

La règle « un député = 24 votes » opère sur la réalité politique une magique — mais temporaire — transformation qui fait les délices des élus. Le plus insignifiant des députés d'arrière-ban devient subitement le « grand ami » des ministres en cabale. S'ils savent bien jouer le jeu, telle subvention pour la piscine de la municipalité de Saint-Libéral-des-Neiges est « débloquée », comme par miracle. Tel poste d'adjoint parlementaire longtemps convoité devient tout à coup possible, et est aussitôt promis. Telle nomination d'un ami d'enfance et organisateur local du député à un tribunal administratif, freinée pendant longtemps pour des raisons étranges, franchit subtilement le dernier obstacle avec un sens de l'à-propos qu'on ne saurait croire complètement fortuit.

Le soir, autour d'un verre, le ministre candidat le plus désespéré chuchotera à un député, ravi, qu'il le considère depuis longtemps comme un « ministrable » évident et que s'il déménage au *bunker*, le député ne moisira pas longtemps sur sa banquette. Et n'aura plus à conduire sa propre voiture.

Commencée sur le ton de la solidarité et de l'entente cordiale, la course pourra sombrer, selon la férocité du moment et l'intensité du combat, à un niveau que seul l'exercice du pouvoir permet d'atteindre. Car, au gouvernement, on a en main des renseignements. Sur l'adversaire, bien sûr. Il y a des fuites. Tellement dommageables pour le collègue. On y a la mémoire fraîche. Sur comment un tel, au conseil, s'est opposé à telle mesure devenue populaire ; comment tel autre s'est battu pour financer tel entrepreneur flamboyant, désormais abonné du tribunal de la faillite, embarras ambulant pour le pouvoir.

Difficile de bien garder le cap sur la critique de l'adversaire sans être tenté par le salissage, d'imaginer les tactiques sans être tenté par les entourloupettes. Dans la course de 1970, les organisateurs de Bourassa, qui dominaient l'appareil du parti, ont utilisé sans vergogne la liste des membres et n'ont consenti à en « vendre » des copies aux adversaires que quelques jours avant le début de la mise en candidature des délégués. Dans la course de 1978, les organisateurs de Claude Ryan — pourtant loin en avance sur son adversaire Raymond Garneau — ont fait circuler un article de journal affirmant que Garneau avait dû être hospitalisé pour une légère dépression nerveuse lorsqu'il était ministre des Finances. Garneau, niant le bobard, a répliqué en faisant circuler un *Guide du parfait vendeur* truffé de citations hors contexte de Claude Ryan, laissant entendre que ce dernier était un cryptoséparatiste (il avait invité les électeurs à voter PQ en 1976). Faisant allusion aux conditions qu'avait posées le directeur du *Devoir* pour accepter de se présenter au leadership, le *Guide* affirmait : « Seuls des mercenaires posent des conditions. »

QUELS SERONT LES *DIRTY TRICKS* MILLÉSIME 1993 ET 1994 ? On peut déjà en imaginer quelques-uns (tous faux, bien sûr). De Daniel Johnson, ses adversaires diront-ils que c'est Pierre Marc qui écrit ses discours ? Sûrement pas, car ça pourrait l'aider. Et si on entendait dire que c'est parce que Lise Bacon en est la grande prêtresse que l'ordre du Temple solaire a été toléré aux plus hauts échelons d'Hydro-Québec ? Invraisemblable, bien sûr. Mais il ne faut jamais sous-estimer la crédulité des militants. De Gérald Tremblay, dira-t-on, dans la même veine, que sa chaîne de parfumeries Dans un Jardin n'était qu'une façade pour le trafic d'opium ? Ça ne colle pas suffisamment au personnage, il faudrait trouver quelque chose de plus subtil. Quant à Gil Rémillard, ses rivaux pourraient lui jouer un sale tour en faisant courir la rumeur que lorsqu'il était étudiant, Gil n'a jamais fumé de marijuana : du coup, il se trouverait exclu du club des « vrais » bébéboumeurs, tels Kim Campbell, Jean Charest ou Bill Clinton, qui ont tous avoué s'être soumis à ce rite initiatique.

Nos prétendants doivent, de surcroit, être d'extraordinaires collecteurs de fonds. Pas la peine de penser monter une campagne sérieuse avec un compte en banque de moins d'un million de dollars. Un organisateur libéral, vétéran de trois campagnes, affirme sous le sceau du secret que la victoire dans la course à venir ne peut être envisagée sans un coffre de 2,5 millions de dollars. « Alors, ça me fait rire de voir les limites prétendument imposées par les conservateurs fédéraux au printemps 1993 à 900 000 dollars par candidat, pour tout le Canada ! »

Il y a aussi l'extraordinaire jeu de jambes qu'ont dû maîtriser les aspirants, avant que la course ne soit officiellement commencée, le 14 septembre 1993. On aurait pu l'intituler le « *moon walk* inversé ». Chacun sait que Michael Jackson a créé un nouveau pas de danse, le *Moonwalk,* qui consiste à reculer en ayant l'air d'avancer ; nos prétendants ont dû pousser la technique encore plus loin : avancer en ayant l'air de ne pas bouger.

Car il était politiquement on ne peut plus incorrect de préparer une course à la succession avant que celui qui est en poste, Robert Bourassa, n'ait annoncé son départ. L'empressement pouvait être fatal. L'impréparation aussi : « Il y a une stratégie en organisation, dit un dirigeant du parti, c'est de commencer de bonne heure. » D'où la beauté, l'ingéniosité, la grâce de cette danse. D'où, aussi, le nombre d'entorses et de fractures. Tour à tour Rémillard, en 1991, Bacon, à l'hiver 1993, Johnson, à l'été, ont trébuché.

Autre élément crucial de la course au leadership dans un parti au pouvoir : le poids du premier ministre. Il y a trois cas de figure.

1) *Le premier ministre sortant désigne un dauphin (ou une dauphine).* Un précédent assez récent : Lester Pearson désignant Pierre Trudeau. Compte tenu de l'ascendant de Robert Bourassa sur ses troupes et dans l'opinion, il est probable qu'une telle décision mettrait fin à la course avant même qu'elle ne commence. Car les réseaux de pouvoir qui convergent vers le bureau du premier ministre seraient très sensibles à la directive du chef, par crainte de perdre éventuellement quelques plumes s'ils ont choisi le mauvais camp. Bref, à moins que le chef ne fasse un choix inepte (Camil Samson ou Jean Doré, pour prendre des exemples farfelus), sa volonté serait faite.

2) *Le premier ministre reste officiellement neutre, mais favorise en sous-main un candidat.* Un précédent récent : Brian Mulroney donnant un coup de pouce à Kim Campbell en début de campagne. Le problème avec le dauphin, c'est que son autorité n'est pas assise sur une victoire personnelle. Il est

toujours plus sain de mériter le pouvoir que d'en hériter. Si les conditions semblent bonnes, un premier ministre préférera laisser la course se dérouler, ce qui attire parfois favorablement l'attention sur le parti et donne au vainqueur une prime de popularité qui peut l'aider pour une élection générale à venir. Les observateurs doivent alors suivre attentivement les activités des proches conseillers du prince et de ses ex-organisateurs. Eux connaissent la consigne venue d'en haut.

3) *Le chef s'en lave les mains (après lui, le déluge) mais insiste pour bloquer la voie à un candidat en particulier*, qu'il a quelques raisons de détester, ou qu'il juge inapte à maintenir le parti au pouvoir. Un précédent récent : Pierre Trudeau, multipliant les jambettes à John Turner. La capacité de nuire du premier ministre est incommensurable. Le candidat victime de sa hargne (qui peut être très feutrée, à peine perceptible dans l'opinion publique mais dévastatrice dans les réseaux du parti) doit être bardé de raisons de croire qu'il remportera la victoire pour affronter les obstacles qui peuvent ainsi se multiplier devant lui. Mais, en politique comme en religion, il y a toujours des martyrs.

S'il le désire, Bourassa peut donc jouer les *king* (ou *queen*) *makers*. Un peu comme le superorganisateur libéral Paul Desrochers l'avait fait, pour lui, en 1969-1970. Cette fois-ci, à part Bourassa, personne n'a le pouvoir d'imposer un candidat. « Nous n'avons plus un général qui peut livrer toute la province, confie un dirigeant du parti. Mais nous avons beaucoup de lieutenants régionaux. » Le ministre Marc-Yvan Côté, dit le « beu de Matane », est parfois considéré comme le grand manitou de l'est de la province. C'est trop dire : son contrôle s'étend peu au-delà du Québec métropolitain (et pas dans Jean-Talon, acquis à son député-ministre Gil Rémillard), du Bas-Saint-Laurent et de la Côte-Nord ; son départ maintes fois annoncé du Cabinet lui enlève aussi beaucoup de son « pouvoir d'attraction » politique.

La fragmentation de la machine libérale en plusieurs fiefs régionaux est un facteur de fluidité supplémentaire dans la course. Et d'intérêt pour ceux qui, comme c'est le cas de l'auteur, considèrent la politique comme le meilleur sport en ville.

La compétition qui s'ouvre est d'autant plus intéressante qu'aucun député libéral du Québec ne se souvient d'un combat comparable au sein de leur formation. Le Parti libéral québécois n'a pas vécu le traumatisme d'un changement de leadership au pouvoir depuis la mort, en fonction, du premier ministre Félix-Gabriel Marchand, en... 1900. Le Parti libéral fédéral a connu ces affres au départ de Pierre Trudeau en 1984. Le vainqueur, l'ex-ministre John Turner — comme quoi il est possible de prendre la forteresse de l'extérieur — est aujourd'hui bien marri de s'être lancé dans l'aventure. De même, le Parti québécois a longtemps souffert des divisions causées par la course de 1985, déclenchée par le départ de René Lévesque. Le gagnant — le ministre Pierre Marc Johnson — n'a d'ailleurs pas survécu longtemps à sa victoire. Il faudrait encore parler de la course à la succession de Daniel Johnson père, premier ministre de l'Union nationale, mort à l'automne 1968. Dans ce cas, le vice-premier ministre Jean-Jacques Bertrand fut en position de prendre le sceptre, mais il ne réussit pas, deux ans plus tard, à conduire son parti à une réélection.

On pourrait tirer de cette énumération la règle que le Québec moderne jette un mauvais sort à tout premier ministre élu par le parti plutôt que par l'électorat. Les prétendants, quels qu'ils soient, doivent s'interroger sérieusement sur la rentabilité d'un tel effort. Et si le vainqueur à venir n'était qu'un agneau sacrificiel ? Destiné à perdre l'élection suivante dans la peine et la rancœur, à passer à l'histoire comme un perdant, et à laisser à un autre, ni plus beau ni plus fin, la chance de reporter plus tard le parti au pouvoir ? N'est-il pas plus sage d'attendre, pour connaître en temps et lieu le succès ? Aucun parti au Québec, depuis l'UN de Duplessis, n'a réussi à se faire élire pour un troisième mandat.

Mais trois cas ne suffisent pas nécessairement à la définition d'une règle. En Ontario, pendant quatre décennies, le parti conservateur a gardé le pouvoir parce qu'il a su, précisément, changer de chef, renouveler l'équipe, relancer la machine, regagner l'élection. La politique, c'est le contraire de la religion, il n'y a pas de certitude. Et l'élection québécoise de 1994 n'est pas tout à fait comme les autres. C'est à la fois une lutte pour le pouvoir, une lutte pour définir le pays à venir, et peut-être aussi, selon la thèse déjà évoquée de Vincent Lemieux, une lutte pour la survie du Parti libéral.

La course au leadership exploite le filon de l'incertitude comme peu d'autres événements politiques. Un référendum ? C'est oui ou non. Une élection générale ? C'est le parti A ou B, à la rigueur C. Tandis qu'une course ! Ils peuvent partir à cinq, à douze. Se dépasser l'un l'autre. Apparaître à la onzième heure. S'unir, se déchirer. Il y a les campagnes « N'importe qui sauf X ». Les alliances inattendues. Dans la course de 1970, où Claude Wagner et Pierre Laporte étaient favoris, qui aurait prévu la victoire de Robert Bourassa ? Dans celle des conservateurs, en 1976, qui aurait prévu que Joe Clark, parti troisième, finirait premier ? En 1993, que Jean Charest, un figurant à la ligne de départ, allait menacer la favorite à l'arrivée ?

Dans une Amérique du Nord qui a adopté le système électoral uninominal à un tour, les courses au leadership sont l'occasion par excellence, pour le votant, de connaître le Nirvana électoral, de faire l'expérience de l'orgasme politique multiple : le scrutin à plusieurs tours. Quand le candidat en tête n'obtient pas, au premier vote, la majorité absolue, tout un univers politique se met en branle dans un lieu clos, la salle du congrès, pour quelques dizaines de minutes fiévreuses où on promet et arrache des votes, forge des alliances, tente de « livrer » des délégués — qui ne se laissent pas toujours mener comme du bétail. Arrive alors le second vote : suspense, même pour les meilleurs organisateurs. Et s'il en faut un troisième, alors, souvent, s'ouvrent les portes de l'imprévisible, car le candidat de tête vient de prouver son incapacité à vaincre rapidement, et porte les couleurs de la vulnérabilité.

Au-delà du troisième tour, c'est la réputation du parti qui est en jeu. Le suspense, c'est bon pour attirer l'opinion. « La chienlit », pour citer de Gaulle, c'est bon pour se l'aliéner. Et s'il est aisé de recoudre un tissu partisan déchiré en deux ou trois morceaux, on n'a encore jamais vu de « parti-courtepointe » gagner une élection.

VII

LE PELOTON À LA LIGNE DE DÉPART

« Cette publicité me tombe sur les nerfs », me disait l'autre jour une dame de 60 ans, en parlant d'une pub de poulet Kentucky où un acteur adulte imite le caquètement du poulet. Normal, la dame n'était pas dans le marché cible. La pub n'avait qu'un but : attirer les enfants.

Il y a certes quelques différences entre une campagne au leadership et la mise en marché du poulet frit. Il y a cependant une grande ressemblance : comme la pub télé, la campagne au leadership est vue par tout le monde. Mais la campagne, comme la pub, ne s'adresse pas à tout le monde. Les candidats doivent d'abord convaincre les députés et les membres du parti. On l'a vu, ceux-ci désigneront des délégués qui choisiront au congrès le nouveau chef.

C'est pourquoi les sondages d'opinion sont de mauvais indicateurs de l'issue d'un congrès. Gérald Tremblay, par exemple, peut être mal connu du public, mais bien connu des militants. Lise Bacon peut avoir accumulé des amitiés dans les organisations locales qui importent plus dans la recherche de délégués que sa popularité auprès du Québécois moyen. Lors du dernier congrès au leadership libéral fédéral, par exemple, les Québécois préféraient Sheila Copps ; la structure québécoise du parti a plébiscité Jean Chrétien. Lors du congrès au leadership libéral provincial de 1983, le tiers des Québécois favorisaient Daniel Johnson ; il n'a obtenu que 8 % des votes. Lors du congrès de 1970 qui a élu Robert Bourassa, les Québécois préféraient Claude Wagner ou Pierre Laporte.

Reste que, au moment de faire leur choix, les militants et les délégués se posent une question importante : qui peut nous faire gagner l'élection générale ? Les militants préfèrent parfois, personnellement, le candidat « A », mais doivent se rendre à l'évidence : seul le candidat « B » peut porter ou maintenir le parti au pouvoir. Les sondages d'opinion constituent, là, une pièce du puzzle.

À la mi-novembre 1992, la firme Léger et Léger a interrogé, pour le *Journal de Montréal*, 1461 Québécois. La question était la suivante : « Je vais vous nommer une liste de personnalités. Pour chacune d'elles, dites-moi si oui ou non vous la jugez compétente pour occuper le poste de chef de parti politique. Si vous ne connaissez pas cette personne, veuillez le spécifier. » Plusieurs des données de ce sondage sont publiées ici pour la première fois. Léger et Léger ayant sondé son échantillon sur les intentions de vote, il est possible de faire la différence entre l'opinion des électeurs en général et celle des électeurs *libéraux*, dans laquelle peut refléter un peu mieux — bien qu'imparfaitement — l'état d'esprit des *militants libéraux*.

Le découpage par intention de vote permet aussi de juger de l'impact de chaque candidat sur les indécis francophones, qui constituent, selon les saisons, entre le cinquième et le quart de l'ensemble de l'électorat. Autant dire qu'ils déterminent le résultat de l'élection. Ils sont d'ailleurs les premières cibles du marketing politique des partis en campagne électorale.

L'opinion des électeurs péquistes doit être interprétée avec prudence : le candidat qu'ils estiment le plus apte à diriger n'est pas nécessairement celui qui emporterait leur adhésion. On peut considérer que tel candidat est robuste, sans être tenté une seconde de s'y rallier. Si la cote péquiste d'une candidate est très élevée — comme c'est le cas pour Lise Bacon — , on peut néanmoins supposer qu'elle pourra, lors de l'élection générale, arracher quelques votes au camp ennemi, et jouira, en cas de victoire électorale, d'une lune de miel plus affectueuse avec une plus large part de l'électorat.

Bref, dans le tableau qui suit, les deux premières colonnes donnent un indice de la popularité des divers candidats au sein du parti. Les colonnes où sont inscrits les pourcentages d'indécis offrent un indice de la capacité des candidats de gagner l'élection générale. L'opinion péquiste est un bon indicateur de l'aptitude des candidats libéraux à créer des consensus, une fois au pouvoir. Dernier outil, l'appréciation de la « notoriété », à l'extrémité droite du tableau, indique pour chaque candidat le travail qu'il lui reste à accomplir pour imposer sa personnalité au public québécois. Une faible notoriété pourrait pousser la personne élue chef du parti à retarder les élections générales pour se faire mieux connaître.

Quelques remarques. Le sondage a été effectué après le référendum d'octobre 1992. Les données ne sont donc pas toutes récentes. Mais on voit mal pourquoi l'opinion des Québécois aurait changé du tout au tout sur l'un ou l'autre des candidats, aucune secousse politique n'étant venue bousculer leur image depuis ce sondage. « Ça va rester stable jusqu'au déclenchement de la course, note Jean-Marc Léger. Mais quand quelqu'un se déclare, l'opinion commence à bouger, notamment parce que les gens comparent les candidats entre eux. » Au moment de mettre sous presse, aucune étude plus récente et d'une même ampleur n'avait été effectuée. Ici, les personnalités sont évaluées individuellement ; lorsqu'on demande aux électeurs de comparer les candidats ou d'en choisir un dans le lot, le résultat est tout autre — ce qu'on examinera un peu plus loin.

Cette personne est-elle compétente pour occuper le poste de chef de parti politique ?*

Le peloton

	Électeurs libéraux	Électeurs libéraux	Franc. indécis	Franc. indécis	Électeurs péquistes	Notoriété générale
	Oui	**Non**	**Oui**	**Non**	**Oui**	**Québec**
Daniel Johnson	63 %	23 %	40 %	36 %	31 %	90 %
Lise Bacon	58 %	23 %	44 %	35 %	49 %	90 %
Gil Rémillard	47 %	19 %	31 %	24 %	39 %	74 %
Gérald Tremblay	16 %	16 %	8 %	21 %	15 %	39 %

Le Survenant

	Électeurs libéraux	Électeurs libéraux	Franc. indécis	Franc. indécis	Électeurs péquistes	Notoriété générale
	Oui	**Non**	**Oui**	**Non**	**Oui**	**Québec**
Benoît Bouchard	52 %	23 %	36 %	23 %	48 %	79 %
Claude Ryan	49 %	41 %	27 %	59 %	27 %	95 %
Marc-Yvan Côté	49 %	27 %	33 %	31 %	38 %	80 %
Marcel Masse	39 %	25 %	29 %	32 %	25 %	69 %
Pierre Paradis	28 %	30 %	11 %	32 %	21 %	59 %
Jean Allaire	27 %	34 %	17 %	27 %	45 %	67 %
Roger D. Landry	24 %	22 %	18 %	24 %	26 %	52 %
Jean-Paul L'Allier	24 %	18 %	20 %	20 %	25 %	50 %
Claude Béland	20 %	24 %	12 %	28 %	29 %	49 %
Michel Bélanger	19 %	18 %	11 %	19 %	17 %	41 %
Claude Beauchamp	18 %	14 %	5 %	23 %	5 %	34 %
P. M. Johnson**	62 %	19 %	44 %	29 %	62 %	87 %

UN DES ÉLÉMENTS DÉTERMINANTS DE L'ÉLECTION sera la capacité du candidat libéral d'aller chercher le vote des indécis francophones. Près des deux tiers des francophones ayant voté

* La marge d'erreur est 19 fois sur 20 de 3 %. Elle est plus importante pour les sous-groupes de l'échantillon.

** Les chiffres concernant Pierre Marc Johnson doivent être manipulés avec soin. La quasi-totalité des répondants tenaient pour acquis qu'il était question, dans son cas, de la direction du Parti québécois. L'attraction qu'il exerce sur les indécis est cependant à noter.

« non » au référendum, le futur chef devra en ramener un bon nombre au bercail libéral.

En isolant les francophones indécis des autres données du sondage, on constate que, dans le peloton, la force d'attraction de Lise Bacon est la plus grande : elle en attire 9 % de plus qu'elle n'en repousse. Elle est suivie par Rémillard (+7 %), puis par Johnson (+4 %). Gérald Tremblay par contre repousse plus d'indécis francophones qu'il n'en attire (-13 %).

Chez les Survenants, les variations sont les suivantes : Benoît Bouchard : +13 % ; Marc-Yvan Côté : +2 % ; Jean-Paul L'Allier : 0 % (aucun impact) ; Roger D. Landry : -6 % ; Jean Allaire, -10 % ; Michel Bélanger : -8 % ; Claude Béland, -16 % ; Claude Beauchamp : -18 % ; Pierre Paradis : -21 % ; Claude Ryan : -32 %.

LA COURSE EST « OUVERTE » : CES CHIFFRES LE MONTRENT. L'avance de Johnson est bonne, mais nullement invincible, notamment quand on demande aux électeurs de comparer les candidats — comme on le verra tout à l'heure. Bacon est en bonne position, et Rémillard, compte tenu de sa plus faible notoriété, récolte un taux de réponses négatives assez bas pour rassurer les militants inquiets de son image.

Il est intéressant de noter que Gil Rémillard ne semble pas souffrir de l'échec référendaire. Les Québécois sentent probablement qu'il était loin d'être le maître de cette galère. Jean-Marc Léger signale cependant que les Québécois voient Rémillard comme un « Monsieur Constitution », ce qui pourrait lui nuire, dans la mesure où beaucoup ne veulent tout simplement plus entendre parler du fameux parchemin, ni de ce qu'il faut en faire. Mais qui, mieux que Rémillard, pourrait aller chercher, dans le parti, le vote des partisans d'Allaire et de Dumont qui n'ont toujours pas déchiré leur carte, et faire des yeux doux à l'électorat nationaliste modéré ?

Lise Bacon, étonnamment populaire chez les péquistes, ne bénéficie d'aucun « bonus féminin » dans l'opinion. Bacon ne dépasse que de 1 % (à 56 contre 55) son rival Daniel Johnson dans l'estime des femmes.

Les chiffres montrent clairement que Gérald Tremblay a « des croûtes à manger » comme le dit un de ses collègues du Cabinet, avant de pouvoir prétendre au leadership. Chez les électeurs libéraux, aucune majorité ne se dégage sur son aptitude à diriger, alors que chez les indécis, trois contre un pensent qu'il ne serait pas compétent. Dans une lutte Johnson contre Tremblay, le premier jouit donc d'un avantage considérable

Pierre Paradis, qui a pourtant participé à la course de 1983, a assez mal tiré son épingle du jeu : sa cote est plutôt négative chez les libéraux (dans la marge d'erreur cependant) et plus largement négative chez les indécis. C'est une base bien fragile pour monter une seconde campagne au leadership.

Le « baiser de la mort » pour le parti serait cependant le choix — très improbable — de Claude Ryan comme chef. Sa cote négative est la plus élevée de tous chez les électeurs libéraux, (elle atteint 61 % chez les indécis francophones, 64 % dans l'ensemble des répondants francophones). Par contre, 51 % des non-francophones le jugent « compétent ».

On trouve aussi dans ce sondage des relents de méfiance envers Jean Allaire, ou du moins un élément de doute sur ses compétences à gérer un parti. Le tiers des électeurs libéraux le boudent. La « nouvelle » se situe cependant dans une autre colonne de chiffres : celle qui indique que plus du quart des électeurs libéraux le voient chef de parti. Le quart, c'est beaucoup pour un « renégat ».

Un personnage qui sort considérablement amoché de la campagne référendaire est Claude Beauchamp. Sa notoriété est faible, et, à plus de quatre contre un, les indécis le déclarent incompétent à diriger un parti. Verdict sévère pour un homme d'affaires dont la carte de visite est la compétence.

La grande surprise ici, est la superbe performance du ministre fédéral de la Santé, Benoît Bouchard. Les électeurs libéraux et les indécis le classent bon troisième. C'est, de tous, celui qui suscite le moins le rejet des indécis en général, et celui qui, avec Bacon, attirerait le plus d'indécis francophones.

Il est aussi le plus populaire de tous (pour ce qui est de la compétence pour diriger un parti) chez les péquistes. Notons qu'il réussit ces performances alors qu'il n'a même pas encore fait le plein de notoriété au Québec.

Bouchard est sorti non seulement indemne, mais grandi de la campagne référendaire. Les blagues sur ses états d'âme, ses mauvaises humeurs pendant les négociations constitutionnelles, ses coups de sang ne semblent avoir aucun impact négatif sur l'électorat. Au contraire, ses hésitations peuvent avoir rejoint celles de beaucoup de Québécois (libéraux, indécis et péquistes). Chez les non-francophones, sa performance globale est encore meilleure : le sentiment négatif à son endroit est inférieur de moitié à celui des francophones.

Bouchard, nouvel ambassadeur canadien à Paris, aurait donc un terrain d'atterrissage politique au Québec si un gouvernement formé par Jean Chrétien décidait de lui confisquer sa nouvelle ambassade. Une fois dans la course, Bouchard, considéré comme un fédéraliste nationaliste, volerait sûrement beaucoup de votes à Gil Rémillard et brouillerait considérablement, en cas de victoire, le jeu du Parti québécois.

Bouchard n'est pas la seule figure conservatrice fédérale à profiter de la faveur populaire. Un sondage CROP effectué au début de juillet 1993 donnait Jean Charest favori des Québécois dans une course à la succession libérale : il était le choix de 36 % de l'ensemble des répondants, contre 19 % pour Daniel Johnson et 16 % pour Lise Bacon. Il était aussi loin en avance au sein de l'électorat libéral, dans des proportions voisines. Appelés à déterminer qui ferait le meilleur premier ministre, 36 % choisissaient toujours Charest, contre 20 % qui préféraient Jacques Parizeau, 15 % Johnson et 9 % Bacon. Le sondage ayant été réalisé juste après le congrès conservateur et en plein boom médiatique pro-Charest, cet engouement peut n'avoir été que circonstanciel. Reste que Charest est un nom avec lequel il faudra dorénavant compter.

L'intérêt du sondage Léger et Léger, lui, tient au fait qu'il présente les candidats à l'électorat indépendamment les uns des autres. En fin de course, le Parti libéral n'aura qu'un chef.

Cette évaluation individualisée est donc précieuse. Pendant la course, cependant, c'est la valeur comparée des candidats qui va s'imprimer dans la psyché politique collective.

Trois sondages publiés par *Le Soleil* et un publié par le *Journal de Montréal* depuis la fin de 1990 témoignent de l'évolution de la popularité des prétendants*. La liste des candidats possibles était limitée par les organisateurs du sondage, et les noms proposés ont varié d'un sondage à l'autre.

Considérons d'abord les résultats dans l'électorat en général :

Si une course à la direction du Parti libéral du Québec avait lieu aujourd'hui, quel serait votre candidat préféré pour remplacer M. Bourassa ?

	Novembre 1990	Août 1991	Février 1993	Avril 1993	Août 1993
Daniel Johnson	31 %	24 %	17 %	23 %	13 %
Lise Bacon	13 %	13 %	28 %	28 %	14 %
Gil Rémillard	21 %	14 %	8 %	—	5 %
Pierre Paradis	11 %	8 %	6 %	7 %	4 %
Gérald Tremblay	—	—	5 %	3 %	2 %
Marc-Yvan Côté	11 %	12 %	—	—	—
Claude Ryan	5 %	59 %	—	—	—
Autres	—	—	—	8 %	41 %
Indécis	12 %	22 %	36 %	31 %	21 %

* La marge d'erreur du sondage IQOP/*Le Soleil*/CKAC de novembre 1990 effectué auprès de 1103 personnes, est de 3,3 % ; celle du sondage Léger et Léger/*Journal de Montréal*/TQS d'août 1991, effectué auprès de 1015 personnes, est de 3,07 % ; celle de SOM/*Le Soleil*/CJRP de février 1993, effectué auprès de 1013 personnes, est de 3,8 % ; et celle de SOM/*Le Soleil*/CJRP d'avril 1993, effectué auprès de 1020 personnes, est de 3 %. Elle est, partout, plus importante pour les sous-groupes des échantillons. Le sondage Léger et Léger/*Journal de Montréal* d'août 1993, effectué auprès de 1003 personnes, a ceci de particulier qu'il proposait le nom de Jean Charest. Ce dernier recueillait 36 % et 38 % des préférences, au total, chez les libéraux et chez les péquistes. Sa présence explique l'affaissement de l'appui

Le renversement de tendance en faveur de Bacon saute aux yeux. De même, la chute de popularité de Gil Rémillard, qui perd les deux tiers de ses appuis en deux ans et demi. Tendance forte ici, comme dans les tableaux suivants : l'augmentation du nombre d'indécis, symptomatique d'un désenchantement qui touche l'ensemble des ministres importants du gouvernement Bourassa.

On observe le même phénomène dans l'électorat libéral (dans le sondage de novembre 1990, les indécis sont répartis) :

	Novembre 1990	**Août 1991 1990**	**Février 1993**	**Avril 1993**	**Août 1993**
Daniel Johnson	36 %	32 %	18 %	29 %	10 %
Lise Bacon	15 %	13 %	29 %	32 %	19 %
Gil Rémillard	20 %	17 %	12 %	—	5 %
Pierre Paradis	9 %	6 %	7 %	7 %	6 %
Gérald Tremblay	—	—	4 %	4 %	4 %
Marc-Yvan Côté	13 %	14 %	—	—	—
Claude Ryan	—	6 %	—	—	—
Autres	—	—	—	11 %	41 %
Indécis	—	13 %	30 %	22 %	16 %

Dans l'électorat indécis francophone :

	Août 1991	**Février 1993**	**Avril 1993**	**Août 1993**
Daniel Johnson	14 %	9 %	10 %	19 %
Lise Bacon	9 %	26 %	16 %	9 %
Gil Rémillard	8 %	3 %	—	1 %
Pierre Paradis	5 %	2 %	2 %	2 %
Gérald Tremblay	—	3 %	1 %	0 %
Marc-Yvan Côté	9 %	—	—	—
Claude Ryan	1 %	—	—	—
Autres	—	—	27 %	34 %
Indécis	42 %	57 %	44 %	35 %

---

exprimé envers les autres prétendants. On découvre de ce fait une donnée nouvelle : la proportion d'inconditionnels de Johnson et de Bacon, leur noyau dur.

La seule qui « tire » ce groupe crucial est Lise Bacon, ce qui confirme des résultats cités plus haut. Mais la grande majorité des indécis francophones ne sont fortement impressionnés par aucun des candidats.

En février 1993, SOM a également testé sur l'opinion le nom de quatre candidats extérieurs au parti :

	Tous	**Électeurs libéraux**	**Électeurs francophones indécis**
Jean Allaire	22 %	14 %	13 %
Claude Béland	11 %	9 %	6 %
Paul Gobeil	6 %	6 %	4 %
Guy Saint-Pierre	5 %	9 %	2 %
Indécis	53 %	62 %	75 %

Deux remarques. Le grand nombre de répondants indécis dans ce dernier sondage montre qu'aucun des quatre candidats proposés ne soulève l'enthousiasme tant de l'électorat en général que des électeurs libéraux. Pas de Kim Campbell ou de Lucien Bouchard en vue, donc. Que des Jean Chrétien ! Les Québécois, en général, et, dans une moindre mesure les électeurs libéraux, semblent manifester plus d'intérêt pour les candidats qui représentent une certaine dissidence nationaliste par rapport au Parti libéral actuel — Allaire et Béland — que pour les candidats plus conformes à sa ligne idéologique actuelle — Gobeil et Saint-Pierre. C'est une indication supplémentaire de la nécessité, pour le futur chef, de charmer l'électorat nationaliste modéré. Cela dit, on ne peut qu'être frappé de la piètre performance de Béland parmi les indécis, où il est moins populaire que chez les libéraux. À moins que les indécis pensent tout simplement que Béland ne serait pas à sa place au Parti libéral.

Conclusion

MÉMOS AUX PRÉTENDANTS

Pensez-vous que César se présentait au Forum mal rasé ? Ce qu'on fait est vieux de 2000 ans. Quelqu'un lui a dit, à César : Rase-toi, aie l'air propre, aie l'air intelligent, dégage un peu de bonté !

David GARTH, *consultant américain vétéran de 134 campagnes.*

Mets-toi bien dans l'esprit qu'il va te falloir faire semblant d'accomplir avec naturel des choses qui ne sont pas dans ta nature. Certes, tu n'es pas dépourvu de cette courtoisie qui sied à l'homme de bien, à l'homme sociable, mais il te faudra y ajouter le sens de la flatterie, vice ignoble en toute autre circonstance mais qui, dans une campagne, devient qualité indispensable.

Quintus CICÉRON,
Petit manuel de campagne électorale destiné à son frère Marcus, candidat aux élections romaines, il y a 2057 ans.

On dit de l'accusé qui assume lui-même sa défense qu'il a un idiot pour avocat. De même, le candidat qui dirige lui-même sa campagne a un perdant comme client. « Être candidat, c'est être pris de folie temporaire, explique David Keene, responsable de campagnes de candidats républicains à la présidence américaine. Tout le monde vous dit ce que vous voulez entendre ; tout le monde vous dit que vous êtes magnifique. Le seul remède, c'est la défaite. »

C'est pourquoi, historiquement, l'apparition du premier électeur et du premier candidat coïncide avec l'embauche du premier conseiller, du premier organisateur de campagne.

Dans la course au leadership libéral, nos candidats vont avoir besoin de bons conseils. Et ils en recevront, c'est certain, plus qu'ils n'en demanderont. Il est cependant rare que les électeurs aient accès à cette matière brute de la politique que constituent les recommandations des organisateurs. Ces « mémos », le journaliste n'en a pas, comme on dit, « obtenu copie ». Si tant est qu'il en existe déjà, ce qui est certain.

D'où l'idée de reconstituer, en conclusion, des « mémos aux candidats », en puisant très largement dans la science — et le cynisme — d'organisateurs libéraux et de quelques participants à des courses passées. Certains d'entre eux en ont aussi lu des brouillons, ont suggéré des modifications, et ont déclaré que le résultat se rapprochait beaucoup de textes authentiques ayant circulé lors de courses précédentes.

Ces pages ne constituent nullement une « lettre ouverte » de l'auteur aux candidats, mais plutôt une présentation « didactique » de la partie de l'enquête qui a porté sur la course comme telle, dans le format et dans le ton qui sont d'usage dans les milieux politiques. Les mémos tiennent pour acquis que les quatre « poids lourds » vont participer à la course.

Voici donc, madame la candidate potentielle, messieurs les candidats virtuels, le résultat de ce travail. Toute ressemblance avec les mémos de vos propres conseillers serait fortuite — mais peut-être pas complètement. L'auteur tient par ailleurs à se dissocier de tout ce que ces mémos contiennent de retors, de vil et de bas, de toute incitation aux mensonges ou aux fausses promesses. Ils contiennent beaucoup de ces impuretés politiques, hélas !, puisqu'ils se veulent réalistes.

Pré-campagne Bacon
État de la situation

PERSONNEL ET CONFIDENTIEL

1) Pouvez-vous gagner ?

Oui. Vous partez avec une longueur d'avance dans l'opinion et vous avez de bons appuis dans le parti. On vous craint plus qu'on ne vous aime ou ne vous admire ; plusieurs dans le caucus sont terrorisés à l'idée de s'opposer publiquement à vous de peur de nuire à leur carrière, si vous deveniez chef. Il vous faut prendre une décision rapidement, si ce n'est déjà fait. Votre défi est de rester en tête de la course. Si un opposant crédible semble en train de vous doubler, plusieurs députés et ministres neutres ou mollement favorables à votre candidature changeront de camp, en fredonnant la mélodie de La grande évasion. Il faut bien garder la porte.

Pour une fois, le fait que vous soyez une femme va vous être utile. Car, en politique comme ailleurs, le paternalisme des hommes est leur handicap – et votre atout. Ruminez la phrase que la romancière américaine Sara Paretsky fait dire à sa détective privée V.I. Warshawski : « Ne sous-estimez jamais la capacité qu'ont les hommes de sous-estimer les femmes. »

2) Comment vous y prendre ?

Comme dans toute campagne de ce genre, pour gagner l'appui de la majorité des délégués au congrès, il vous faut, par ordre d'importance : des organisateurs, des sous (environ 2,5 millions de dollars), un programme et un plan stratégique directeur. Seuls les deux derniers aspects sont traités ici. Des mémos sur l'organisation et le financement de la campagne sont en préparation.

En matière de programme, la peur ne suffit pas. Il faut donner de vous une image positive.

• **Votre première force : la force.**

D'abord, projetez l'idée que vous êtes un leader solide, sur qui le parti pourra s'appuyer pour le dur combat avec le PQ sur la souveraineté. Thèmes partisans subsidiaires : a) votre loyauté au Parti libéral et à ses chefs bien-aimés Jean Lesage et Robert Bourassa (pas Ryan) ; b) l'élan avec lequel vous avez affronté Parizeau à la Chambre. Faites en sorte que vos organisateurs répandent la rumeur que Parizeau serait catastrophé de vous voir devenir chef libérale, car il ne sait comment s'y prendre avec vous – ce qui est probablement vrai, mais plus important encore, vraisemblable.

Variations sur ce thème :

– Un leader fort qui sait se décider. Sans faire de comparaison explicite avec votre prédécesseur, soulignez votre propension à prendre rapidement des décisions, à faire bouger les dossiers. Les Québécois ont le goût de l'action : dites-leur donc qu'ils attachent bien leurs ceintures, que « le gouvernement Bacon, c'est l'action ».

– Un leader fort qui ne perd pas son temps. Comme tous les candidats, vous aurez un problème avec la question nationale. Dites que vous êtes pour des «provinces fortes» mais qu'il ne faut plus gaspiller d'énergie à se battre inutilement pour la réforme de la Constitution. Vous ferez ainsi passer dans votre camp les «fatigués de Meech et de Charlottetown», sans renier pour autant la fibre nationaliste du parti. C'est aussi une bonne occasion de mettre en évidence votre caractère pragmatique.

– Un leader fort face aux autochtones. Ce thème est explosif, et vos adversaires auront la trouille de l'utiliser : on les accuserait aussitôt de xénophobie. Nos sondages indiquent que l'électorat québécois en général, et l'électorat libéral en particulier, en ont vraiment ras le bol d'entendre parler des revendications autochtones. Comme vous êtes responsable de l'Énergie, vous êtes la seule à pouvoir vous y lancer sans être accusée d'opportunisme politique. La question autochtone vous permet en plus de contourner la question nationale proprement dite, en l'abordant sous l'angle, connexe, de la «protection du territoire québécois». Thème qui vous sera utile pendant la campagne électorale qui suivra. Mais attention ! Il vous faudra être plus subtile que vous ne l'êtes habituellement. Dites que «le territoire appartient à tous les Québécois» pas seulement aux Blancs, pas seulement aux autochtones. Et que «tous les Québécois» doivent profiter des emplois créés sur le territoire. Tout le monde comprendra que vous annoncez une ligne plus dure envers les autochtones. De par vos fonctions à l'Énergie, vous êtes en position de crédibilité. (Arrangez-vous pour être dénoncée par Matthew Coon-Come ou par Greenpeace pendant la campagne. Arrangez-vous pour qu'un de vos porte-voix dise que le PQ veut faire l'indépendance, mais qu'il donnera ensuite des morceaux du Québec aux Indiens.)

– Un leader fort, contre les bureaucrates. Faites campagne contre les fonctionnaires et la déloyauté, sur le thème : «L'État, c'est nous !» Nous, c'est-à-dire les Québécois ordinaires, comme vous-même. (Lise Payette, Jean Cournoyer et Jean Paré ont préparé un terrain fertile dans une partie de l'opinion pour que cet argument décolle.) Ce thème est particulièrement efficace auprès du caucus des députés. Dites-leur qu'avec une première ministre Bacon, tous les sous-ministres seront imputables devant une commission parlementaire, donc devant eux, les députés. Ils en seront ravis. En campagne électorale, poussez ce thème un peu plus loin en affirmant que les bureaucrates sont péquistes, que le PQ est le parti des bureaucrates.

• **Votre seconde force : le populisme.**

Votre passé, votre attitude, votre vocabulaire, tout, chez vous, évoque le peuple plutôt que l'élite. Vos adversaires vous le reprocheront, affirmant que vous n'êtes pas assez formée, cultivée, sophistiquée pour gérer un État moderne. Retournez la situation à votre avantage en soulignant que ce sont des gens bardés de diplômes, comme Trudeau et Parizeau, qui ont mis le Canada dans le trou et qui sont responsables du déficit. Vous représentez le «gros bon sens», vous avez toujours su qu'on ne pouvait dépenser plus que ce qu'on gagne. Les militants du parti s'identifieront plus facilement à vous qu'à vos adversaires.

Variations sur ce thème :

– Une populiste pour des emplois. Parlez beaucoup de création d'emplois, mais pas d'emplois de haute technologie : ça irrite le sentiment d'infériorité des électeurs (les étudiants mis à part), qui ne savent pas faire de multiplication à quatre chiffres, encore moins programmer un ordinateur. Parlez de routes et d'usines. Ne parlez pas de « qualité totale », parlez de « travail bien fait » et de la nécessité de « faire passer le client d'abord ».

– Une populiste pour payer la dette équitablement. Faites savoir qu'on va assainir les finances publiques, mais pas au détriment des démunis. Dites : « Les pauvres ont assez payé ! Pas question de tickets modérateurs supplémentaires. » Dites aussi que vous entendez être aussi sévère envers les fraudeurs de la TPS et de la TVQ qu'envers les fraudeurs de l'Aide sociale, puis promettez d'harmoniser dans les cent jours la perception des deux taxes, et, à moyen terme, de simplifier la fiscalité pour empêcher les échappatoires.

• **Votre troisième force : vous êtes une femme.**

Thème à n'utiliser que si Kim Campbell ne forme pas le prochain gouvernement. Il est certain que les Québécois veulent une femme au pouvoir. Il est peu probable qu'ils en veuillent deux, tout de suite et en même temps. Si Campbell n'est pas là, allez-y.

Variations sur ce thème :

– Une femme, parce qu'elles y ont droit. Dans les sondages, vous ne profitez pas assez du gender gap. Misez là-dessus. Faites-vous voir avec des infirmières, des employées d'Hydro, des cadres. Célébrez le 20e anniversaire de la première garderie financée, grâce à vous, par l'État. Recrutez quelques jeunes candidates pour la campagne électorale.

– Une femme, parce que c'est le moment. Soulignez que votre adversaire dans la course au leadership (Johnson ou Rémillard) ou votre adversaire lors des prochaines élections (Parizeau), serait le énième homme d'affilée à devenir premier ministre. N'est-ce pas le moment d'un changement ? Faites-le avec humour : « Les hommes ont assez donné, on va leur permettre de se reposer un peu. On va prendre la relève. On va leur envoyer des cartes postales ! »

• **Premier jet de la stratégie médias :**

Pour faire passer ces messages, deux voies vous sont ouvertes : les tournées des associations locales – inévitables, et où vous « performez » assez bien, d'ailleurs, et les médias. Outre le tout-venant des entrevues, faites une ou deux interventions importantes qui permettront de découvrir, dans son nouvel habillage programmatique, une nouvelle Lise Bacon. Gardez toujours en tête que votre public cible n'est pas la population québécoise en général (et surtout pas les journalistes eux-mêmes), mais les militants libéraux qui vont élire les délégués.

Lorsque vous paraîtrez à la radio ou à la télé, il ne s'agit pas de convaincre le peuple que vous savez lui parler, c'est déjà fait (donc, pas la peine d'accorder une entrevue à Jean-Luc Mongrain ou à Gilles Proulx). Il faut cependant convaincre les militants que vous savez vous tenir (et tenir votre bout) avec les représentants présumés de l'élite. Vous avez déjà paru à Robert-Guy Scully... ? Une perte de temps ! C'est un ami du parti, mais aucun militant libéral ne le regarde. Or, c'est eux qu'il faut charmer. Michel Lacombe a tout à fait le profil de l'intello agressif que l'on cherche pour ce défi, mais la portée d'une entrevue à la radio de

Radio-Canada est, d'un point de vue communication, d'une portée égale à celle d'une lettre confidentielle.

Par contre, les militants regardent Le Point à Radio-Canada, et L'Événement à TVA. Jean-François Lépine et Denise Bombardier sont, aux yeux du public, des gens crédibles et compétents. (Il est encore trop tôt pour en dire autant du jeune Stephan Bureau, à l'Événement. Mais il promet.) Il faudra leur proposer en exclusivité de longues entrevues, bien vous y préparer et, bien sûr, faire un certain tapage dans les réseaux du parti pour augmenter l'écoute. (Une journaliste amie – qui fait une excellente imitation de Bombardier – vous fera faire une « répétition générale » avant chacune de ces deux apparitions.)

Pour ce qui est des médias écrits, moins importants en eux-mêmes, Lise Bissonnette vous a un jour dit en privé qu'elle ne vous serait pas défavorable. Si c'était vrai, ce qui est improbable, ça ne vous donnerait pas grand-chose ; ça pourrait même vous nuire. Beaucoup plus important serait d'obtenir un ou deux papiers bienveillants de Lysiane Gagnon, dans La Presse, très lue et beaucoup plus influente, y compris auprès de nos militants surtout depuis son virage antinationaliste. Beaucoup de médecins libéraux, aussi, ont apprécié son appui dans leur lutte anti-réforme Côté. Gagnon est indépendante, imprévisible ; plusieurs stratèges en communications se sont cassé les dents à vouloir l'amadouer. Mais elle a un préjugé en faveur des femmes en politique. Il ne coûterait rien de l'inviter à une rencontre en petit comité sous prétexte de la « consulter » sur votre candidature et de la « briefer » sur vos intentions. Invitez à la même occasion votre ami Jacques Godbout. Sa présence vous confère un raffinement ; ce qu'on appelle, au billard, « un effet de bande ».

3) Comment terrasser vos adversaires ?

Il est préférable, pour le bien du parti, que les débats entre candidats ne soient pas trop acrimonieux. Mais, comme vous le savez, en cas de défaite vous ne serez pas candidate aux prochaines élections. Étant donné que vous n'aurez pas à travailler avec votre principal adversaire après la course, vous avez une plus grande marge de manœuvre pour appliquer la politique de la terre brûlée.

Compte tenu de votre réputation de personne agressive, vous ne pouvez cependant lancer la première pierre à vos adversaires : vous auriez l'air trop dure. Mais saisissez le premier prétexte (on peut faire un peu de provocation) pour riposter. Votre adversaire principal sera, bien sûr, Daniel Johnson. C'est heureux, car il est une cible facile.

A) Sachant que Ryan est un épouvantail pour les membres francophones du parti, n'hésitez pas, lorsqu'il se déclare publiquement en faveur de Johnson, à faire de cet appui un enjeu de la campagne, et attaquez-vous, dans vos discours, au « ticket Johnson-Ryan » (ou, plus perfidement, au « ticket Ryan-Johnson »).

B) Quand vous parlez de vos projets d'assainissement des finances publiques, démarquez-vous de Johnson en affirmant que vous êtes contre l'idée de refiler la note aux pauvres, aux malades et aux vieux. Faites courir par vos partisans l'idée que, si vous n'aviez pas été au gouvernement, Johnson aurait déjà fait bien plus mal aux démunis.

C) Vous n'aurez pas les sous de Desmarais, alors laissez quelques-uns de vos alliés vociférer contre « l'approche Power Corporation », qui consiste à

« faire payer les pauvres ». Johnson protestera. Il vous sera toujours loisible de vous dissocier de ces propos. Le message aura passé.

D) Dites que la priorité, c'est l'emploi, pas le faste dont rêve Rémillard, qui veut faire de Québec une ville internationale.

E) Si Pierre Paradis se présente, faites comprendre pendant la course au leadership qu'il est extrémiste en matière d'environnement alors que vous, vous êtes pragmatique. Utilisez ce sophisme, entendu au cours de la dernière campagne américaine : « La différence entre mon adversaire et moi, c'est que s'il ne restait sur terre qu'un affamé et un poisson, lui, il laisserait mourir l'affamé plutôt que de faire cuire le poisson. Pas moi. »

F) N'attaquez Gérald Tremblay sous aucun prétexte (voir ci-après « Alliances stratégiques »). Même remarque pour les autres candidats « économiques », comme Guy Saint-Pierre, Claude Beauchamp ou Serge Saucier qui pourraient entrer dans la course. On modifiera cette stratégie seulement si l'un d'entre eux risque de vous dépasser dans le recrutement de délégués.

4) Alliances stratégiques

Il est de votre intérêt que plusieurs candidats d'orientation économique entrent dans la course, car ils fragmenteront le vote favorable à Daniel Johnson, favori du milieu montréalais des affaires. Il ne serait pas mauvais, en fait, que votre ami Paul Gobeil soit candidat, pour qu'il tire vers lui une partie des alliés potentiels de Johnson, puis vous les offre au second tour de scrutin, si vous êtes en tête à l'issue du premier tour (il pourrait aussi se désister dès le premier tour si votre avance est trop mince).

De même, pendant la campagne, laissez entendre que vous feriez une alliance avec Gérald Tremblay au second tour, et qu'il serait votre ministre clé à l'économie. Ce serait une bonne façon de siphonner vers vous une partie de son capital de sympathie et de rassurer ceux qui ne vous trouvent pas suffisamment ferrée en économie. (Mais rappelez-leur que vous êtes ex-ministre des Institutions financières et experte en assurances.)

Entre le premier et le second tour, il sera toujours temps de concrétiser cette alliance, qui serait probablement utile pour l'élection générale. Mais si Saint-Pierre ou un autre contrôlent un plus grand nombre de délégués, il faudra se tourner vers eux.

5) Comment améliorer votre image ?

Avant tout, virez, toutes affaires cessantes, la ou les personnes qui ont écrit vos deux discours de janvier 1993. Si vous les avez écrits vous-même, interdisez-vous d'en écrire d'autres et embauchez quelqu'un qui aura le courage de vous dire qu'ils étaient nuls (ne faites confiance à personne qui vous dirait que c'était bien). Annoncez que vous prendriez volontiers Paul Gobeil comme chef de cabinet : ça rassurera sur votre capacité de vous entourer.

Il faudra trouver des moyens de faire ressortir votre côté humain, pour faire contrepoids à votre côté « mère supérieure ».

Évitez à tout prix : de vous fâcher en public contre vos adversaires ; de parler du manque de loyauté des autres ; de dénoncer les allairistes. Sur tous ces points, vous en avez assez fait, sinon trop.

Pré-campagne Johnson
État de la situation

PERSONNEL ET CONFIDENTIEL

1) Pouvez-vous gagner ?

Oui, probablement, mais c'est loin d'être dans la poche. Vous bénéficiez de bons appuis au cabinet et au caucus, mais vous plafonnez peut-être déjà. Votre cote dans l'opinion publique et chez les militants est relativement bonne, quoiqu'elle se soit effritée ces derniers temps. On vous trouve crédible et compétent, mais vous devez faire la preuve de votre capacité à faire autre chose que de l'économie.

2) Comment vous y prendre ?

• **Votre première force : votre compétence.**
En un sens, il n'est pas utile d'insister trop lourdement sur cet aspect des choses, car tout le monde s'entend là-dessus. Il faut faire un pas de plus et indiquer en quoi cette compétence vous donne un avantage.

Variations sur ce thème :

– Un leader compétent contre Parizeau. Nos militants, qui lisent les sondages, sentent qu'ils peuvent perdre les élections. Faites comprendre que vous êtes le seul à pouvoir démontrer que les idées économiques de Parizeau sont bidon, et à pouvoir expliquer aux Québécois que la souveraineté leur coûterait la peau des fesses.
– Un leader compétent contre le déficit. Sans trop revenir sur les ratés de ces dernières années, insistez sur le fait que vous avez non seulement l'expérience, mais aussi les idées voulues pour faire un nettoyage rapide et efficace du déficit et de la dette. Promettez aussi de mettre à exécution une réforme du gouvernement, en limitant le nombre de ministères – thème efficace auprès des militants même s'il ne l'est pas au Conseil des ministres.
– Un leader compétent pour la croissance. Autant vous le dire franchement : vous avez l'air du Bonhomme Sept Heures qui va faire mal aux Québécois « pour leur bien » avec vos compressions budgétaires. Il est capital que vous transformiez ce discours de carême en un discours positif. Exemple : « Grâce aux compressions, nous pourrons nous payer ceci ou cela, créer des emplois, développer des régions. Grâce aux compressions, nous allons avoir une maison beaucoup mieux en ordre que celle de l'Ontario, et nous allons attirer les investisseurs. » Insistez sur le deuxième temps, plutôt que sur le premier.
Pendant la campagne électorale contre Parizeau, par contre, vos airs de grippe-sou pourraient faire effet. Votre message pourrait alors être celui-ci : « Ça va tellement mal actuellement ! On n'a presque pas les moyens de fonctionner, même avec l'aide du Canada, alors imaginez ce que ce serait de sauter dans le vide de la souveraineté. » Plus vous aurez l'air catastrophé, meilleur vous serez.

• **Votre deuxième force : votre patronyme.**

Je sais que vous ne voulez pas qu'on joue sur le nom de votre père, et vous avez raison. Cependant, il faut mieux camper votre position constitutionnelle. Pour ça, votre nom de famille est un don du ciel, un gage de respectabilité nationaliste. Malgré le portrait que Lisée vous a fait dans L'actualité (portrait qui ne vous a pas nui, mais ne vous a pas aidé non plus), l'opinion vous prend pour le suppôt du statu quo constitutionnel. Il est urgent de mieux vous expliquer là-dessus.

Variations sur ce thème :

– Un Johnson pour un Québec fort. Vous êtes déjà identifié au fédéralisme canadien, pas besoin d'insister. Beaucoup de militants anglophones et allophones vont voter pour vous, pas besoin d'en rajouter. (Ni au congrès ni aux élections, d'ailleurs. Le Parti Égalité ayant pris un aller simple pour l'extrémisme politique, ces votes sont maintenant acquis au Parti libéral.) Expliquez plutôt que vous pensez qu'Ottawa intervient trop dans les domaines de compétence québécoise et que vous allez poursuivre le combat historique du Québec pour le respect de ses pouvoirs. Pas la peine de ramener votre rengaine nostalgique sur le lac Meech. L'Accord est mort et enterré et tout le monde sait qu'il ne reviendra pas. Il s'agit ici de rassurer les militants nationalistes modérés : pas de proposer une réforme de la constitution, actuellement impossible et électoralement suicidaire.

– Un Johnson pour un Parti libéral ouvert. Vous avez laissé entendre que vous étiez peu favorable à l'Entente de Charlottetown. Inutile d'insister là-dessus auprès des militants, car eux y ont cru et ont pleuré le soir de la défaite. De même, vous avez dit que le parti devait être « une grande tente » au moment de la purge des allairistes. Développez cette idée, mais sans trop préciser votre pensée, car il n'est pas question de tendre la perche à Allaire, identifié maintenant à la souveraineté. Jouez tout simplement sur l'idée générale de l'ouverture d'esprit qui vous démarque superbement de Bacon.

• **Votre troisième force ? Il faut en créer une.**

Vous êtes trop identifié à l'aspect financier de la politique. Il faut développer une autre corde à votre arc, dans un secteur complètement différent. Votre idée de vous engager dans le débat constitutionnel est calamiteuse. Personne ne veut en entendre parler, sauf pour combattre la souveraineté. Il faut trouver un tout autre cheval de bataille : développer une approche nouvelle en éducation par exemple – ce qui est difficile parce que tout a été dit.

Une vieille idée qui semble neuve (elle a fait surface lors de la campagne législative française de mars 1993, et est réapparue en Ontario récemment), vous placerait en bonne position : le partage du travail, pour la création d'emplois. Les organisations patronales sont contre : c'est parfait ! ça vous démarquera d'eux dans l'opinion ! Dites simplement que vous allez instituer une série de projets pilotes dans le secteur public et dans des industries qui consentiront à créer des emplois de 32 heures par semaine (donc quatre jours plutôt que cinq), pour que là où normalement on aurait embauché quatre personnes, une cinquième soit embauchée automatiquement. Annoncez que, grâce au jeu des prélèvements fiscaux, ces 32 heures seraient en fait payées comme l'auraient été 35. Pour une fois, vous aurez l'air de vous intéresser aux chômeurs, et soucieux de créer – plutôt que de toujours abolir – quelque chose.

• **Premier jet de la stratégie médias :**

Votre principal problème de communication n'est pas la profondeur ou la qualité de vos idées, mais le ton monocorde sur lequel vous les exprimez. Un interviewer nous confiait que lors d'une de vos récentes prestations un dimanche matin, il vous trouvait tellement incolore qu'il craignait que ses auditeurs ne changent de chaîne pour écouter Le Jour du Seigneur. Il faudra voir à prendre quelques cours pour apprendre à varier votre élocution. Il faut parfois accélérer le propos, hausser ou baisser le ton, peser sur quelques phrases. (Écoutez les enregistrements de certaines des interventions de votre père.)

On ne peut pas vous transformer en populiste. On doit cependant prouver que vous pouvez vous faire comprendre du peuple. (C'était le cas de Trudeau.) Ainsi, vous étiez bon, simple, direct et savamment agressif contre la CSN à Aujourd'hui Dimanche, en mars 1993, sur la question de l'équité salariale.

Il faudra donc que vous paraissiez à la télé dans une ou deux émissions à caractère populaire. Premier objectif : une entrevue d'une heure avec Jean-Luc Mongrain. Si c'est un succès, résistez à la tentation de distribuer des copies de l'enregistrement à nos organisateurs locaux ; c'est une technique éculée. Faites plutôt en sorte que les gens l'écoutent, puis en parlent. À la radio, serez-vous capable d'interrompre le flot de questions de Gilles Proulx pour placer un argument et faire passer votre message ? (Entraînez-vous en discutant avec le péquiste Jacques Brassard au restaurant du Parlement.)

Pour augmenter votre présence le soir au Téléjournal et à TVA, il faudrait tenter de participer le plus possible aux périodes de questions à l'Assemblée nationale. C'est une tribune exceptionnelle, mais, pour être cité le soir, il faut savoir lancer la petite phrase percutante, ou humoristique, qui retient l'attention des journalistes, friands de ce genre de choses.

3) Comment terrasser vos adversaires ?

A) La meilleure tactique serait de convaincre Lise Bacon de ne pas se présenter. Vous pourriez vous engager à la nommer à un poste important. La présidence d'Hydro ? La délégation à New York ? Demandez-lui ce qui lui plairait.

B) Si ça ne marche pas, préparez-vous à une dure campagne. Lors de débats avec elle, sortez vos gants blancs, car elle a l'accusation facile, et elle vous traitera de « misogyne » au moindre prétexte. Restez calme pendant que vous la faites sortir de ses gonds. Si elle a l'air colérique, vous gagnez.

C) Vous devez aussi circonscrire rapidement toute autre candidature qui viendrait chercher des appuis dans votre pacage : le milieu montréalais des affaires. Vous n'avez d'autre choix que d'occuper rapidement le terrain en faisant savoir à tout le monde que vous serez candidat. Ce qui ne suffira peut-être pas. Guy Saint-Pierre et Gérald Tremblay, par exemple, ne seront pas impressionnés par vos promesses d'en faire des ministres de premier plan : ils l'ont déjà été. Et plusieurs hommes d'affaires qui vous avaient signé des chèques pour votre campagne de 1983 n'ont pas été éblouis par votre performance. Pour tuer dans l'œuf ces candidatures, il vous faut devenir très tôt un candidat crédible, ce qui suppose que vous remplumiez votre programme et que vous rendiez publics les appuis dont vous disposez.

D) Si Tremblay se présente, neutralisez-le en laissant croire dans les réseaux du parti que c'est vous qui l'avez créé, que vous l'aimez bien, et qu'il serait un atout pour votre gouvernement, même s'il a peu d'expérience et est un nouveau venu dans le parti. La tactique vous permettra de réduire son aura, tout en détournant sa force à votre profit. Les militants se diront qu'en votant Johnson, ils obtiendront Tremblay de toute façon au gouvernement.

4) Alliances stratégiques

Si votre ami le ministre Ryan vous offre son appui, insistez pour qu'il le fasse discrètement, et faites en sorte qu'il ne vous représente que dans ses circonscriptions anglophones pendant la campagne électorale. Chez les francophones, son appui équivaut au baiser de la mort.

Un de vos problèmes s'appelle Pierre Paradis – s'il se présente. Il peut faire un malheur sur ses terres en région, où vous êtes faible, et dans une partie de l'électorat anglophone. Il serait bon de faire tacitement alliance avec lui, pour qu'il vous livre ses voix au deuxième tour. Ce ne sera possible que si vous lui offrez un poste qui l'intéresse vraiment. Il veut absolument quitter l'Environnement. Dites-lui que, dans le nouveau gouvernement restructuré que vous préparez, il y a un superministère qui l'attend. Après tout, il a le bon profil : ministre de la Sécurité du revenu, ministre du Travail, ministre de l'Environnement, puis leader parlementaire ! Il vous croira peut-être.

Vous pourriez même tenter de signer un pacte avec lui dès le début de la course : lui promettre de financer les dettes de sa campagne s'il en a, en échange de quoi il recruterait les militants en région et vous les livrerait au second tour – s'il ne vous devance pas, car il va tout faire pour vous battre. Mais attendez-vous à ce qu'il refuse tout accord car, contre toute évidence, il pensera pouvoir vous dépasser de loin au congrès.

5) Comment améliorer votre image ?

Ne vous limitez surtout pas à faire campagne auprès des chambres de commerce. Multipliez les occasions de rencontrer les gens ordinaires. Ayez l'air moins riche. Portez des jeans et des chandails les week-ends. Mais n'en faites pas trop. Vous n'auriez par l'air à votre place dans une garderie.

Un truc qui marche à tout coup : organisez-vous pour vous faire attaquer par Jean Doré. Comment ? En organisant par exemple une soirée en l'honneur de Jean Drapeau...

Pré-campagne Rémillard
État de la situation

Personnel et confidentiel

1) Pouvez-vous gagner ?

Probablement pas. Une tentative de campagne serait hautement problématique. L'opinion publique et l'opinion libérale ne vous sont pas trop défavorables, mais on peut dire de vos réseaux au sein du parti qu'ils sont quasi inexistants.

Les militants de Montréal pensent que vous êtes de Québec, ceux de Québec vous prennent pour un gars de Montréal ; les nationalistes vous considèrent comme un vendu, les fédéralistes vous pensent séparatiste ; et, malgré vos louables efforts, tout le monde vous trouve snob.

Vous présenter pour vous mettre davantage en vue et vous placer en position stratégique en prévision de la future course ne serait pas une bonne idée non plus, car, pour faire bonne figure, il vous faut obtenir le vote d'au moins 20 % des délégués, ce qu'on ne peut pas garantir.

Vous devez prendre une décisions importante pour la suite de votre carrière. Il y a deux approches, l'audacieuse et la prudente.

L'audacieuse :

A) laissez courir la rumeur que vous participerez « probablement » à la course – comme vous le faites en ce moment ;

B) retirez-vous de la course dès le début, prétextant des « raisons personnelles » ;

C) laissez-vous courtiser par les autres candidats un certain temps ;

D) déclarez, à un journaliste de La Presse (lâchez Le Devoir, pour une fois, et soyez vraiment lu) que personne parmi les candidats ne défendant de façon novatrice les intérêts du Québec, vous avez décidé, à regret, de ne pas briguer la direction ni de participer au congrès et que vous retournez à l'université écrire un livre-bilan sur votre expérience constitutionnelle et sur l'avenir du Québec ;

E) Lorsque, si tout va bien, quelques voix s'élèveront pour vous implorer de vous présenter – on va vous arranger ça –, vous direz que votre décision est irrévocable.

Si, comme c'est probable, le Parti libéral perd la prochaine élection, entachant ainsi la réputation de son nouveau leader, vous deviendrez le recours potentiel et celui qui avait bien dit qu'aucun leader ne faisait l'affaire. Et si le PQ fait l'indépendance (avec, peut-être, votre appui très circonstanciel), vous pourriez être le candidat tout désigné pour gérer, quatre ans plus tard, le nouvel État, à la tête d'un gouvernement libéral. À moins que Parizeau ne vous nomme, pour vous neutraliser, juge à la nouvelle Cour suprême du Québec (dont le juge en chef serait Jacques-Yvan Morin. Pouvez-vous le supporter ?).

La prudente :

Vous ne voulez pas retourner enseigner le droit devant des groupes d'étudiants boutonneux qui vous prendront pour un looser ? Vous préférez devenir recteur d'université ou délégué du Québec à Paris, à New York ou nouveau poste taillé sur mesure, à l'ONU ? Rester au gouvernement, mais comme ministre de l'Éducation ou des Affaires internationales ? Vous devez acheter ce ticket auprès du futur vainqueur. Il faut donc bien choisir votre poulain, vous ranger derrière lui et faire une campagne vigoureuse pour l'aider à gagner le leadership, puis l'élection. Nous avons déjà discuté de tout cela de vive voix, mais vous avez demandé un scénario de candidature Rémillard. Alors, puisque vous insistez...

2) Comment vous y prendre ?

Votre seule chance : faire extrêmement peur aux militants, en leur faisant comprendre que le parti court à une défaite électorale certaine s'il ne charme pas les nationalistes modérés d'une part, et s'il ne présente pas une solution de rechange acceptable au projet de souveraineté de Parizeau d'autre part.

Stratégiquement : dans l'esprit des délégués, vous devez représenter leur unique planche de salut. Faites circuler le message disant à peu près ceci : « Je sais que je ne suis pas votre premier choix comme chef, mais je suis votre seule chance de rester au pouvoir. » Pas la peine d'essayer de charmer, il faut terroriser. Vous avez un allié : Jean Chrétien. S'il devient premier ministre le 25 octobre prochain, les militants libéraux seront plus enclins à se choisir, par compensation, un chef nationaliste. Vous êtes le seul nationaliste disponible.

Chacun des thèmes développés ici vise à transformer vos handicaps – crypto-séparatisme, intellectualisme, élitisme – en atouts. On vous reproche d'être trop nationaliste...

• **Votre première force : le nationalisme.**

C'est un immense territoire totalement laissé en friche depuis le référendum et la défection des allairistes. Le tiers, et peut-être la moitié de nos militants sont en quelque sorte orphelins à cet égard. Devenez leur parrain en occupant tout cet espace, et en neutralisant les tentatives de Johnson, Bacon ou Tremblay de venir s'y loger.

Variations sur ce thème :

– Un leader nationaliste, seul rempart contre le PQ. Dans chaque circonscription, expliquez, chiffres à l'appui, qu'un cinquième des électeurs sont des nationalistes francophones déçus du fédéralisme et qui hésitent à faire le saut vers le PQ, mais qu'ils le feront, ce saut, si les libéraux n'offrent que la certitude et le statu quo canadien contre le rêve de la souveraineté (ce que proposent, essentiellement, les autres candidats). Insistez sur le fait que Johnson et Bacon sont associés dans l'esprit du public au vote anglophone et allophone et ne peuvent, par conséquent, monter d'offensive efficace auprès des indécis (ce qui n'est pas tout à fait exact, dans le cas de Bacon, mais passons...). Expliquez qu'il faut que le parti incarne la volonté des Québécois d'affirmer leur identité nationale et, surtout, la traduise dans un programme crédible qui, sans proposer la souveraineté, ne l'exclut pas explicitement.

– Un leader nationaliste pour un Québec distinct. Définissez ce programme. Puisqu'il a été impossible de faire accepter par le reste du pays la conception québécoise de la société distincte, le Québec va le faire lui-même. (Citez à tout vent la phrase de Bourassa prononcée le 22 juin 1991 : «Quoi qu'on dise et quoi qu'on fasse, le Québec est d'ores et déjà et pour toujours une société distincte, libre et capable d'assumer son destin et son développement.» Cette phrase est votre parapluie politique, votre alibi libéral, votre talisman.) Ressortez certaines de vos idées personnelles, comme celle d'élaborer et de faire adopter une constitution québécoise (ce qui ne suppose pas de se retirer de la fédération). Proposez aussi de faire adopter par l'Assemblée nationale une «déclaration de principe» sur ce que constitue, pour vous, l'objectif de la société distincte. Plus que Meech, moins qu'Allaire.

Piquez ensuite ses idées à Christian Dufour et à son livre La Rupture tranquille (pour faire plus vrai, embauchez-le comme conseiller). Dufour constate que les Québécois sont favorables au statu quo canadien tel qu'il existait avant la Constitution de 1982 et l'émergence de la culture et des institutions pancanadiennes à la Trudeau. Pour résoudre ce dilemme, proposez, avec Dufour, que le Québec se déclare unilatéralement, dans le Canada, comme une société distincte : l'Assemblée nationale proclamerait la souveraineté (mais pas l'indépendance) et adopterait illico l'ordre constitutionnel canadien tel qu'il existait avant la Constitution de 1982 (que Québec n'a jamais signé). Ensuite, au gré de la conjoncture, l'Assemblée légiférerait «pour affirmer les principes qui lui semblent essentiels au développement de sa société distincte».

Électoralement, la stratégie a l'avantage d'épouser l'ambiguïté politique des Québécois et la vôtre. Ni tout à fait dehors (ils restent Canadiens) ni tout à fait dedans (mais à leurs conditions), les Québécois demeureraient fidèles à leurs engagements passés (1867) tout en imposant leur volonté (qu'on reconnaisse qu'ils forment une société distincte). À moins qu'on ne l'en expulse, ou à moins que les Québécois ne décident, par glissements progressifs, de pousser jusqu'à l'indépendance l'expression de leur caractère distinct (ce qui ne sera probablement pas nécessaire, direz-vous aux délégués, le Québec restera au sein du Canada.

Ce programme a plusieurs mérites. D'abord, compte tenu de votre profil, il est crédible, il colle à votre type d'intellect. Ensuite, il exprime assez clairement le non-dit des dernières négociations constitutionnelles (si Rémillard avait été le patron, ça se serait passé autrement !). Il vous absout, par le fait même, de votre participation au fiasco et vous réhabilite aux yeux des nationalistes du parti. Troisièmement, ce programme très «songé» (ce qui ne veut pas dire qu'il soit applicable) met votre profil d'intellectuel à profit, plutôt que de le laisser constamment être votre boulet. Quatrièmement, il est concret, lié à un échéancier – engagez-vous à le réaliser en douze mois – et à l'idée de mouvement, contrairement à la guimauve constitutionnelle (à laquelle personne ne va croire, de toute façon) que s'apprête à proposer le parti.

Enfin, le programme est radical. Beaucoup trop pour les autres candidats. Si vous aviez de bonnes chances de gagner, il serait aussi risqué pour vous. Mais, parce que votre étoile politique est pâle, il vous faut un projecteur puissant. Parce que personne ne s'intéresse à vous, il faut proposer un projet qui retienne l'attention. Ce radicalisme nous ramène à votre message premier : c'est parce que le parti court à sa mort électorale qu'il lui faut jeter par-dessus bord les solutions toutes faites, et prendre le risque de l'audace, que vous incarnez.

• **Votre seconde force : le nationalisme.**

C'est encore la même force que précédemment, mais articulée différemment. Alors que Johnson parlera de «globalisation» des marchés, faites vous le promoteur du «Québec sait faire». Dites que, économiquement et culturellement, parce que le Québec est distinct, il est plus fort, plus à même de tirer son épingle du jeu.

Variations sur ce thème :

– Un nationaliste pour l'industrie culturelle. Promenez-vous avec les statistiques relatives à l'emploi dans le secteur culturel et à son ratio subvention/création d'emplois. Montrez que certaines de nos meilleures exportations s'appellent Céline Dion, Roch Voisine et Denys Arcand, et qu'il faut, par conséquent, miser beaucoup plus sur notre créativité pour créer des emplois. Le thème flatte la fierté des Québécois.

– Un nationaliste pour l'originalité économique. Vos adversaires parlent d'union économique canadienne et d'harmonisation des politiques. Dites qu'au contraire, pour gagner sur les marchés étrangers et dans l'union canadienne que vous voulez préserver, il faut se distinguer, pas se ressembler. Dites que vous voulez davantage de Québec inc., d'aide à l'entrepreneurship local, de stratégie industrielle, de politique étrangère québécoise. Dans le détail, votre politique ne diverge pas beaucoup de celle de vos adversaires. Mais, dans l'orientation que vous y donnez (se distinguer pour gagner), vous avez l'avantage.

Tout cela ne marchera probablement pas – ce qui vous évitera d'appliquer le programme Dufour qui serait un véritable cauchemar juridique –, mais vous sortirez de la campagne avec honneur, et drôlement bien placé pour la suite, si le parti perd l'élection.

• **Premier jet de la stratégie médias :**

Votre premier réflexe sera, évidemment, de soigner votre cote chez Lise Bissonnette. Ça ne donne rien ! Ses lecteurs n'ont pas la bonne carte de parti. À la télé j'ai peur que Denise Bombardier ne vous mange tout rond. (Une meilleure idée serait de vous envoyer chez Lise Payette, à TVA ; mais c'est trop risqué.)

C'est à Normand Girard, du Journal de Québec et du Journal de Montréal, qu'il faut parler. Avec vos nouveaux habits nationalistes, il vous fera les yeux doux. Si vous vous heurtez à des résistances, contournez-les en contactant directement votre ami Pierre Péladeau. On vous dit inaccessible ? Multipliez les tribunes téléphoniques et faites semblant que vous aimez ça. On vous préparera quelques sessions de formation. Un de vos arrêts obligés : Jean Cournoyer à CKAC. Dites-lui que vous avez adoré son dictionnaire, il sera gentil.

3) Comment terrasser vos adversaires ?

A) Tout dans votre comportement doit renforcer votre thème central : il faut faire un choix, car l'heure est grave. Sur la plupart des points du programme, évitez donc de dénoncer vos adversaires. Au contraire, dites qu'ils sont tous très compétents, très intéressants. Malheureusement, ils sont inaptes à relever le défi électoral qui s'annonce. Autrement dit :

dans des circonstances différentes, vous voteriez pour l'un ou l'autre sans hésitation, mais le péril péquiste les a rendus caducs. Cette tactique peut les désorienter. Ils n'auront guère de prise sur vous dans les débats.

B)Cela dit, vous ne pourrez gagner que si le vote fédéraliste orthodoxe et économique est fragmenté. Vous avez donc intérêt à ce que Paradis sape le vote fédéraliste de Bacon et de Johnson, et que Guy Saint-Pierre ou Paul Gobeil ou Yves Fortier divisent le vote du milieu montréalais des affaires, acquis à Johnson.

C)Vous pouvez même aller plus loin et inciter subtilement votre ami Claude Beauchamp à se présenter, pour fragmenter davantage le vote.

4) Alliances stratégiques

Est-il besoin de répéter que vos chances sont tellement faibles que nous sommes ici dans la politique-fiction à l'état pur ? Mais puisque nous y sommes, avançons encore un peu.

Votre premier test est d'opérer, grâce à votre programme, un ralliement des membres de l'aile nationaliste (comme les députés Jean-Guy Lemieux de Québec, ou Georges Farrah des Îles-de-la-Madeleine, ou l'enfant prodigue, Michel Bissonnette, qui préside la commission d'information du parti), puis d'organiser le retour au bercail d'un ou deux « purgés », comme les anciens membres du bureau de direction, passés aux « libéraux pour le Non » : Garceau, Gauthier. Vous aurez l'air magnanime et démontrerez ainsi que ce que vous pouvez accomplir dans le parti, vous pourrez aussi le faire dans la nation. (Si Allaire ou Dumont veulent vous appuyer, demandez-leur de se taire jusqu'après le congrès. Ils vous causeraient plus de tort que de bien chez les militants. Une fois élu chef, par contre, leur soutien serait précieux face à l'électorat.)

La faiblesse de votre organisation devra être compensée par une forte présence médiatique. Une de vos cibles importantes dans le parti devra être la Commission jeunesse, plus ouverte aux idées neuves malgré sa récente stérilisation. Il faudra identifier les jeunes pro-Gil dans les circonscriptions et se servir d'eux comme levier pour la désignation des délégués, surtout dans les circonscriptions « orphelines ». La présence médiatique et la sensibilisation des jeunes pourraient être payantes au deuxième ou au troisième tour de scrutin, quand les délégations se désarticuleront au gré des préférences personnelles des délégués.

Heureusement pour vous, la multiplicité des candidats pourrait transformer le premier tour de scrutin en véritable foire d'empoigne. Si vos adversaires s'étripaillent suffisamment, vous pourriez avoir votre heure. (Pour vous remonter le moral avant le congrès, voyez Que le meilleur l'emporte, de Schaffner (1964), avec Henry Fonda, où une situation semblable se présente dans une convention présidentielle américaine.)

Fixons l'objectif, raisonnable, de vous faire entrer au congrès fort d'une base de délégués d'au moins 15 % – ce qui signifie l'appui d'une vingtaine de circonscriptions !

Si c'est une bataille entre Bacon et Johnson au premier tour, mais qu'ils ne devancent les autres candidats que d'une tête, peut-être réussirez-vous à passer au travers en réunissant derrière vous les candidats secondaires.

Si on reste sourd à vos appels et que votre défaite est patente, vous en revenez au choix de départ : décision audacieuse ou décision prudente. Audacieuse : retirez votre nom et libérez vos militants – histoire de vous en laver les mains, et de vous démarquer du vainqueur. Prudente : échangez votre soutien au candidat le mieux placé contre la promesse de vous offrir le poste que vous convoitez. Assurez-vous cependant de choisir le vainqueur.

Si la chance vous sourit et que vous gagnez, scellez, avant les élections, un pacte avec Allaire et Dumont (promettez-leur n'importe quoi). Faites comprendre aux vieux ministres qu'on n'a plus besoin d'eux. (Faites-leur miroiter des délégations générales, organisez des « party d'adieux surprise » pour Johnson, et Ryan, donnez-leur des médailles. Faites tout ce qui est en votre pouvoir pour que Ryan soit nommé sénateur.) Allez chercher de jeunes candidats. Pourquoi pas Claude Beauchamp ? Séduisez un bloquiste (Jean Lapierre ?), faites-vous voir avec Jean-Paul L'Allier (mais pas avec Jean Doré). Affirmez ensuite que vous avez formé l'équipe de l'avenir et que vous avez des idées nouvelles plein la tête, contrairement au vieux Parizeau.

5) Comment améliorer votre image ?

Vous êtes sur un terrain difficile quant à la question de la loyauté envers Bourassa. À ceux qui vous accusent d'avoir failli le lâcher à Charlottetown, dites que, vous faisant violence, vous êtes resté jusqu'au bout et que vous avez, par conséquent, beaucoup de mérite. Ce qui n'est pas le cas de Marc-Yvan Côté, qui annonce depuis des années son départ du Cabinet ; ni de Bacon, qui a remis plusieurs fois sa lettre de démission. (Mais attendez qu'on vous questionne avant de fournir ces explications.)

Vous souffrez toujours de votre air snob : faites campagne en jeans et en chemise ouverte. Apprenez un instrument de musique. Dites que vous aimez Madonna. Achetez-vous une Camaro. Faites-vous voir au Forum ou au Colisée, plutôt qu'au musée des Beaux-Arts. Laissez-vous tutoyer par des chômeurs.

Sous aucun prétexte, ne vous faites voir avec votre cheval. Sous aucun prétexte, n'embrassez de drapeau.

Pré-campagne Tremblay
État de situation

Personnel et confidentiel

Pouvez-vous gagner ?

Difficile à dire. Si vous êtes le porte-flambeau d'un mouvement « n'importe qui sauf Johnson » et réussissez à réunir tous les anti-Johnson, vous avez une chance raisonnable de gagner. S'il y a plusieurs autres candidats, notamment Bacon, votre avenir s'assombrit. Vous garderiez cependant le pouvoir de faire pencher la balance du côté de Daniel Johnson, en l'appuyant, ou de lui barrer la route, en en reportant les voix de vos partisans sur son adversaire.

Il vous faut donc prendre une décision. Vos débats avec Johnson sur les grappes puis sur les compressions budgétaires traduisent des divergences idéologiques importantes entre vous deux. C'est un néo-conservateur à la Thatcher. Vous êtes un social-démocrate à l'allemande. S'il devient premier ministre, il aura le loisir et l'intention de freiner vos élans interventionnistes. Puisque vous êtes peu disposé à quitter la vie politique – vous êtes le contraire d'un lâcheur –, votre avenir serait sans doute plus rose comme pilier économique d'un gouvernement Bacon ou Rémillard.

Par ailleurs, si vous gagnez pas la course, vous n'avez pas grand-chose à perdre à y participer. Elle va vous donner de la notoriété, et va vous permettre de faire valoir quelques-unes de vos idées maîtresses ; vous allez être courtisé par les autres candidats et, qui sait ? déterminer l'issue de la course. Pas mal pour un novice !

2) Comment vous y prendre ?

La toute première chose à faire est de contrer la dérision qui commence à pourrir votre concept de grappes industrielles.

A) Essayez de mettre l'accent sur une de vos réalisations. Vous avez toujours tendance à en nommer cent. Ce n'est pas crédible. Trouvez un exemple convaincant, puis deux ou trois autres pour donner au premier un peu de muscle, tenez-vous-y et, si on vous attaque, retournez la question en disant : « Et vous, combien d'emplois avez vous créés ? »

Si vous n'arrivez pas à colmater les brèches de vos grappes, rien ne marchera, car c'est l'assise de votre crédibilité.

- **Votre première force : l'énergie.**

On vous dit énervé. On ne vous changera pas d'ici la fin de la campagne. Il faut donc utiliser ce trait à votre avantage. On vous dira énergique, bâtisseur.

Variations sur ce thème :

– Un leader énergique comme le Québec. Le Québec et, à plus forte raison, le parti traversent une période de grande morosité. Les Québécois, qui veulent absolument en sortir, seront donc très réceptifs à un discours qui parle de regain d'activité et qui flatte leurs capacités.

– Un leader énergique pour redresser notre économie. Nous allons puiser dans votre passé de « redresseur d'entreprises » et nous allons l'appliquer à la situation québécoise. Un peu comme Ross Perot, vous êtes celui qui va remettre l'usine québécoise en marche. Vous l'avez fait dans le privé, vous le referez à la tête du gouvernement. Pour remplacer la rengaine déprimante de Johnson (« On n'a pas les moyens »), proposez un discours enthousiasmant : « Nous avons les forces, il s'agit de bien nous organiser. »

– Un leader énergique pour préparer l'an 2000. Vous êtes un peu plus vieux que Johnson ou Rémillard, mais vous avez l'air plus jeune. Profitez-en et faites de vous l'homme de l'avenir et des nouveaux défis. Parlez beaucoup d'éducation et de formation de la main-d'œuvre. Fixez un objectif pour l'an 2000 (dans moins de sept ans) pour ce qui est de la réduction du décrochage scolaire et du perfectionnement, ainsi que de la création d'emplois.

- **Votre seconde force : la capacité de rassembler.**

Avec vos grappes et vos contrats sociaux, vous avez réuni syndicats et patronat autour d'une même idée. Utilisez ce thème du partenariat et de la coopération, en l'opposant à ceux qui divisent et suscitent des conflits.

Variations sur ce thème :

– Un rassembleur pour que tout le monde participe. Laissez entendre que, contrairement à certains de vos adversaires, vous ne savez pas tout sur tout et que votre gouvernement serait attentif aux idées des élus locaux, des patrons, des syndicats, des organismes communautaires, des coopératives, et – surtout – du monde ordinaire, tels les militants libéraux. La population québécoise, comme tout l'électorat occidental, se sent coupée des centres de décision. Promettez que votre gouvernement, plus que n'importe quel autre, serait mieux branché sur les désirs et sur les propositions des Québécois.

– Un rassembleur pour la paix sociale. Prenant pour exemple les contrats sociaux que vous avez établis chez MIL et chez Astral, montrez comment vous vous y prendriez pour garantir la paix sociale au Québec, de manière que chacun y trouve son compte et que la productivité québécoise dépasse celle de ses voisins. Les Québécois détestent « le trouble » ; promettez-leur la tranquillité.

Dans le même esprit, ne parlez de constitution que pour dire que les Québécois en ont assez de faire des choses improductives. Promettez même de ne pas aborder la question constitutionnelle pendant votre mandat au gouvernement. Cela vous permettra de neutraliser les déçus de Meech et de vous gagner les « tannés » de Charlottetown.

C'est un peu court, bien sûr, pour la campagne électorale contre Parizeau. Si on vous pose la question, soutenez que vous allez le battre et arriver à neutraliser une partie du vote souverainiste en disant à peu près ceci : « Le Québec pourrait aujourd'hui devenir indépendant, mais ce ne serait pas un pays en bonne forme ; il lui faut faire encore un peu de musculation économique. Avec Tremblay, on va lui renfoncer la musculature. Dans quatre ans, il sera mieux équipé pour prendre la décision qui s'impose quelle qu'elle soit. »

C'est un faux-fuyant qui ne ferait pas beaucoup de mal au PQ pendant la campagne électorale, mais qui permettra, pendant la course au leadership, de faire illusion à un certain nombre de militants.

• **Premier jet de la stratégie médias :**

Il faut faire en sorte que les médias valident et propagent votre programme économique, donc aident votre candidature. Voici comment vous y prendre. Nous allons lire ensemble les éditoriaux d'Alain Dubuc et les chroniques de Claude Picher dans La Presse, ceux de Raymond Giroux dans Le Soleil, ceux de Jean-Paul Gagné dans Les Affaires, et en tirer des idées précises, avec lesquelles vous n'êtes pas en désaccord. Dans un brouillon de votre programme économique, nous allons subtilement introduire ces concepts de réforme économique, sans les expliciter. (Comme si on y laissait des trous.) Ensuite, nous allons envoyer ce programme provisoire confidentiel à toutes ces personnes en leur disant que nous attendons leurs commentaires. Tout naturellement, ils vont nous dire (au lunch) qu'il faut ajouter tel et tel point, qu'ils ont eux-mêmes déjà évoqués dans leurs écrits. Votre réaction : « Bon sang, mais bien sûr ! Pourquoi n'y ai-je pas pensé avant ! » Nous allons ensuite, comme prévu, intégrer ces suggestions à la version finale du programme. Ils auront l'impression d'avoir été écoutés ! Vous verrez ensuite avec quel enthousiasme ils exprimeront leur appui, en éditorial, à vos – à leurs – idées.

Évidemment, on se promènera de circonscription en circonscription, d'interview radio en interview radio, en brandissant ces trophées médiatiques qui attesteront votre capacité à susciter des consensus autour de vos idées. Ces journalistes ne se méfieront pas de vous, vos allures de boy-scout ne pouvant laisser croire que vous ayez si bien assimilé Machiavel. (Qu'ils découvrent ou non la manœuvre, le fait est que vous aurez bel et bien intégré à votre programme certaines de leurs idées. C'est donc qu'elles étaient bonnes !)*

3) Comment terrasser vos adversaires ?

Puisque, quoi qu'il arrive, vous allez continuer de siéger à l'Assemblée nationale (même en cas de raz-de-marée péquiste, votre circonscription d'Outremont est une forteresse, surtout après le redécoupage qui vous assure le vote d'un nombre plus grand d'électeurs anglophones qu'en 1989), vous ne pouvez vous permettre de vous faire beaucoup d'ennemis. Pas question, donc, de coups bas, d'allusions malsaines, de propos désobligeants à l'endroit des autres candidats. Au contraire, muselez vos troupes et avisez-les de s'en tenir aux aspects positifs. (C'est le moment ou jamais d'être et d'avoir l'air boy-scout.)

4) Alliances stratégiques

Tout nous ramène au point numéro un. Si vous n'êtes pas en position de vaincre, vous serez en position de choisir Johnson ou Bacon ? Attendez jusqu'à la dernière minute, profitez au maximum de l'attention médiatique que vous vaudra votre position de kingmaker, puis faites votre choix.

5) Comment améliorer votre image

Partout, toujours, CALMEZ-VOUS ! Pensez que chaque fois que vous accélérez votre débit, on vous entend moins, on vous comprend moins, et on

* Incroyable ? Un lobbyiste libéral affirme que des techniques semblables « dans la forme et dans le fond » ont déjà été utilisées, avec des succès divers.

vous appuie moins. Il est probablement trop tard pour vous faire prendre des cours de pose de voix. Mais avalez mentalement un valium avant chaque débat ou chaque interview.

Améliorez votre image auprès des femmes et des jeunes en rappelant que vous avez géré une entreprise avec votre épouse, ce qui vous donne un air moderne.

Multipliez les rencontres de groupe, où votre enthousiasme est le plus communicatif, plutôt que les discussions en petit comité. Enfin, quand vous sentez le besoin de définir un objectif chiffré de création d'emplois dans un secteur d'activité ou dans une région, divisez ce chiffre par deux avant de le prononcer. Il sera plus crédible, et toujours impressionnant.

REMERCIEMENTS

Souvent, pendant que je préparais ces portraits, je me suis demandé comment mes quatre ministres pouvaient supporter qu'un journaliste fouille ainsi, à plein temps pendant quelques semaines, leur passé, leur carrière, leur activité politique. Je trouverais moi-même ce traitement difficilement supportable. Mais nos politiciens ont choisi, eux, de se lancer dans la vie publique. Ils ne se privent pas, en campagne électorale, de vanter leur expérience passée, de distribuer leur curriculum vitæ, comme autant de preuves de compétence.

Quand, sur le terrain, l'enquêteur retrace leur parcours, il découvre qu'une brève mention dans un CV cache souvent toute une épopée, qu'une victoire prétendue était un échec durement encaissé ou qu'une période dite de réflexion était en réalité un passage à vide. L'exercice permet de montrer que ces individus ne sont pas interchangeables. Ils se présentent à la succession avec des bagages divers, qui les pousseront nécessairement à élaborer des politiques différentes. Et si leurs discours peuvent être préfabriqués, leur passé, lui, ne ment pas. Il reste que, pour un ministre, se faire tirer un grand portrait, c'est à la fois délicieux et douloureux.

Délicieux, parce qu'on s'intéresse à lui ou à elle, en détail. Bonne occasion pour l'intéressé de découvrir enfin ce que diront tel ami, tel confrère, tel rival. Le ministre donne parfois à dessein des noms au journaliste — qui en demande — pour découvrir la réaction de certains. Il y a là l'assouvissement d'une curiosité permanente chez l'homme ou la femme politique : « Que pensent-ils de moi ? Que disent-ils quand je ne suis pas là ? » Le portrait est aussi, souvent, l'occasion de faire le point, le bilan.

Douloureux, parce qu'on n'est jamais prêt à voir son reflet tel que nous le renvoie l'enquête du journaliste, qui fait lui-même une synthèse forcément imparfaite des informations disponibles, des évaluations qui circulent, des témoignages de première main qui parfois cachent leur brutalité sous le voile de l'anonymat. (Le lecteur aura noté que l'auteur ne s'est aventuré dans le passé sentimental des prétendants que lorsqu'une de ces trois conditions furent présentes : le conjoint a joué un rôle dans la vie politique du ministre ; sa présence est indispensable à la bonne compréhension du récit ; le prétendant en a spontanément parlé à l'auteur.)

J'ai donc le plaisir, vraiment, de remercier Mme Bacon, MM. Johnson, Rémillard et Tremblay, qui m'ont accordé du temps, m'ont ouvert plusieurs portes, encouragé quelques-uns de leurs proches à me recevoir, à me parler. Certains se sont fait davantage tirer l'oreille que d'autres, certains ont semblé en tirer plus de plaisir que d'autres, certains ont tenu l'auteur sur une piste plus longtemps que d'autres, mais tous se sont pliés de bonne grâce à la manœuvre et ont répondu à (presque) toutes les questions*.

Impartial dans le choix que les militants libéraux feront, le journaliste peut cependant témoigner que les quatre ministres décrits ici dépensent une énergie considérable, travaillent tôt, tard et longuement, au service des Québécois et de leur État. La défaveur générale dans laquelle sont tombés récemment la plupart des politiciens ne fait pas justice à l'intensité de leur labeur.

Je dois à Jean Paré, directeur de *L'actualité,* la chance de travailler pour l'un des rares médias québécois où l'on peut

---

* Les entrevues de fond avec les ministres ont été réalisées aux dates suivantes. Lise Bacon, décembre 1990 et août 1991 ; Daniel Johnson, décembre 1992 ; Gil Rémillard, janvier 1991; Gérald Tremblay, février 1992.

traiter les sujets en profondeur. J'ai pu y accumuler la matière nécessaire à la rédaction d'articles sur les quatre ministres et à celle de cet ouvrage. Paule Beaugrand-Champagne ainsi que tous les membres récents ou actuels de l'équipe de *L'actualité*, notamment Carole Beaulieu, Luc Chartrand, Michel Arseneault et Louise Gendron m'ont abreuvé de suggestions tout le long du chemin. Merci surtout à Catherine Leconte, ma complice depuis plus de dix ans, qui, comme d'habitude, a tout relu, tout critiqué, évitant ainsi, pour le moins, le pire aux lecteurs.

Plusieurs ont relu le manuscrit et l'ont enrichi de leurs commentaires et de leur savoir. D'un œil sagace, Gilles Lesage a corrigé quelques erreurs, donné quelques avis. À la documentation du *Devoir*, Gilles Paré et son équipe m'ont été d'un grand secours. À Québec, le journaliste Michel Dolbec (maintenant à Paris) m'a transmis des notes utiles sur les activités de M. Rémillard à la commission Bélanger-Campeau. Jacques Godbout m'a permis de consulter les textes de ses entrevues avec Robert Bourassa qui ont servi à la réalisation de son documentaire *Le Mouton noir*. Michel Vastel et Mario Proulx m'ont aussi fourni des éléments d'information jusqu'ici inédits. D'autres journalistes politiques reconnaîtront ici et là des citations que j'ai glanées dans leurs articles de la presse quotidienne. Je ne peux les citer tous, mais les textes les plus fouillés et les plus utiles sont répertoriés dans la bibliographie.

Yves Daoust et Robert Bureau, de la Société nationale d'information, m'ont permis de consulter leur banque de données sur CD-Rom, dont ne pourra se passer avant longtemps aucun journaliste québécois. Au cégep de Saint-Laurent, l'archiviste Francine Vallée a déniché pour moi les premiers écrits de Daniel Johnson. À la société Léger et Léger, Jean-Marc Léger a eu l'amabilité de me transmettre le détail d'un sondage effectué sur les politiciens québécois. Claude Bergeron, directeur du développement à la société de sondage SOM Études et Recherches, a fait de même pour des sondages réalisés en février et en avril 1993 ; André Forgues, directeur de l'information au journal *Le Soleil*, ainsi que la station CJRP, propriétaires du sondage, ont donné le feu vert. Qu'ils se considèrent tous, par la présente, comme officiellement remerciés.

PERSONNES INTERVIEWÉES

Guy Aird
Lina Allard
Pierre Anctil
Raymond Bachand
Lise Bacon
Françoise Bertrand
Louis Bertrand
Mario Bertrand
Pierre Bibeau
Alain Bisson
Lise Bissonnette
Jean-Baptiste Bouchard
Lucien Bouchard
Robert Bourassa
Jacques Brind'Amour
Marton Brownstein
Henri Brun
Lawrence Cannon
Gilles Carle
Jean-Paul Carrier
Jacques Chagnon
Solange Chaput-Rolland
François Chevrette
Georges Cliche
Marcel Côté
Jean Cournoyer
Deborah Coyne
Fernand Daoust
Michel Décary
André Delisle
Antoine Desgagné
Léon Dion
Jean-François Duchaîne
Yvon Duhamel
Simon Durivage
Louis Falardeau
Guy Ferland
Jean-Pierre Ferland
Jean Garon
Michel Gauthier
Daniel Giroux
Antoine Godbout
Robert Gratton
Alain Guilbert
Jean-René Halde
Louise Harel
Jean-Louis Harguindeguy
Daniel Jacoby
Jack Jedwab
Albert Jessop
Daniel Johnson
Renée Joyal
Jeannine Laberge
Marie Laberge
Gérald Lacoste
Guy Laforest

Bernard Landry
Jean Lapierre
Angers Larouche
Jean Laveaux
Michel Lebel
François Leduc
Michel Leduc
Jean Legault
Jean-Marc Léger
Michel Légère
Vincent Lemieux
Robert Libman
Simon Marcotte
Philippe Martel
Paul Martin fils
Claude Masse
Denis Nadeau
Marie-Josée Nadeau
Louis O'Neill
Nycol Pageau-Goyette
Pierre Paquette
John Parisella
Jacques Parizeau
Pierre Patenaude
André Patry
Lise Payette
Ronald Poupart
Daniel Proulx
Gil Rémillard
Jean-Claude Rivest
Anne Robinson
Raymond Saint-Pierre
Jean-Michel Schoeller
Ian Scott
Yves Séguin
Louise Sicard
Philippe Surreau
William Symonds
Louis Tardif
Robert Thérien
Gérald Tremblay
Marcel Tremblay
Michel Tremblay
Thierry Vandal
Serge Vermette
Larry Wilson
José Woehrling

En plus, bien sûr, d'un certain nombre de sources ayant demandé l'anonymat.

BIBLIOGRAPHIE

Ouvrages

BISSONNETTE, Lise, *La Passion du présent*, Montréal, Boréal, 1987, 328 p.

CICÉRON, Quintus, *Petit manuel de campagne électorale,* Paris, Arléa, 1992, 93 p.

COHEN, Andrew, *A Deal Undone. The Making and Breaking of the Meech Lake Accord,* Toronto, Douglas & McIntyre, 1990, 303 p.

COYNE, Deborah, *Roll of the Dice. Working with Clyde Wells During the Meech Lake Negotiations,* Toronto, Lorimer, 1992, 154 p.

DUFOUR, Christian, *La Rupture tranquille,* Montréal, Boréal, 1992, 171 p.

FLEMING, James, *Circles of Power. The Most Influential People in Canada,* Toronto, Doubleday, 1991, 489 p.

FOURNIER, Louis, *Louis Laberge. Le syndicalisme, c'est ma vie,* Montréal, Québec/Amérique, 1992, 418 p

FRASER, Graham, *Le Parti Québécois,* Montréal, Libre Expression, 1984, 432 p.

FRASER, Matthew, *Quebec Inc. French-Canadian Entrepreneurs and the New Business Elite,* Toronto, Key Porter Books, 1987, 280 p.

GAGNON, Georgette et RATH, Dan, *Not Without Cause. David Peterson's Fall From Grace,* Toronto, Harper Collins, 1992, 410 p.

GAGNON, Lysiane, *Chroniques politiques,* Montréal, Boréal, 1985, 455 p.

GODIN, Pierre, *La Difficile Recherche de l'égalité* [Biographie de Daniel Johnson père.], Montréal, Boréal, 1991, 408 p.

GODIN, Pierre, *Les Frères divorcés,* Montréal, Éditions de l'Homme, 1986, 360 p.

GODIN, Pierre, *La Poudrière linguistique,* Montréal, Boréal, 1990, 373 p.

GREBER, Dave, *Paul Desmarais. Un homme et son empire,* Montréal, Éditions de l'Homme, 1987, 347 p.

HOY, Claire, *Clyde Wells. A Political Biography,* Toronto, Stoddart, 1992, 368 p.

LEMIEUX, Vincent, *Le Parti libéral du Québec. Alliances, rivalités et neutralités,* Québec, Presses de l'Université Laval, 1993, 250 p.

MAC DONALD, L. Ian, *De Bourassa à Bourassa,* Montréal, Éditions Primeur Sand, 1985, 267 p.

MONAHAN, Patrick J., *Meech Lake. The Inside Story,* Toronto, University of Toronto Press, 1991, 340 p.

MURRAY, Don et Vera, *De Bourassa à Lévesque,* Montréal, Quinze, 1978, 264 p.

O'NEILL, Pierre et Benjamin, Jacques, *Les Mandarins du pouvoi. L'Exercice du pouvoir au Québec de Jean Lesage à René Lévesque,* Montréal, Québec/Amérique, 1978, 285 p.

RÉMILLARD, Gil, *Le fédéralisme canadien. Tome II : Le rapatriement de la Constitution*, Montréal, Québec/Amérique, 1985.

RICARD, François, *La Génération lyrique*, Montréal, Boréal, 1992, 282 p.

SMITH, Hedrick, *The Power Game,* New York, Random House, 1988, 793 p.

VASTEL, Michel, *Bourassa,* Montréal, Éditions de l'Homme, 1991, 317 p.

Articles de fond

ARPIN, Claude, « Liberals wonder if Johnson could be their next leader », *The Gazette,* 8 mai 1982.

BAUCH, Hubert, « Rémillard. " A federalist who is at the same time a Quebec nationalist " », *The Gazette,* 17 mars 1990.

BERGER, François, « Les salaires du secteur public ne sont plus supérieurs à ceux du privé », *La Presse,* 23 mars 1991.

BOISVERT, Yves, « Napoléon pensait son Code civil " éternel " », *La Presse,* 13 avril 1991. [Dossier]

CAYOUETTE, Pierre, « Claude Beauchamp. Homme politique ou homme d'affaires ? », *Le Devoir*, 17 octobre 1992.

DUBUC, Alain, « Le bateau ivre du ministre Johnson », *La Presse,* 23 mars 1991.

FALARDEAU, Louis, « Daniel Johnson veut donner le rôle majeur à l'entreprise privée », *La Presse,* 20 août 1983.

FLEMING, James, « SNC's risky world vision », *Financial Times,* 25 mai 1992.

GODIN, Pierre, « Le face à face des frères Johnson », *L'actualité,* avril 1980, p. 31-36.

HORSMAN, Matthew, « Activists ascendant in economic policy », *The Financial Post*, 5 février 1993.

« Johnson. Business career helped fit me to become premier », *The Gazette,* 20 septembre 1983. [Entrevue avec Johnson.]

JOHNSON, Daniel, « La politique, ça me regarde » et « Pourquoi un numéro spécial sur l'économie », dans *Le Laurentien,* journal étudiant du Collège Saint-Laurent, septembre 1961 et mars 1962.

LACHANCE, Micheline, « Un *outsider* chez les libéraux », *L'actualité,* août 1988, p. 21-28. [Sur Pierre Paradis.]

LEBLANC, Gérald, « Et voici " Monsieur Canada " », *La Presse,* 27 juin 1992. [Sur Claude Beauchamp.]

LECONTE, Catherine, « La relance de Montréal », série de trois articles, dans *Le Devoir,* 18, 19 et 20 juin 1991.

LEFÈVRE, Michel, « Gérald Tremblay. Le catalyseur de l'économie québécoise », *Le Devoir*, 3 décembre 1991.

LESAGE, Gilles, « La cavalcade de Gil Rémillard », *Le Devoir,* 26 octobre 1985.

LESAGE, Gilles, « Daniel Johnson. Responsable du Trésor, il a pu mettre en œuvre son slogan : le courage de la vérité... », *Le Devoir,* 24 mars 1992.

LESSARD, Denis, « La commission BC. La foire d'empoigne », *La Presse,* 30 mars 1991.

LESSARD, Denis, « Duel au-dessus de la Baie James. Bacon possède tous les appuis clés au cabinet », *La Presse,* 27 octobre 1990.

LESSARD, Denis, « La question de la succession est devenue incontournable », *La Presse,* 18 janvier 1993.

LESSARD, Denis, « Les tribunaux administratifs sont aussi des planques pour les amis du régime », *La Presse*, 22 janvier 1993.

LISÉE, Jean-François, « Les dossiers secrets de Bourassa », *L'actualité,* 1er novembre 1992, p. 63-69.

LISÉE, Jean-François, « Les faiseurs de présidents », *L'actualité,* août 1988, p 45-50.

LISÉE, Jean-François, « L'homme qui se prend pour Gil Rémillard », *L'actualité,* 1er juin 1991, p. 22-29.

MANN, Jonathan, « Will Johnson be next premier of Quebec ? », *The Gazette,* 23 juillet 1983.

MARSOLAIS, Claude-V., « " Le nouveau Bourassa, c'est le même Bourassa que j'ai connu. " Lise Bacon », *La Presse,* 27 août 1983.

MONDY, Jacqueline, « Mlle Lise Bacon. Une disponibilité de tous les instants au service de l'action politique », d'après PC, dans *Le Soleil,* 22 novembre 1971.

NORMAND, Gilles, « Presque l'allure d'un dauphin », *La Presse,* 5 octobre 1991. [Sur Gérald Tremblay.]

O'NEILL, Pierre, « Daniel Johnson : Investir dans l'avenir », *Le Devoir,* 12 octobre 1983.

O'NEILL, Pierre, « Le pas de plus de Gil Rémillard. L'autonomie politique dans un fédéralisme d'association », *Le Devoir,* 24 septembre 1990.

O'NEILL, Pierre, « Pierre Paradis et l'indépendance sournoise », *Le Devoir,* 11 octobre 1983.

PRATTE, André, « Yves Fortier. Tout ce que touche cet avocat, il le réussit », *La Presse,* 6 mars 1993.

RAYMOND, Micheline, « Lise Bacon face à 109 hommes », *Montréal Matin,* 6 novembre 1973.

RICHER, Anne, « Guy Saint-Pierre », *La Presse,* 16 décembre 1991.

SAUNDERS, John, « 308 000 eligible to vote on plan to save caisse », *The Gazette,* 6 février 1982. [Sur Gérald Tremblay.]

THELLIER, Marie-Agnès, « Treize " complices " en gestion de redressement », *Le Devoir,* 26 juin 1980. [Sur Gérald Tremblay.]

TOMESCO, Frédéric, « Avons-nous besoin des grappes ? », *Commerce,* février 1993.

TURCOTTE, Claude, « Claude Béland : véritable leader naturel depuis son enfance », *Le Devoir,* 26 janvier 1987.

TURGEON, Pierre, « Le pouvoir, elle connaît ! », *L'actualité,* août 1986, p. 24-27. [Sur Lise Bacon.]

VASTEL, Michel, « Cinq jours en août », *L'actualité,* 1er novembre 1992, p. 71-79.

VENNE, Michel, « Le Parlement célèbre son bicentenaire sans la présence de Bourassa », *Le Devoir,* 18 décembre 1991.

VENNE, Michel, « Sous le ronron, la rupture », *Le Devoir,* 5 février 1993. [Sur Daniel Johnson.]

Documents et discours

BACON, Lise, « Ce que pourrait être le Québec du 21e siècle », discours prononcé le 20 janvier 1993 à la chambre de commerce de Laval, ministère de l'Énergie.

BACON, Lise, « Horizons 2000 », *Le Devoir,* 31 janvier 1984 [Sur la charte de la qualité de la vie.]

BACON, Lise, « Il est minuit moins cinq », discours prononcé à *Cité libre* le 21 janvier 1993 et reproduit le 22 janvier 1993 dans *Le Devoir.*

BACON, Lise, « Mort dans la toundra ! Ou l'erreur de banaliser une catastrophe écologique », *Le Devoir,* 21 novembre 1984.

BÉLAND, Claude, « Ni capitalisme ni communisme », discours prononcé à l'université Laval le 10 juillet 1990 et reproduit le 14 juillet 1990 dans *Le Devoir.*

BÉLANGER, Michel, CAMPEAU, Jean *et al., L'Avenir politique et constitutionnel du Québec,* Commission sur l'avenir politique et constitutionnel du Québec, Québec, mars 1991, 180 p.

GAUTHIER, Michel, *Marketing in a Crisis Situation,* manuscrit inédit sur la crise des caisses d'entraide économique, novembre 1985.

GIROUX, Daniel, HARGUINDEGUY, Jean-Louis, LABERGE, Louis, LAROSE, Gérald, LAVALLÉE, Diane et PAGÉ, Lorraine, « On se trompe de cible. Levée de boucliers syndicaux contre le gel des salaires », document publié dans *La Presse,* 5 avril 1991.

JOHNSON, Daniel, « Montréal, Québec, Canada, des ponts à reconstruire », discours post-référendaire prononcé à Montréal le 30 novembre 1992, Conseil du trésor.

JOHNSON, Daniel, « Notes pour une allocution... », discours sur la réduction du déficit, prononcé à Québec le 16 janvier 1992, Conseil du trésor.

JOHNSON, Daniel, « Pour que Montréal relève la tête », discours sur le Plan de relance de Montréal, prononcé à Montréal le 17 décembre 1991, Conseil du trésor.

RÉMILLARD, Gil, « Meech complète le rapatriement de 1982 et répare l'injustice infligée alors au Québec », discours publié dans *La Presse,* 27 mars 1990.

RÉMILLARD, Gil, « Notes pour l'allocution... », discours sur le fédéralisme prononcé à l'Université d'Aix-Marseille III le 14 mai 1990, ministère de la Justice.

RÉMILLARD, Gil, « Notes pour une allocution... », discours sur les conditions du Québec pour la séance « Canada », prononcé à Anjou le 15 janvier 1992, ministère de la Justice.

RÉMILLARD, Gil, « Une question ambiguë », *Le Devoir*, 10 janvier 1980. [Sur la question référendaire de 1980.]

SAINT-PIERRE, Guy, « Le Canada et le Québec de l'an 2000, vers la création d'un espace économique canadien », discours prononcé au Cercle canadien de Montréal le 12 novembre 1991, SNC.

SAINT-PIERRE, Guy, « La formation : l'urgence de s'adapter », discours prononcé à la chambre de commerce de Laval le 24 février 1993, SNC.

SAINT-PIERRE, Guy, « Les ressources matérielles scolaires... ou comment faire plus avec moins ! », discours prononcé à Québec le 18 février 1993, SNC.

TREMBLAY, Gérald, « Au-delà du discours... Un changement d'attitude s'impose », discours prononcé à Saint-Hyacinthe le 3 mai 1992, ministère de l'Industrie.

TREMBLAY, Gérald, « Nous vivons dans une économie en état d'urgence », discours publié dans *La Presse*, 11 et 12 septembre 1991.

TREMBLAY, Gérald, « La prévention des crises au sein de l'entreprise et le rôle du MBA », *Magazine MBA*, février 1980, p. 3-8.

TREMBLAY, Gérald, « Vers une économie et une société à valeur ajoutée », extraits de son discours sur les « grappes » *La Presse*, 4 décembre 1991.

INDEX

A

Accord du lac Meech, 62, 63, 81, 118, 155, 156, 158, 159, 160, 161, 163, 167, 168, 169, 170, 172, 179, 183, 257, 264, 266, 267
Aide juridique, 146, 147
Allaire, 312
Allaire, Jean, 61, 67, 266, 291, 292, 305
Alliance Québec, 116
Anctil, Pierre, 43, 61, 114
Aron, Raymond, 137
Arseneault, Michel, 321
Atlas (usines), 232
Aubut, Marcel, 226

B

B-M Squibb, 195
Bachand, Raymond, 227
Bacon, Guy, 32, 38
Bacon, Joseph, 27, 28, 32, 63
Bacon, Lise, 12-14, 18, 25-77, 82, 122, 126, 134, 185, 230, 251, 274, 281, 287, 291, 292, 295, 296, 297, 298, 301, 309, 312, 313, 316, 320
Bacon, Yvonne, 27, 32
Badinter, Robert, 150, 187
Baie James, 82
Banque canadienne nationale, 272
Banque du Canada, 124, 174
Banque nationale, 271, 272
Banque provinciale, 272
Banque Royale, 270
Bâtir le Québec, 235
Beauchamp, Claude, 185, 211, 252-265, 291, 292, 303, 312, 313
Beaudoin, Gérald, 137, 144, 169
Beaudoin, Louise, 274
Beaugrand-Champagne, Paule, 321
Beaulieu, Carole, 321
Bédard, Marc-André, 35, 149
Béland, Claude, 177, 251, 265, 266, 267, 268, 269, 291, 296
Bélanger, Michel, 176, 252, 271-273, 291
Bell Canada, 27, 266
Bellemare, Maurice, 28, 108
Benjamin, Jacques, 34
Benoît, Robert, 274
Bergeron, Claude, 319
Bernard, Louis, 158, 171
Bertrand, Françoise, 200, 201, 207
Bertrand, Gaston, 200
Bertrand, Guy, 153
Bertrand, Jean-François, 138
Bertrand, Jean-Jacques, 272, 284
Bertrand, Louis, 198

Bertrand, Mario, 220, 222, 227, 229, 230, 246, 274
Bérubé, Yves, 233
Bibeau, Pierre, 186, 215
Biogénie, 224
Biron, Rodrigue, 109, 252
Bisson, Alain, 133, 149
Bissonnette, Lise, 116, 135, 145, 179, 183, 188, 311
Bissonnette, Michel, 61, 312
Blackburn, Jeanne, 49
Blais, Raymond, 267
Blanchet, Claude, 214, 218
Blondin, Ethel, 171
Bombardier, Denise, 302
Bonenfant, Jean-Charles, 137
Bouchard, Benoît, 178, 232, 291, 292, 293
Bouchard, Jean-Baptiste, 152
Bouchard, Lucien, 58, 132, 133, 177
Bourassa, Jocelyne, 203
Bourassa, Robert, 16, 18, 25-27, 29, 31, 33- 35, 37-39, 41, 42, 44-50, 53, 58-62, 64, 66, 67, 68- 71, 76, 77, 81- 87, 92, 94, 103, 105, 110, 112-121, 125, 126, 129, 132-134, 138-140, 154, 156, 158, 159, 161, 165, 167, 168, 170, 171-174, 176-178, 180, 181, 184, 189, 200, 204, 209, 215, 217, 220, 222, 227, 229, 231, 234, 235-239, 242, 245, 253, 254, 256, 257, 258, 261, 264, 266, 269, 272, 280, 282, 283, 285, 288, 295, 299, 310, 321
Bourbeau, André, 82, 86, 238
Bourbon Busset, Jacques de, 44
Brassard, Jacques, 49, 189, 304
Brind'Amour, Jacques, 219
Bronfman, frères, 267
Brownstein, Morton, 228
Brun, Henri, 124, 153, 185
Bureau, Robert, 319
Bureau, Stephan, 302
Burns, Pat, 124
Business Council on National Issues (BCNI), 258
Business Week, 193

C

Caisse de dépôt et placement, 194, 202, 218, 222, 107
Caisses d'entraide, 209, 210, 212, 213, 261
Caisses d'entraide économique, 208
Campbell, Kim, 281, 282, 296, 301
Campeau, Jean, 107
Cannon, Lawrence, 60
Caouette, Réal, 152
Capital Letter Goods (Calego), 205
Carle, Gilles, 130, 188
Castonguay, Claude, 33, 34, 113, 122, 165, 264
Centrale de l'enseignement du Québec, 93, 137
Centre de commerce mondial, 223
Chagnon, Jacques, 86, 96, 125
Chamberland, Jacques, 145, 182
Chambre de commerce, 100
Chapleau, Serge, 189
Chaput-Rolland, Solange, 136, 138, 153, 170, 171, 184, 186, 188
Charbonneau, Yvon, 137
Charest, 281
Charest, Jean, 281
Charlottetown, 300, 313, 315
Charlottetown, Entente de, 182
Charron, Claude, 208
Charte des droits de la personne, 158
Chartrand, Luc, 319
Chevrette, Guy, 49
Chirac, Jacques, 204
Chrétien, Jean, 16, 32, 57, 87, 107, 156, 261, 288
Chrysler, 240
Ciaccia, John, 34, 41, 50, 76, 136
Cité libre, 75
Clark, Joe, 66, 179, 285
Clifford, Lincoln, 44

Clinton, Bill, 104, 234, 261, 281
Clinton, Hilary, 27
Canadien National (CN), 266
Code civil, 158, 184
Commission Bélanger-Campeau, 57, 64, 117, 174, 175, 177, 266, 269, 272
Commission des valeurs mobilières, 209, 213
Commission jeunesse, 61
Commission sur l'avenir politique et constitutionnel du Québec, 271
Congrès juif canadien, 228
Conseil du patronat, 176, 235
Conseil du trésor, 14, 85, 86, 236, 237
Convention de la Baie James, 53, 269
Coon-Come, Matthew, 52, 300
Coopérants, 194
Copps, Sheila, 288
Cosgrove, William, 119
Côté, Jean-Pierre, 137
Côté, Marc-Yvan, 56, 59, 68, 89, 94, 98, 122, 126, 184, 283, 291, 311
Côté, Marcel, 209, 219, 220, 222
Coupal, Bernard, 254
Cournoyer, Jean, 34, 36, 37, 300, 311
Coyne, Deborah, 165, 171
Credit Union League, 267
Crépeau, Paul-André, 149
Croix-Rouge, 132
CSN, 93, 95, 99, 125, 210, 262
Culinar, 239
Cuomo, Mario, 251
Cusano, Bill, 41
Cyr, Benoît, 224

D

D'Allemagne, André, 102
Daoust, Fernand, 95, 97, 124, 235, 236, 245
Daoust, Yves, 321
Décary, Michel, 222, 225, 235, 236,
Décormag, 263
De Gaulle, Charles, 277, 286
Delisle, André, 211
Denis, Charles, 34
Desmarais, Paul, 106, 107, 185, 302
Desrochers, Paul, 30, 31, 32, 34, 35, 40, 256, 257, 283
Dion, Léon, 137, 138, 143, 144, 153, 159, 166, 167, 168, 175, 184
Dolbec, Michel, 321
Domtar, 222
Donohue, 222
Doré, Jean, 94, 98, 282, 311
Drouin, Richard, 54
Dubuc, Alain, 318
Duchaîne, Jean-François, 152
Dufour, Christian, 312, 313
Dufour, Ghislain, 176, 236, 261
Dugal, Justin, 209, 213
Duhamel, Yvon, 202, 203
Dumont, Mario, 28, 67, 181, 291, 312
Dun & Bradstreet, 197
Duplessis, Maurice, 27, 28, 103, 117, 142, 149, 284
Dupont-Rémillard, Marie, 138
Durivage, Simon, 197
Dussault, René, 156

E

Entente de Charlottetown, 53, 65, 66, 67, 83, 120, 121, 123, 129, 163, 172, 181, 183, 258, 264, 272
Erasmus, George, 166, 172

F

Falardeau, Louis, 111
Farrah, Georges, 312
Fédération canadienne de l'entreprise indépendante, 222, 217
Fédération professionnelle des journalistes du Québec (FPJQ), 262
Ferland, Guy, 199
Ferland, Jean-Pierre, 136
Filion, Claude, 58

Filmon, Gary, 168
Fonds de solidarité de la FTQ, 194, 214, 218
Forget, Claude, 35
Forget, Jacques, 210
Forgues, André, 321
Fortier, Pierre, 82, 222, 226
Fortier, Yves, 53, 252, 269
Fournier, Louis, 93
Francœur, Jacques, 262
Fraser, Matthew, 107
French, Richard, 41
Frulla-Hébert, Liza, 61, 85, 274
FTQ, 93, 145, 175, 208, 235

G

Gagné, Jean-Paul, 316
Gagnon, Lysiane, 37, 113, 116, 302
Gagnon-Tremblay, Monique, 91
Garneau, Raymond, 31, 35, 280, 281
Garon, Jean, 26, 58, 186, 187
GATT, 195
Gaulin, Jean, 243
Gauthier, Michel, 197
Gazette, 70, 115, 118, 272
Gendron, Louise, 321
Gendron, Marie, 76
Gérin-Lajoie, Paul, 30, 153
Girard, Jacques, 103
Girard, Normand, 309
Giroux, Daniel, 244
Globe and Mail, 195, 241
GM, 240
Gobeil, Paul, 75, 88, 91, 124, 222, 273,296, 303
Gobeil, Pierre, 48
Godbout, Antoine, 47
Godbout, Clément, 145
Godbout, Jacques, 72, 158, 302, 321
Godin, Gérald, 40
Gorbatchev, Mikhaïl, 132, 155
Grand Conseil des Cris, 43, 52
Grande-Baleine, 51, 52, 53, 66, 222, 254, 266
Grande-Baleine, 52, 53
Gratton, Michel, 40
Gratton, Robert, 39, 88, 92, 100, 102, 104, 105, 107
Greber, Dave, 106
Groupe d'assurances Commerce, 274
Groupe Transcontinental, 260, 263
Guilbert, Alain, 176

H

Halde, Jean-René, 200, 234, 239
Hamelin, Michel, 100
Handelsman, Gary, 241
Harcourt, Mike, 242
Hardy, Denis, 36
Harel, Louise, 98, 147, 187
Harguindeguy, Jean-Louis, 89, 225
Harvard Business School, 198, 199, 200, 202, 205, 227
Hibernia, 218
Hôtel-Dieu, 98
Hudon, Normand, 103
Hussein, Saddam, 270
Hydro-Québec, 51, 53, 54, 55, 222, 224, 272, 281

I

Institut de recherche et d'information sur la rémunération, 91

J

Jackson, A. Y., 104, 136
Jackson, Michael, 282
Jacobs, Jane, 244
Jacoby, Daniel, 145, 146, 147, 148
Jedwab, Jack, 228
Jessop, Albert, 38, 77
Johnson, Daniel, 12, 14, 15, 30, 41, 42, 48, 57, 62, 77,-125, 146, 154, 161, 185, 201, 210, 214, 219, 220, 231, 236-238, 242, 247, 257, 272, 274, 281, 288, 291, 301-303, 304, 309, 312-320, 321
Johnson, Daniel (père), 87, 131, 277, 278, 281, 282, 284

Johnson, Pierre Marc, 26, 45, 109, 111, 113, 136, 154, 161, 217, 227, 245, 281, 284
Journal de Montréal, 288, 294
Journal des débats, 189
Joyal, Renée, 188

K

Kennedy, (famille), 198
Kierans, Eric, 29
King, Mackenzie, 141
Kirkland-Casgrain, Claire, 37

L

La Presse, 70, 111, 113, 116, 148, 261, 262, 265, 273, 302
Labatt, 258
Laberge, Jeannine, 28
Laberge, Louis, 93, 175
Laberge, Marie, 45
Labrecque, Bernard, 243
Lacombe, Michel, 301
Lacoste, Gérald, 209, 210, 211, 213, 214
Lacoste, Hugo, 211
L'Action catholique, 271
Laforest, Guy, 142
L'Allier, Jean-Paul, 77, 291, 311
Lalonde, Fernand, 61, 217
Lalonde, Marc, 156
Lamarre, Bernard, 256, 260
Lamer, Antonio, 145
Landry, Bernard, 42, 64, 154, 235, 247
Landry, Roger D., 265, 273, 291
Landry, Yves, 240
Langlois, Guy, 200
Lapierre, Irénée, 29
Lapierre, Jean, 278, 313
Laplante, Serge, 205, 207
Laporte, Pierre, 30, 285, 288
Larose, Gérald, 93, 177, 178, 236
Larouche, Angers, 198
Laure, Carole, 132
Laurier, Wilfrid, 141
Laurin, Pierre, 201
Lavalin, 194, 233, 260
Laveaux, Jean, 221
Lavoie, Jean-Noël, 75
Lavoie-Roux, Thérèse, 46, 49, 61, 114, 119
Le Bel Âge, 263
Le Devoir, 33, 103, 116, 122, 130, 142, 166, 206, 308
Le Hir, Richard, 236
Le Soleil, 107, 257, 262, 294, 316, 322
LeBlanc, Gérald, 265
Leclerc, Félix, 136
Leconte, Catherine, 122
Le Devoir, 69, 110, 115, 135, 139, 145, 173, 183, 207, 321
Leduc, François, 133
Leduc, Michel, 41
Legault, Jean, 205, 206, 207, 229
Léger et Léger, 288
Léger, Jean-Marc, 82, 289, 291, 319
Le Hir, Richard, 236
Lelouch, Claude, 132
Lemieux, Jean-Paul, 107, 136
Lemieux, Jean-Guy, 314
Lemieux, Vincent, 18
Léonard, Jacques, 244
Lépine, Jean-François, 302
Le Point, 247
Les Affaires, 211, 237, 261, 263, 318
Lesage, Gilles, 33, 139, 234, 321
Lesage, Jean, 26, 29, 30, 32, 33, 36, 37, 41, 49, 102, 114, 149, 153, 183, 271, 272, 299
Le Soleil, 107, 257, 262, 294, 322
Lessard, Denis, 67, 148
Lévesque Beaubien, 272
Levesque, Gérard D., 36, 49, 50, 61, 85, 87, 97, 112, 124, 139, 238, 311
Lévesque, René, 26, 29, 38, 57, 87, 130, 131, 143, 153, 158, 169, 227, 253, 271, 284
Levesque, Suzanne, 61, 177
Libman, Robert, 228
Lightfoot, Jim, 199

Lincoln, Clifford, 41, 47, 58, 114, 116, 125
Loi 22, 158
Loiselle, Jean, 112, 114
Longtin, Marie-Josée, 150

M

MacDonald, Ian, 112
MacDonald, Pierre, 222
Maciocia, Cosmo, 41
MacLaine, Shirley, 132
Maîtriser l'avenir, 157, 162
Malenfant, Raymond, 87, 238, 265
Marchand, Félix-Gabriel, 284
Marcoux, Rémi, 263
Marine Industries, 222, 231
Marion Merrell Dow, 195, 241
Martel, Philippe, 205
Martin, Paul, 107, 108, 177
Marx, Herbert, 41, 46, 114, 138, 149
Masse, Claude, 150
Masson, Claude, 262
McKenna, Frank, 164, 165, 173
Ménard, Jacques, 100
Merck Frosst, 195
Mercredi, Ovide, 171, 172
Mère Teresa, 131
Merrill Lynch Canada, 201
Michaud, Yves, 35
Minoteries Ogilvy, 258
Mitterrand, François, 107, 132, 133, 150
Monahan, Patrick, 157, 160, 161, 162, 164, 167, 170, 171, 172
Mongrain, Jean-Luc, 301, 306
Montand, Yves, 132
Montréal Matin, 107
Moran, Bob, 240
Morency, Lise, 150
Morin, Benoît, 57, 182
Morin, Claude, 153, 169
Morin, Jacques-Yvan, 310
Mouvement Desjardins, 212, 251, 265, 267
Mulroney, Brian, 49, 130, 131, 132, 133, 138, 143, 155, 157, 169, 172, 209, 253, 261, 262, 264, 269, 270, 282

N

Nadeau, Denis, 149, 169, 183
Nations Unies, 131, 185, 270
Nicklaus, Jack, 203
Noel, Walter, 171
Noranda, 238
Norsk Hydro, 224
Nouveau-Brunswick, 81, 132
NPD, 107

O

Office de la langue française, 11
Office de planification et de développement régional, 56
Ogilvy Renault, 200, 269, 270
O'Neill, Pierre, 34
Ontario, 132
ONU, 135, 136, 188, 270
Ordre du Temple solaire, 281
Organisation de coopération et de développement écomique, 135

P

Pagé, Michel, 50, 57, 69
Pageau-Goyette, Nycol, 99, 100, 125
Paquette, Pierre, 95, 99, 125
Paradis, Pierre, 42, 47, 50, 51, 52, 58, 85, 95, 99, 105, 115, 125, 251-255, 291, 292, 303, 307
Paré, Gilles, 319
Paré, Jean, 300, 320
Paretsky, Sara, 299
Parisella, John, 52, 62, 70, 116, 215, 231, 239
Parizeau, Jacques, 18, 25, 26, 27, 50, 69, 87, 107, 111, 210, 211, 212, 213, 225, 299, 301, 304
Parti Égalité, 228, 307
Parti libéral, 18, 20, 31, 40, 61, 62, 67,

75, 93, 116, 120, 138, 139, 153, 156, 168, 174, 176, 178, 184, 187, 208, 210, 217, 228, 233, 236, 257, 278, 279, 284, 285, 296, 308
Parti québécois, 18, 19, 20, 35, 37, 39, 46, 49, 67, 75, 91, 93, 105, 108, 109, 110, 118, 138, 149, 154,174, 235, 238, 253, 266, 281, 300, 308, 309
Patenaude, Pierre, 143
Patry, André, 131, 190
Payette, Lise, 26, 38, 300, 311
Payeur, Ben, 257
Pearson, Lester B., 282
Péladeau, Pierre, 185, 227, 311
Pelletier, Gérard, 59
Perez de Cuellar, Javier, 134, 135, 134
Perot, Ross, 15, 88, 89, 90, 315
Perreault, Gilbert, 203
Peterson, David, 157, 172, 187
Picher, Claude, 316
Player, Gary, 203
Poisson, Marcel, 141
Porter, Michael, 224, 234
Poupart, Ronald, 84, 85, 91, 111, 114, 122
Power Corporation, 15, 88, 106, 110, 185, 210
Précitech, 226
Proulx, Daniel, 131, 185
Proulx, Gilles, 199, 200, 299, 306
Proulx, Jacques, 177
Proulx, Mario, 319
Prud'homme, Raymond, 215

Q

Quartier latin, 103
Quebecor, 185, 227

R

Radio-Canada, 152
Rae, Bob, 122, 179, 242
Rae, John, 107
Rapport Allaire, 63, 65-68, 117, 119, 120, 123, 265, 177
Rapport Beaudoin-Dobbie, 264
Rapport Bélanger-Campeau, 265, 273
Papport Pépin-Robarts, 153
Rapps, Sam, 205
Raymond Chabot, 273
Réa, 194
Régie de l'assurance-dépôts, 209
Reich, Robert, 234
Reichman, frères, 267
Rémillard, Albert, 141
Rémillard, Gil (Gilles, Guil), 12, 15, 16, 61, 64, 85, 124, 129-185, 190, 232, 261, 281, 283, 291, 293, 295, 301, 303, 310, 315, 321, 322
Rhône-Poulenc, 195
Ricard, François, 74
Richard, René, 136
Richler, Mordecai, 272
Riopelle, Jean-Paul, 136
Rivest, Jean-Claude, 25, 31, 37, 47, 59, 86, 89, 117, 124, 132, 139, 158, 161, 162, 167, 170, 178, 187, 232
Rizzuto, Pietro, 76
Robillard, Lucienne, 274
Robinson, Anne, 152, 154
Rocard, Michel, 274
Rocheleau, Gilles, 42
Rockefeller, (famille), 198
Rodrigue, Jean-Guy, 138
Roosevelt, Eleonor, 27
Roosevelt, Franklin, 27
Rouleau, Alfred, 39
Roy, Bernard, 269
Roy, Gabrielle, 136
Roy, Michel, 262
Rumilly, Robert, 109
Ryan, Claude, 19, 40, 41, 42, 45, 46, 49, 58, 59, 63, 82, 86, 93, 110, 111, 112, 113, 118- 120, 138, 153, 184, 218, 251, 253, 257, 280, 281, 291, 292, 302, 307, 313

Ryan, Erik, 218

S

Saint-Laurent, Louis, 141
Saint-Martin-Tremblay, Lise, 177
Saint-Pierre, Guy, 35, 113, 202, 252, 256, 257, 259, 260, 278, 296, 303, 306, 312
Saint-Pierre, Raymond, 38
Samson, Camil, 282
SAQ, 218
Saucier, Serge, 273
Schoeller, Jean-Michel, 204, 215, 217
Scott, Ian, 159, 160, 170, 172
Scowen, Reed, 41, 114
Scully, Robert-Guy, 301
SECOR, 222
Séguin, Yves, 87
Shawinigan Water and Power, 28
Sicard, Louise, 27, 45, 68
Sirois, Charles, 273
Sirros, Christos, 52, 114
Smith, Hedrick, 254
SNC-Lavalin, 233, 256, 257, 258, 278
SOBECO, 205, 206, 207
Société de Développement industriel (SDI), 219, 220, 221, 222, 225, 232, 243, 244
Société générale de financement, (SGF), 222, 231
Société Saint-Jean Baptiste, 200, 202
Sommet de la justice, 144, 147
Spicer, Keith, 64
Springate, George, 38
Stanton, Françoise, 71
Surreau, Philippe, 217
Symonds, William, 193

T

Tardif, Louis, 152
The Power Game, 254
Thériault, Yves, 102
Thérien, Robert, 215, 216
This Week in Business, 263
Toronto Star, 241
Tourangeau, Pierre, 54
Tremblay, André, 153, 158, 171, 181
Tremblay, Georges-Albert, 196
Tremblay, Georges-Étienne, 193
Tremblay, Gérald, 12, 16, 17, 18, 60, 83, 85, 99, 100, 145, 193-247, 261, 267, 281, 287, 291, 292, 303, 306, 309, 315, 320
Tremblay, Marcel, 196, 208, 214, 216
Tremblay, Marie-Laurence, 214
Tremblay, Michel, 196
Trudeau, Pierre Elliott, 32, 39, 41, 87, 130, 142, 155, 156, 157, 168, 188, 269, 270, 282, 284, 306, 310
Turgeon, Serge, 44
Turner, John, 271, 283, 284

U

Ultramar, 243
UNESCO, 131, 135
Union des artistes, 44
Union nationale, 19, 33, 108, 109, 252, 261
UPA, 177
UTDC, 195

V

Vachon, Henri, 210
Vallée, Francine, 323
Vallerand, André, 236
Vastel, Michel, 164, 166, 323
Vermette, Serge, 186
Vigneault, Gilles, 136
Villeneuve, Gilles, 203

W

Wagner, Claude, 30, 285, 288
Wells, Clyde, 62, 155, 165, 169, 171, 172
Wilhelmy, Diane, 158, 160, 171
Wilson, Larry, 38, 75
Wilson, Michael, 240

TABLE DES MATIÈRES

Avis au lecteur sceptique 9

Introduction : la musique du pouvoir 11
Une Duplessis en jupon ? — Un Ross Perot québécois ? — Un crypto-séparatiste ? — Un boy-scout de l'économie ?

Première partie : Les poids lourds

I. Lise Bacon : le prix de la loyauté 25
Enfin ! la récompense — Les dix cents de Duplessis — Avec Robert — Misogynie : 1 ; Bacon : 0 — Ministre, sans triomphe — Misogynie : 2 ; Bacon : 0 — Avec Claude Ryan/Contre Claude Ryan — La phase verte — « Ah ! Lise, faut que tu me rendes service ! » — « Écœurée, tannée » — Dureté ou insécurité ? — Saint-Jude et Coon-Come — L'hydro-québécoise — Robert parti, Lise décide — Une Canadienne au cœur brisé — La garde-chiourme — Le festival des clichés — Conseillers fragiles, s'abstenir !

II. Daniel Johnson : l'homme derrière le nom 81
Populaire, pourquoi ? — Loyal mais dissident — « Libérer le Trésor ? » Pas question ! — L'affrontement — Le triomphe — « Décrissé de la vie » — Montréal dans les patates — Un adolescent dans l'ombre du père — Un bain de conservatisme étranger — Que faisiez-

vous, au juste, à Power Corporation ? — Avec Ryan, devant Pierre Marc — Leadership 1983 : d'un pas alerte vers l'abattoir — Égalité, oui ; Indépendance, jamais — Le déçu de Charlottetown — « Chaleureux comme une pierre tombale » — Prêt pour l'après-Bourassa ?

III. Gil Rémillard : homme de théâtre ou homme de droit ? 129
Truffaut, Fellini, Rémillard — Une diplomatie de barreau de chaise — Plus de « relations » que d'« affaires » — De Gabrielle Roy à Léon Dion — « La cavalcade » — « N'allez pas croire que je me prends pour Napoléon ! » — Jeune souverainiste, converti précoce au « beau risque » — Le père de Meech — Deux opinions à la fois — Charlottetown : la quasi-démission — L'ami des mécènes — Problème d'image — Un Bourassa, sans l'ironie.

IV. Gérald Tremblay : l'anti-sceptique de Québec 193
« Maintenant, nous avons un canon » — Enfant de Marie ou *bum* ? — L'épreuve de Harvard — Les « complices en salopettes » — Désastreuse victoire aux caisses d'entraide — Gérald vs Parizeau — Entrée interdite : Gérald victime des autobus — Révolution à la SDI — Le « missionnaire » négocie dur — Le mini-calvaire des heures d'affaires — Une économie en « état d'urgence » — Des « grappes » piétinées au Cabinet — « Au-delà du discours, agissons-nous ? » — Petites vacheries — Encore des croûtes à manger ?

Deuxième partie : la course

V. Le Survenant 251
Pierre Paradis — Guy Saint-Pierre — Claude Béland — Claude Beauchamp — Yves Fortier — Michel Bélanger — Et quelques improbables.

VI. Embûches, obstacles, *dirty tricks* 277
La « chefferie » dans un parti au pouvoir : le jeu politique le plus dur, le plus palpitant — Le leadership, comme le carnaval — Orgasme politique multiple — Le *Moon-walk* inversé.

VII. Le peloton à la ligne de départ 287
En chiffres, la popularité comparée des candidats potentiels dans l'électorat — Et le nom du candidat qui pourrait tout changer — Ses initiales : B.B.

Conclusion : Mémos aux prétendants 297
Mémos de campagne adressés à Lise, Daniel, Gil et Gérald.

Remerciements 319

Personnes interviewées 323

Bibliographie 325

Index 331

Typographie et mise en pages :
Les Éditions du Boréal

Achevé d'imprimer en octobre 1993
sur les presses des Ateliers graphiques
Marc Veilleux à Cap-Saint-Ignace, Québec